D0417324

Les Héritières

* * *

CÉLINE

Du même auteur

ROMANS

La Grande Triche, Grasset, 1977
Une voix, la nuit, Grasset, 1979
La Rumeur de la ville, Grasset, 1981
Maria Vandamme, Grasset, 1983
Prix Interallié
Alice Van Meulen, Grasset, 1985
Au début d'un bel été, Grasset, 1988
Catherine Courage, Grasset, 1991
Laura C., Grasset, 1994
Théo et Marie, Robert Laffont, 1996
Les Héritières : *Aline* (tome I), Plon/Le Seuil, 2000
Les Héritières : *Aurélie* (tome II), Plon/Le Seuil, 2000

BIOGRAPHIES

Saint Éloi, Fayard, 1985
Jean Bart, Le Seuil, 1992

ESSAIS

Les Catholiques français sous l'Occupation,
1966, nouvelle édition, Grasset, 1986
Les vents du Nord m'ont dit, Albin Michel, 1989
Jésus, Flammarion-DDB, 1994
Le Dieu de Jésus, Grasset-DDB, 1997
Le Bonheur en 36 vertus, Albin Michel, 1999
Dieu expliqué à mes petits-enfants, Le Seuil, 1999

JACQUES DUQUESNE

Les Héritières

***

CÉLINE

Plon/Le Seuil

© Plon/Le Seuil, 2001
ISBN 2-259-18694-7

Quand je dirigeais *La Vie en rose*, un magazine féminin devenu *Rose*, tout simplement, en 1945, je le répétais sans cesse aux filles de la rédaction, et aux garçons aussi : c'est la première phrase d'un article qu'il faut peaufiner. C'est sur cette phrase que vous jouez votre chance d'être lu. Ou le risque d'être aussitôt abandonné.

Je me suis trouvée parfois, dans des trains ou des avions, assise près d'un inconnu ou d'une inconnue qui avait en mains mon magazine. Le pire supplice pour une journaliste. Vous les voyez feuilleter la revue, glisser machinalement de page en page, les regardant à peine alors que vous avez tant travaillé sur les photos, les titres, les sous-titres, pour accrocher le lecteur. Soudain, le bonheur : l'inconnu ou l'inconnue s'est arrêté, commence à lire. Et aussitôt le drame : il, ou elle, s'interrompt, reprend son feuilletage distrait.

Ne lui reprochez rien. La coupable, c'est la première phrase. Ou les premières, si vous préférez. Parce qu'elles n'ont pas été capables de l'éblouir, de l'émouvoir, de l'agacer, de l'interroger. Bref, de le retenir, lui donner envie d'aller plus loin, d'en savoir davantage, de prolonger son émotion, de goûter un plaisir qui soit long en bouche comme disait, à propos du vin ou de ses cognacs, mon oncle Lucien.

Seulement voilà : aujourd'hui, 23 mars 1982, moi, Céline Surmont-Rousset, plus de quarante ans de journalisme derrière moi, je ne la trouve pas, cette phrase. Celle qui donnera envie à un petit Boidin, une jeune Schmidt, à l'un de mes arrière-petits-fils ou à des gamines qui n'existent même pas encore et qui découvriront ce texte au fond d'un tiroir, enfoui dans un grenier ou sous une pile de bouquins poussiéreux, de le lire pour découvrir l'histoire de leur famille.

Cette phrase, je la cherche depuis longtemps. Je n'oserai pas dire que c'est pourquoi j'ai tant tardé à m'y mettre. Mais cela m'agace, cela me trouble. J'ai peur. Voilà.

Revivre et faire revivre ces souvenirs, je l'avais pourtant promis à Aline, avant sa mort, il y a dix ans. Ma sœur pouvait à peine parler, le corps percé et harnaché d'un tas de tuyaux censés l'aider à survivre. Elle a trouvé la force de me demander cela : raconter la vie des quatre filles Surmont-Rousset. Parce qu'il fallait permettre aux générations futures, à nos descendants, de connaître leurs racines : à cette époque, on commençait déjà à parler du devoir de mémoire, c'était un leitmotiv. J'ai objecté, avec mauvaise foi, que notre histoire n'était guère édifiante. La sienne peut-être, celle de Blandine aussi, mais Delphine et moi... Elle a grimacé un sourire (elle ne pouvait pas faire mieux qu'une grimace), chuchoté « Si, si », puis attendu de retrouver assez de souffle pour expliquer qu'étant journaliste, sachant donc écrire, c'était mon devoir. Comme si tous les journalistes savaient écrire... Mais « devoir » est un mot qui lui allait bien, à Aline.

Bon. Nous avons négocié. Je ne voulais pas remonter aux calendes, l'arrière-grand-père Surmont ou le vieux Rousset. Elle a craqué assez vite (je l'avais connue plus forte, plus têtue, mais la maladie...). Elle a chuchoté « destins de femmes », et des mots que je n'ai pas compris, mais je ne voulais pas lui demander de répéter, de crainte de la fatiguer. Je lui ai seulement dit : « Après la mort de père ; ça commencerait après la mort de père. » Elle a bougé la tête. J'ai pris cela pour un acquiescement. J'ai promis.

Le lendemain, elle était morte.

Cela fait dix ans. Dix années pendant lesquelles j'ai été infidèle à cette promesse. Pour des tas de raisons. Voilà ce qui aide à vivre : on trouve toujours des raisons. Des bonnes : la tristesse des premiers temps, les occupations de la vie ordinaire, le travail, le « je ne sais pas comment faire », des articles oui, je pourrais, je peux, mais toute une histoire, avec tant de personnages... Des prétextes aussi : on se trouve toujours un devoir plus urgent. Ou bien l'on ne sait pas par où commencer : la fameuse première phrase.

J'y pensais pourtant. Qu'avait-elle voulu signifier avec ces mots, les derniers mots qu'elle m'ait dits : « destins de femmes » ? J'ai fini par conclure que notre histoire, à nous quatre, était peut-être significative — quel grand mot, quelle prétention dirait ma petite-fille Johanna, spécialiste des « vannes » (c'est son langage) lancées à tort ou à raison, souvent à raison d'ailleurs. Notre histoire, donc, serait significative, représentative, de l'évolution de la condition féminine à travers le siècle. Il est vrai qu'entre l'époque où je recevais des leçons de maintien chez les dames de la Sainte-Union et aujourd'hui, 23 mars 1982, il s'en est passé...

En fin de compte, j'en ai parlé à Delphine, l'autre survivante, la quatrième, la plus jeune. Elle m'a encouragée : « Tu devrais. D'abord, tu as promis. » Facile à dire. Puis elle est morte, il y a trois mois. Quand, au funérarium, les hommes en noir ont saisi le dessus du cercueil pour le poser et nous cacher à jamais le visage de Delphine, quand ils l'ont fermé avec ces grosses vis de faux argent, je me suis juré de m'y mettre.

Me voici donc.

Je n'ai pas trouvé la première phrase. J'espère quand même que le petit Boidin, la jeune Schmidt, le Bonpain, qui n'existent même pas encore et qui découvriront un jour ce texte n'auront pas été découragés par ce préambule où j'expose mes états d'âme.

Je me présente donc.

Céline Surmont-Rousset, quatre-vingts ans bien tapés. Encore ma tête par chance Les jambes, c'est une autre histoire : rouillées.

Je suis née à Lille, de Laurent Surmont-Rousset et son épouse Célestine, déportée par les Allemands qui avaient envahi une partie du Nord, entre autres, pendant la Première Guerre mondiale. Célestine, ma mère, a été tuée en Belgique, à son retour, victime des derniers combats.

J'ai eu trois sœurs.

Aline, l'aînée, mariée en juillet 1914 à un garçon qu'elle n'avait rencontré que trois fois. Mais ce mariage arrangeait les familles. Oscar Vanhoutte, l'époux, ne l'a « connue », dans tous les sens du terme, que trois jours, avant de partir se faire tuer dans les premiers combats, lui, de la même guerre. Précisons plutôt qu'il a disparu. Car j'éprouve quelques doutes sur sa mort. J'y reviendrai. Aline s'est ensuite mariée à Clément Boidin, sorti de « rien » comme on osait dire et devenu directeur des entreprises de mon père, après en avoir créé lui-même quelques autres.

Ma deuxième sœur, Blandine, maîtresse d'un jeune officier allemand pendant l'invasion de 1914-1918, avait accouché clandestinement d'une petite Aurélie ensuite disparue. Elle a épousé après la guerre son Hans Schmidt à qui elle a donné, selon une formule que je n'apprécie pas, deux autres filles.

La dernière, enfin, Delphine, fut sans histoire jusqu'à la mort de père. Mais ça n'allait pas durer : nous attirons les problèmes, nous les « A B C D » (Aline, Blandine, Céline et Delphine), comme dirait mon oncle Lucien Rousset à qui je dois, entre autres, de tout savoir des espadons... et pas mal de choses du cognac.

Me voilà donc, moi, la numéro trois. C.

Mon père est mort à la veille de la guerre (la Seconde bien sûr). Il avait eu l'idée de créer ce magazine moderne pour les jeunes femmes modernes, *La Vie en rose* dont il m'a confié la direction.

Je n'y connaissais rien. Mais j'ai appris. Aline et Blandine (revenue en France avec son mari) recherchaient toujours, à cette époque, la petite Aurélie et croyaient avoir trouvé sa trace. Moi, j'étais en train de divorcer (comme c'était long, alors, un divorce !) d'un diplomate nommé de Lontrade et je vivais à Paris avec un marquis espagnol que j'avais connu à Madrid, ce qui peut sembler logique. Il ne rêvait, mon Ramon, que de retourner dans son pays, encore en pleine guerre civile, pour combattre dans les rangs républicains... ce qui, pour un marquis, à première vue, n'est pas logique du tout.

Nous commencerons par lui, ce qui nous obligera à un retour en arrière, un flash-back comme on dit maintenant. J'imagine que nos petits-enfants ou plutôt les arrière-petits-enfants qui liront un jour ce texte, si j'ai quelque chance, en chercheront les raisons. Après tout, Ramon n'appartient pas à la lignée des héritières Surmont-Rousset, lui. Mais il a bien mérité de figurer dans ces pages, mon marquis. Et puis, parlant de lui, c'est aussi une part de ma vie que j'évoquerai. Une belle part.

I

J'ai connu mon premier mari, Olivier de Lontrade, en 1923. L'époque des « années folles » dirait-on aujourd'hui. Pas drôles pour tout le monde, en tout cas. La guerre avait fait tomber plus d'un million d'hommes à qui on dressait alors des monuments dans le moindre village, une fortune pour les tailleurs et les graveurs de pierre, les sculpteurs sans talent et les ferronniers d'art. La justice la plus élémentaire aurait voulu que l'on dressât au moins un monument à la gloire, ou plutôt en l'honneur, des veuves. Car elles étaient des centaines de milliers. De toutes jeunes femmes dont la vie était brisée net.

Quelques-unes, déjà pourvues d'enfants, se résignaient, s'enfermaient dans le statut perpétuel de veuves de guerre, longtemps vêtues de noir, qui montreraient chaque soir à leur progéniture le visage du père disparu, un héros qu'il faudrait imiter, d'abord en restant toujours très sage à l'école et à la maison.

Mais les autres, beaucoup d'autres, ne désespéraient pas. Elles voulaient la refaire, leur vie détruite. Et vite. Pas question de traîner. Car la compétition était rude : les hommes manquaient. La pénurie. Dès lors, même les mutilés, les borgnes et les aveugles avaient leur chance.

Je ne ris pas. Personne aujourd'hui ne peut imaginer ce que fut ce déséquilibre entre les sexes. La chasse à l'homme était ouverte. Les veuves n'étaient pas seules à y participer. Les filles comme moi aussi qui arrivions tout juste à l'âge du mariage (puisqu'on se mariait encore en ce temps-là). Chez les bourgeois, les gens du monde, des dames plus âgées trouvèrent alors une nouvelle raison d'exister, de tromper leur ennui. Des chanceuses, celles-là. Imaginez : la guerre arrive, elles se précipitent dans des hôpitaux improvisés pour soigner blessés et convalescents. Dévouées, je ne dis pas non. Quand même : c'était autre chose que de tourner des obus dans des usines, également improvisées, comme le faisaient, harassées, mal payées, des milliers d'autres femmes. La guerre se termine : les blessures ne se cicatrisent pas aussi vite, les convalescences se prolongent, les hôpitaux improvisés ne ferment pas du jour au lendemain. Ces braves dames ont encore du travail, même si la routine commence à les lasser. Et voilà qu'elles vont se trouver une nouvelle occupation, bien plus drôle : jouer les marieuses, organiser des soirées dansantes où se rencontreraient les esseulées et les recherchés. Dix esseulées pour un recherché. Non, j'exagère. Mais il n'y avait pas égalité. Donc...

Moi, j'ai eu de la chance. Tiré le gros lot. Du moins je l'ai cru. Une soirée lilloise où ne devaient figurer en principe que des gens connus. Toujours les mêmes. Mais on apprenait parfois qu'un couple s'était formé là. Comme s'ils avaient été touchés par une brusque révélation, ou s'étaient peu à peu rapprochés, d'une soirée l'autre. Une de casée, un de perdu. Mais les filles et leurs mères — vigilantes — faisaient bonne figure, pour garder leurs chances. Ça m'amusait plutôt, je dois dire, et je ne m'inquiétais pas encore de figurer parmi les laissées sur la touche.

Jusqu'au jour où j'ai aperçu Olivier de Lontrade. Un beau garçon, presque la trentaine, qui avait fait la guerre dans des bureaux parisiens, s'était ensuite inscrit à l'École des sciences politiques et venait d'être reçu au concours du Quai d'Orsay (l'ENA n'existait pas à l'époque, chaque ministère recrutait pour son propre compte). Un beau parti, donc. De passage à Lille chez une dame Cavois qui avait cherché refuge dans le Lot pendant la guerre et connu là-bas sa famille. Une occasion à saisir.

Elles devaient être nombreuses à le penser, ce soir-là. Il fallait les voir se glisser, mine de rien, dans le voisinage de ce nouveau venu à la fin de chaque danse. Moi, non, honnêtement. J'avais la tête ailleurs. Jusqu'au moment où Olivier, qui faisait un peu l'important, bien heureux d'être ainsi recherché, a demandé aux musiciens s'ils savaient jouer un fox-trot. Ils savaient. Une chance : le fox-trot, importé par les Américains, je crois bien, quand ils sont venus participer à la guerre, n'était pas alors très répandu. Moi, je savais aussi : je dansais souvent, le soir, en douce, dans la cuisine, avec une bonne très dégourdie, une Bruxelloise qui fréquentait les dancings et les arrière-salles de café du samedi soir et qui avait dû se donner du bon temps pendant la guerre avec les Allemands puis avec les libérateurs. Quand Olivier a cherché des yeux une cavalière, il m'a vue remuer comme il fallait au rythme de la musique, il a compris que je saurais m'y prendre. Et voilà.

Nous avons dansé celle-là. Puis la suivante, une polka pendant laquelle il a eu le temps de m'apprendre que fox-trot signifiait trot du renard, ce que j'aurais pu deviner, qu'il existait aux États-Unis une nouvelle danse, très drôle, un peu acrobatique, nommée le charleston, et qu'il aimait, lui, ma façon de danser. Trois quarts d'heure plus tard, dans un couloir, il me fourrait sa langue dans la bouche. Cela ne m'était jamais arrivé. J'ai trouvé cette intrusion un peu bizarre. Mais il sentait bon le tabac blond. Il me serrait bien contre lui, délicat. J'ai apprécié. Lui aussi, je pense.

J'abrège. Nous nous sommes revus. Lui à Lille, moi à Paris sous des prétextes divers. Je l'aimais vraiment, je crois. J'étais flattée, aussi. Son père est venu du Lot pour demander au mien ma main, dans les règles. Quelques semaines seulement après le mariage d'Aline et de Clément Boidin. Mon père, flatté, a feint la surprise et l'hésitation. Trop content, en vérité : après le mariage Boidin, qui avait suscité l'ironie de ses concurrents et provoqué quelques rumeurs méchantes, puis la disparition de Blandine, unir sa troisième fille à un diplomate, futur ambassadeur sans doute, dont la famille possédait un grand château dans le Lot, voilà qui redorerait un blason que nous n'avions pas.

J'ai cru comprendre, plus tard, qu'il n'avait pas douté que le diplomate lotois et son père (la mère était morte — crise cardiaque — quand le tocsin annonçait le début de la guerre) étaient intéressés aussi par ma dot et mes espérances : tout le monde sait que le simple entretien d'un château est ruineux. Laurent Surmont-Rousset — comme tout le monde disait avec respect et presque tremblement, moi aussi — avait peut-être craint auparavant que j'épouse un homme du textile, ce qui aurait compliqué sa vie : pour la direction des usines, Boidin faisait tout à fait l'affaire ; mon père n'aurait pas su où placer l'autre sans provoquer de conflit entre ses deux gendres ; or, les conflits ouverts, il n'aimait pas.

Moi, à l'époque, je n'avais pas tous ces calculs en tête. Je vivais un rêve.

Nous avons précipité la cérémonie : Olivier venait d'être nommé à l'ambassade de Prague. La Tchécoslovaquie était un pays tout neuf, créé par le traité de Versailles. Ce qui le passionnait vraiment. Je devais apprendre plus tard, à mes dépens, qu'il se passionnait souvent.

Donc, Prague. J'y fus heureuse. Une fille comme moi, presque une gamine, qui, en raison de la guerre, n'avait jamais franchi le pointillé d'une frontière, découvrait soudain un autre monde.

Nous étions arrivés au début de l'hiver. Les premières neiges. Quelques vieux bonshommes tentaient d'en débarrasser le pont Charles sur lequel est dressée une double rangée de statues de saints destinées, disait Auguste Rondelé, à l'édification des nobles qui avaient vécu dans les quartiers aristocratiques tout proches. Et, ajoutait-il, « pour l'expiation de leurs péchés ; nombreux ». Car ils menaient la dolce vita, à la viennoise, sans trop se soucier de l'avenir et des autres.

Auguste Rondelé était un de ces vieux diplomates usés d'avoir traîné d'ambassade en ambassade, quelques années par-ci, quelques années par-là, sans jamais progresser, qui parlent un peu toutes les langues, affectent un cynisme amusé et fourmillent d'anecdotes. Il se jetait sur les nouveaux arrivés avec délectation : un public tout neuf, une aubaine ! Il avait donc entrepris de nous faire découvrir Prague, nous amenait le soir dans des petites *pivnice*, des lieux où l'on buvait de la bière et rien d'autre, souvent installés dans des caves plus vieilles que le Palais-Royal, sous des maisons étroites, baroques et rococo. Ou bien l'on s'installait dans une *vinarna*, où l'on ne trouvait que du vin... et surtout des intellectuels. Alors, Auguste Rondelé s'emportait, comme il avait dû le faire dix fois devant d'autres, contre Baudelaire qui avait célébré le vin de Bohême — « un ciel liquide qui parsème d'étoiles mon cœur » — mais le jugeait amer. Amer, le vin de Bohême ? Baudelaire n'y connaissait rien. D'ailleurs en avait-il bu la moindre goutte ? Pas sûr. Ce n'était pas, ces soirs-là, la fête de Baudelaire.

Ce fut, au printemps, celle d'Apollinaire. Nous sortions dans la campagne voisine, jolie mais pauvrette, pour faire la connaissance de minuscules auberges aux tables de bois recouvertes d'une nappe blanche toujours impeccable. Alors, Rondelé récitait : « Tu es dans le jardin d'une auberge aux environs de Prague / Tu te sens tout heureux, une rose est sur la table. » Ce qui n'était pas du meilleur Apollinaire peut-être, mais s'accordait bien à nos sentiments.

Auguste Rondelé ne semblait pas travailler beaucoup. Olivier, non plus. Je découvrais peu à peu qu'il s'employait surtout à se faire traduire la presse pour envoyer des dépêches au département — entendez : le ministère. « Dépêche » et « Département » étaient les deux mots-clés. Et aussi, j'allais l'oublier, la valise, la bien connue valise diplomatique.

A ce que je comprenais, cette petite république toute neuve ne se construisait pas sans mal. Les Tchèques n'appréciaient guère les Slovaques qui le leur rendaient bien. Pour compliquer le tableau, ajoutez les Sudètes, cette minorité d'origine allemande dont Hitler allait faire tout un plat une quinzaine d'années plus tard. Et enfin, les nostalgiques qui chuchotaient ou clamaient que, « *Za rakouska* », du temps de l'Empire austro-hongrois, la vie était tellement plus douce.

A vrai dire, je n'y prêtais qu'une attention médiocre : j'étais amoureuse. Au lit, Olivier savait y faire. Je n'en ai compris la raison que plus tard : il ne manquait pas d'expérience. J'ajouterais volontiers plusieurs « S » à expérience : il s'était apparemment beaucoup soucié, pendant la guerre, d'occuper les jeunes femmes séparées de leurs maris, de les aider à tromper leur ennui. C'étaient ses bonnes œuvres, à lui. Moi, j'avais fait la délurée, bien qu'arrivée vierge au mariage, comme il convenait, chez nous, à l'époque.

Donc, j'étais amoureuse. Lui aussi, je crois, à en juger par toutes ses attentions. Nous goûtions à tous les plaisirs, nous étions de toutes les fêtes que se donnaient les ambassades qui venaient de s'installer, nous nous sentions complices, nous étions accordés. Je pensais alors que cela durerait toujours. Il y aurait l'épisode enfants, bien sûr. J'imaginais qu'il nous rapprocherait encore. Mais nous n'étions pas pressés. Et, bien que nous ne prenions pas de précautions particulières, rien ne s'annonçait. A tel point qu'Aline, dans ses lettres, s'en inquiétait. Sur le ton : « Je ne voudrais pas être indiscrète, mais... » Ou encore : « L'autre jour, père me demandait si... » A moi, père ne demandait rien. Il ne nous écrivait presque jamais : nous n'étions pas dans le textile.

Trois ans plus tard, nous débarquions à Budapest, en Hongrie. Un pays nerveux, romantique, romanesque, moderne et baroque à la fois, comme sa capitale, et qui s'étonnait encore d'être tout à fait séparé de l'Autriche. Un royaume sans roi, qui se trouvait trop petit, voulait récupérer un bout de terrain par-ci, un bout de province par-là, nous aimait et nous détestait, nous les Français, coupables, aux yeux de la plupart, d'avoir saucissonné l'Empire austro-hongrois en 1919. Si bien qu'Olivier fut très occupé. Finie la douce vie de Prague, les dépêches préparées par les traducteurs. Il convenait de multiplier les rencontres avec une armée de politiciens, ceux qui avaient été, ceux qui étaient, ou qui rêvaient d'être. C'est à ce moment que s'est annoncé mon premier enfant. J'ai fait la bêtise de vouloir accoucher en France. L'emploi du temps, chargé, d'Olivier lui permit quand même de me tromper. Pour la première fois — mais sait-on jamais ? — depuis notre mariage. Avec une comtesse hongroise.

Jenka. Elle se prénommait Jenka. Le tout-Budapest l'appelait Jenka. La plupart ignoraient son nom. Je l'ai même oublié un temps. On répétait seulement qu'elle était parente de l'amiral Horthy, qui avait été élu régent de ce royaume sans roi et le demeurerait longtemps. Une longue femme, mince et plate. On ne voyait d'abord que ses yeux, qui lui envahissaient le visage, cachaient presque ses lèvres ourlées, légèrement boudinées, qu'elle n'avait pas dû faire gonfler de silicones comme les actrices d'aujourd'hui. Mais les yeux ! Brûlants. Ils vous dévastaient, vous déshabillaient, femme ou homme, vous calcinaient. Elle savait se montrer tendre pourtant. Régnait sur un petit monde de peintres, d'intellectuels, d'hommes politiques et d'officiers. Je la connaissais à peine avant de partir pour la France.

Je l'ai bien connue à mon retour, deux mois après la naissance de mon fils André : elle occupait la vie d'Olivier. Il la rencontrait, nous la rencontrions, presque chaque jour : elle lui permettait, assurait-il, de pénétrer dans les milieux les plus divers. L'ambassadeur l'en félicitait. Ce serait bon pour sa carrière. Occasion à saisir.

J'étais très occupée par André, dont les premières années furent difficiles : une faiblesse des bronches. J'aurais pu le laisser à la gouvernante. Mais je n'avais pas confiance. Je me sentais devenir mère poule, moi, Céline : la surprise ! Olivier sortait souvent sans moi.

Mère poule peut-être, mais femme attentive. Je compris assez vite. Je me suis toujours demandé comment une femme trompée pouvait être longtemps dupe. Des phrases soudain interrompues, des odeurs, des gestes et des mots nouveaux, un revenez-y de la part de l'homme comme s'il en rajoutait pour cacher qu'il vous enlève par ailleurs une part du gâteau. J'ai vite compris, mais j'ai cru que je pouvais gagner la partie en évitant les mots qui fâchent et qui blessent, en découvrant trop vite mon jeu. Je sous-estimais Jenka. Elle ne lâchait pas sa proie aussi facilement. Elle a tenu Olivier durant tout notre séjour — assez court, une chance — à Budapest.

Je crois qu'il n'a aimé dans sa vie, ce qui s'appelle aimer, que deux femmes, Jenka et moi. Il a connu de nombreuses aventures, ensuite, à Washington où nous sommes restés plusieurs années. Quoique le mot aventures ne convienne pas. Il s'agissait de conquêtes : je te veux, je parviendrai à t'avoir ; ensuite, désolé, tu m'intéresses moins. Pour résumer : je te prends, je te laisse. La conquête signifiait parfois l'élaboration de longues stratégies, complexes, sinueuses, qui devaient supposer observations approfondies de l'objet, provisoire, passager, de sa flamme, puis réflexions non moins approfondies sur les meilleurs moyens de séduire et de gagner, travaux d'approche, passage à l'assaut, enfin. Épuisant, à mon avis. D'autant qu'il travaillait beaucoup, à Washington. L'ambition l'avait saisi. Sans doute l'influence de Jenka. Je l'observais, d'abord naïve et toujours aimante, puis lucide et dépitée, furieuse enfin. Jalouse pour tout dire. Toujours étonnée par une telle dépense d'intelligence, d'énergie, de comédie, pour une conquête d'une soirée, d'une heure peut-être, qui n'aurait pas de suite, il le savait bien à l'avance et s'en fichait.

Je lui ai posé la question quand nous avons décidé de divorcer, peu après notre arrivée à l'ambassade de Madrid, son quatrième poste, donc, juste avant la guerre civile. Il fut incapable de répondre. Il avait déjà une amie espagnole, et la gardait depuis plusieurs semaines — une sorte de record. Moi, j'avais rencontré Ramon.

Jusque-là, je me refusais à divorcer : je craignais pour les enfants, une crainte qui semble avoir souvent disparu aujourd'hui. Et puis je l'ai longtemps aimé, je l'ai dit. Je sauvais donc les apparences : dans ma jeunesse, j'avais appris à le faire ; il suffisait de regarder la génération de mes parents et même Aline. Cela ne m'empêchait pas de dire à Olivier que je savais. Je ne tenais pas à passer pour une imbécile. Il niait farouchement au début, m'amenait souvent, comme pour prouver sa bonne foi, au lit, où je retrouvais parfois sur son corps le parfum d'une autre. Il m'est arrivé d'apprécier. J'ose à peine l'avouer.

Voilà que je suis passée, en deux ou trois paragraphes, de Jenka et Budapest à Washington et à Madrid. Tant mieux. Que le lecteur futur, qu'il se nomme Bonpain, Boidin, de Lontrade, Schmidt ou je ne sais qui, retienne pourtant le prénom de Jenka : elle réapparaîtra. Plus tard, bien plus tard. Mais elle reviendra. Dans ce siècle tourmenté, où des dizaines de millions d'hommes et de femmes ont été brassés, déportés, baladés, il est vraiment difficile de ne pas se croiser encore et encore. N'ai-je pas croisé à Madrid le jeune Bonpain, un ouvrier de Laurent Surmont-Rousset, qui allait ensuite épouser Aurélie ? Un romancier n'aurait pas osé imaginer une telle rencontre. La vie, elle, a beaucoup d'imagination. Pour le meilleur et pour le pire. Je préfère croire au meilleur, miser sur lui.

Donc, à Madrid, tout était consommé. Notre couple usé, défait, décomposé. Restait à mettre le point final. Je l'ai dit à Olivier le jour où il a décidé, peu après le début de la guerre civile, de nous faire quitter Madrid, les enfants et moi. Pour notre sécurité, disait-il. C'était sans doute en partie vrai : il se souciait d'eux ; de moi aussi, par habitude peut-être, et volonté de pouvoir dire qu'il assumait ses responsabilités de chef de famille. Mais il serait plus libre, avec l'autre, l'Espagnole, Carmen Aznar

— oui, Carmen, ce n'est pas très original, mais c'est ainsi. Ce qui devenait original, en revanche, c'est que l'aventure, avec elle, se prolongeait. Carmen a été tuée assez vite ensuite, en 1937, lors d'un bombardement de Madrid par la légion Condor, l'aviation allemande qu'Hitler avait mise au service de Franco. Mais je me suis parfois demandé si elle n'aurait pas été sa troisième « épouse ». J'ai écrit tout à l'heure qu'il n'avait peut-être aimé que Jenka et moi. Il faudrait peut-être ajouter cette Carmen Aznar que j'ai à peine aperçue. Une fois. Une petite femme toujours en mouvement. Ma mère aurait dit : « un sac de puces ».

J'avais donc rencontré Ramon, dès les premiers jours de notre arrivée à Madrid. Une soirée comme il s'en donnait encore, bien que l'on sût le pays près d'exploser. « Mme Olivier de Lontrade. Le marquis Ramon de la Puerta del Portal ». Moi. Lui. Le coup de foudre. J'en avais entendu et lu sur le sujet. Je ne savais pas ce que c'était. J'ai su, ce soir-là. Le lendemain, je me suis retrouvée avec lui dans un studio qu'il possédait dans un passage proche de la Plaza Mayor. Il ne montrait pas l'expérience qu'Olivier avait manifestée dès notre première nuit. Raison de plus, si je puis dire. Je l'aimais. Cela seul comptait. Je le sentais — comment dire pour être bien comprise ? — un peu innocent, pur, en dépit de sa fortune, de son château, de ses propriétés que je découvrirais ensuite. La vie l'avait moins secoué. Jusque-là.

Quand les troupes de Franco sont arrivées au bord de Madrid, c'est lui qui m'a ramenée en France avec les enfants, en compagnie — au début — de Paul Bonpain. D'abord en montgolfière : ça ne s'invente pas ! Puis voiture, bateau, train jusqu'à Paris. Paris où il s'exaspérait de se sentir inutile, je le voyais bien ou je croyais le deviner, tandis que je préparais avec maître Laurent Surmont-Rousset, mon père, le lancement de *La Vie en rose*. Ramon me cachait ce qu'il avait avoué — je l'ai su plus tard — à mon oncle Lucien : il suivait à Villacoublay, assidu, des cours de pilotage. Pour aller combattre l'aviation de Franco, des Allemands et des Italiens. Comme le faisaient des mercenaires, des aventuriers, des intellectuels dont le plus célèbre serait, bien sûr, André Malraux.

Délicat comme il l'était, Ramon a attendu que *La Vie en rose*, mon journal, soit bien lancé. Il m'avait sentie préoccupée, anxieuse comme une jeune maman qui attend son premier bébé. C'est vrai : je m'interrogeais à peine sur ce qu'il faisait au long de ses journées. Il me parlait parfois de rencontres avec des exilés comme lui. Je ne lui en demandais pas plus. En réalité, il s'entraînait avec des officiers français, d'anciens officiers plutôt, qui le prenaient pour un partisan de Franco, répétaient « Frente popular, Frente crapular » et autres gentillesses à l'égard des républicains, des juifs ou de la gauche. Je ne sais pas ce qu'il répondait. Il serrait les dents, j'imagine, ou parlait de sa famille, ce qui facilitait les choses : ceux-là étaient tous de l'autre bord. « Frente popular, Frente crapular », c'était un slogan qui leur convenait.

Quand il m'a annoncé son départ pour l'Espagne, nous avons d'abord pleuré ensemble. Beaucoup. Si *La Vie en rose* ne m'avait pas pris tout mon temps, et mes enfants le reste, je serais bien partie avec lui. Infirmière par exemple, comme les bonnes bourgeoises de 14-18. Mais je ne pouvais pas porter un tel coup à mon père, près de mourir. Ni à l'équipe du journal, tout juste formée. J'ai décidé ensuite de faire la forte. Les femmes, dans les guerres, n'ont pas le choix : subir, pleurer ou jouer les vaillantes. N'avaient pas le choix plutôt : ensuite, elles ont pu participer aux combats. Quelques Espagnoles le faisaient déjà.

Deux mois plus tard, je me suis envoyée moi-même en reportage là-bas. On prenait l'avion pour Madrid à Toulouse-Francasal. Les passagers : un mélange de mercenaires américains, de journalistes, d'intellectuels français et deux syndicalistes qui allaient porter à je ne sais qui le produit d'une quête de solidarité. Ils n'avaient que ce mot à la bouche. Les mercenaires américains essayaient de comprendre : « Solidarité ? *What is it ?* » Ça les faisait rire. Les intellectuels, eux, me regardaient d'un drôle d'œil : la directrice d'un magazine féminin, pensez donc. Tout juste bonne à s'occuper de chiffons.

Madrid avait changé. Les haut-parleurs hurlaient toujours les mêmes slogans. Mais la fraternité du début, l'enthousiasme des premiers temps étaient un peu évanouis. Restait, de ces débuts fracassants, le soupçon permanent, la méfiance : dans quel camp se trouvait le voisin, le collègue, la marchande, la secrétaire ? On croisait encore les hommes vêtus de fragments d'uniforme, qui faisaient les braves. Pourtant, une légère odeur de défaite régnait déjà. Personne n'aurait pu penser que la capitale résisterait longtemps derrière ses tranchées et ses bâtisses de banlieue transformées en fortins.

Ramon, lui, y croyait toujours. Ou faisait semblant. Il m'avait amenée au terrain de Cuatro Vientos, le port d'attache de l'équipe de Malraux, où l'on montait sous les arbres quelques avions modernes arrivés d'URSS en pièces détachées. Lui, on lui avait confié un vieux biplan rescapé de la Grande Guerre. Il me racontait ses vols au-dessus des sierras de Teruel incendiées par le soleil, comment il avait découvert — mieux qu'avec la montgolfière, assurait-il, mais je ne le croyais guère — les steppes recouvertes de plaques de sel et de plâtre qui s'étendaient au nord, les ravins d'argile rouge qui entouraient les villages médiévaux, les étendues chaotiques et sauvages qui brûlaient d'or et de rouille. A l'en croire, chacune de ses sorties était une excursion, un voyage touristique. Je l'écoutais avec plaisir. Il était un peu poète. Ça l'aidait peut-être à mentir, cacher sa peur et les risques qu'il courait.

Il a fini par me raconter ses combats. Ses fuites, à plusieurs reprises, devant les avions allemands, modernes, puissamment armés, qui n'auraient fait qu'une bouchée de son vieux biplan dont le train d'atterrissage ne pouvait même pas rentrer sous les ailes. Puis comment il s'était trouvé quelques jours plus tôt, nez à nez, ou plutôt nez à queue, avec un gros Heinkel 111, un de ces appareils qui avaient bombardé Guernica un jour de marché, écrasant la cité basque et ses habitants. Par chance, l'Allemand ne l'avait pas vu sortir de son nuage, derrière lui. Ou trop tard. Alors, Ramon a tiré. Et tiré. « Je ne savais plus que je tuais des hommes, m'a-t-il dit. Je ne voyais que l'énorme appareil avec ses croix noires, qui commençait à lâcher une fumée sombre, épaisse, d'où une mitrailleuse essayait de m'atteindre, mais qui soudain a explosé, volé en morceaux, les ailes flottant un peu avant de s'abîmer comme des pierres. Je l'avais eu ! Je l'avais eu ! J'avais oublié ceux que je venais de tuer. Je ne pensais plus qu'aux morts de Guernica, tous les gens qui étaient allés ce jour-là faire leur marché : j'ai pensé à la France aussi. Là, au-dessus de la sierra de Teruel, en me battant contre les Allemands, je défendais aussi la France qui serait entraînée bientôt dans la guerre. »

La guerre. Nous y voilà. Ces années-là, nous y pensions chaque jour. Pour ne pas la voir arriver, il eût fallu être aveugle. Je l'ai senti plus encore en réalisant mon reportage sur les femmes espagnoles au combat. Je me suis glissée dans les deux camps : les lignes de front étaient poreuses, on passait assez aisément. On respirait, de chaque côté, la haine.

Mon article n'était pas mauvais, je crois. Mais j'avais retenu, pour moi, cette phrase de Ramon : « Ici, je défends déjà la France. »

C'était vrai. Et c'était un superbe cadeau qu'il m'offrait.

La France, il l'a défendue de nouveau. En France, cette fois, sur le terrain. Après la défaite des Républicains dans le lugubre hiver 1939, il avait aussitôt regagné Paris, réussi à échapper à ces camps minables où le gouvernement français entassait de nombreux réfugiés espagnols, soi-disant pour les héberger et les trier. En septembre suivant, la guerre déclarée à l'Allemagne, il avait tenté de s'engager dans la Légion étrangère. Mais on le faisait traîner. On se méfiait des anciens combattants volontaires de l'Espagne républicaine. La plupart encore enfermés, tous considérés comme des anarchistes ou, pis encore, des communistes, alors que Staline venait de s'allier à Hitler. Lui, en plus, un marquis. Un ouvrier communiste, passe encore. Mais un noble ! « Le marquis rouge », disait-on à Paris.

Il demandait à Boidin, qui avait le bras long, chaque jour plus long, de le pistonner, d'intervenir pour qu'on l'accepte. Moi, dont le bras n'était pas trop court — directrice d'un grand hebdomadaire féminin, je pénétrais un peu partout, je pouvais me faire entendre —, je jouais dans l'autre sens. J'avais eu assez peur de le perdre. Je n'étais pas pressée de le voir à nouveau s'envoler.

Personne, il est vrai, ne semblait pressé, en France, de lutter. Boidin qui passait la moitié de son temps à Paris pour vendre couvertures, toiles de tente et draps d'uniforme, avait rompu avec sa petite actrice, Jany Star. Il trouvait donc le temps de dîner avec nous, racontait le désordre, l'absence de volonté, l'idée déjà ancrée chez nombre de ses interlocuteurs militaires que nous serions battus et leur conclusion : plutôt qu'attendre « la dérouillée » — c'était leur mot, paraît-il —, il fallait conclure tout de suite une paix de compromis, de reculade donc, prendre les devants. Ramon, alors, s'insurgeait puis laissait aller, découragé : après tout, puisque la France et l'Angleterre avaient laissé faire les Allemands et les Italiens en Espagne, pourquoi pas ?

Je n'étais pas plus gaie. Je tentais quand même de les distraire en racontant comment le monde de la mode jouait à la petite guerre. Chanel s'était réfugiée dans le Sud dès les premiers jours et refusait d'en revenir bien qu'elle n'eût couru aucun risque à Paris. Marraine de guerre de Jean Marais, elle lui envoyait, ainsi qu'à toute sa compagnie, des colis de chandails et de moufles.

Toutes les femmes, d'ailleurs, tricotaient pour les soldats : une bonne affaire pour la Lainor, confirmait Boidin. Les couturiers aussi, ceux qui étaient demeurés à Paris, présentaient des collections « utilitaires » : tricots, chandails, robes de lainage bleu acier, « beige terre de France » ou « gris avion ». Il était de bon ton de « faire guerre » puisqu'on ne la faisait pas. La mode se met toujours à la mode : une peur panique de ne pas suivre ! Boidin confirmait encore : il était aux premières loges, à la caisse aussi où il engrangeait. Toujours soucieux quand même : « Ça ne durera pas. »

Ça n'a pas duré.

L'invasion et l'armistice, en juin 1940, ont tout réglé. Ramon n'avait plus besoin de paperasses et d'autorisation pour s'engager. Faisait la guerre qui le voulait. Aline, à Lille, a vite repris ses habitudes : elle est entrée dans un réseau de renseignements, comme elle l'avait fait en 14-18. J'y reviendrai, bien sûr. Lui, Ramon, est d'abord resté à Paris, avec l'idée qu'on se cachait là mieux qu'en province.

Un marquis rouge qui, à bord d'un biplan hors d'usage, s'était payé le luxe d'abattre un Heinkel 111 tout clinquant, voilà qui vous assure quelque célébrité. Les Allemands devaient l'avoir dans le nez. Je lui recommandai vite de chercher refuge ailleurs. Mais il ne voulait pas me quitter. J'étais restée pour le journal.

Les nouvelles autorités m'avaient approchée, fait comprendre qu'elles souhaitaient voir reparaître *La Vie en rose* interrompue en juin. Parce qu'il fallait, à ce moment, que tout semble recommencer comme avant. C'était l'idée des Allemands de Paris. L'autorisation nécessaire serait une formalité. Je l'eus, sans l'avoir demandée. Je publiai cinq numéros avec ce qui restait de mon équipe. Mais celle-ci était divisée. Les uns voulaient continuer comme si de rien n'était. Les autres avaient adopté, par conviction ou souci de se mettre au goût du jour, l'esprit de Vichy selon lequel — je caricature un peu, mais si peu — l'ondulation permanente, le Rouge

Baiser, le travail des femmes hors de leur foyer, le tandem, les décolletés et les dancings étaient responsables de la défaite. Plus que l'incurie de l'état-major ou les faiblesse des politiques. Le plus étrange c'est que le responsable de notre rubrique « Mode », dont j'avais renoncé à compter les fredaines, menait le clan de ces nouveaux prêcheurs d'austérité et de conformisme. De quoi rire. Ou pleurer.

Je n'étais d'accord ni avec les uns ni avec les autres. Je devais aussi affronter la censure allemande. De jeunes officiers arrogants ou courtisans qui cherchaient la petite bête jusque dans les mots croisés ou les recettes de tricot. A moins qu'ils ne mettent à profit leur position pour tenter leurs chances avec moi. Sans discrétion excessive. J'avais tenu quelques semaines en vertu du raisonnement classique qui peut être un prétexte commode : si ce n'est pas nous qui faisons ce journal, d'autres s'en chargeront, tout dévoués, eux, aux Allemands ou à Vichy. Mais je pensais de plus en plus à mon père : son premier journal avant *La Vie en rose* avait été, pendant l'invasion de 1914-1918, une feuille clandestine.

J'ai mis la clé sous la porte. Auparavant, j'avais, avec la complicité d'un sous-directeur de notre imprimerie, planqué, en nous cachant de son patron, quelques tonnes de papier dans un hangar de banlieue. Cela pourrait servir : le souvenir de mon père, encore.

Rien ne nous retenait plus à Paris. Je rêvais de retrouver à Cognac mon oncle Rousset chez qui j'avais séjourné une partie de l'été et chez qui étaient restés André et Simone, mes enfants. Mais je ne me décidais pas.

Un matin d'octobre 1940, un ami bien placé dans la police m'a donné un rendez-vous mystérieux dans le jardin des Tuileries : un mandat d'arrêt venait d'être lancé contre Ramon pour « reconstitution de ligue dissoute ». En clair, on le soupçonnait d'appartenir au parti communiste et d'essayer de le faire renaître. L'étonnant était que cette menace ne se soit pas déclarée plus tôt. Nous ne pouvions plus hésiter, multiplier les si et les peut-être.

Ramon est parti le jour même, pour la Bretagne. A la veille de la guerre, alors que nous espérions nous marier bientôt, mon divorce enfin prononcé, nous avions passé des vacances ensoleillées dans le golfe du Morbihan, fait la connaissance, là, d'un vieux pêcheur d'Islande qui racontait, comme mon oncle Lucien, des histoires d'espadons. Je retrouvais mon enfance. Ce vieil homme, au visage curieusement lisse comme si le vent, les embruns, le soleil, n'avaient eu aucune prise sur sa peau de bébé et qui mettait sa coquetterie à se raser jusqu'au bord du sang, avait compris que ces récits m'enchantaient. Alors il en inventait, j'en suis certaine, chaque jour de nouveaux. Un bonheur. Et puis les bains, les promenades, les nuits avec Ramon.

Il est resté chez ce pêcheur près de trois mois. Je l'ai rejoint à Noël en me cachant. J'avais toujours le sentiment d'être surveillée, suivie par des gens qui le recherchaient. Naïveté. A ce moment, personne n'était vraiment organisé. Ni la police française, ni, je crois bien, la Gestapo. La partie ne faisait que commencer.

J'ai compris, à Noël, que Ramon n'était pas resté inactif, à partager cidre et bière avec son hôte en écoutant des histoires d'espadons. Il avait sillonné les côtes, courant d'un port l'autre, dans l'espoir de trouver un bateau de pêcheur qui l'emmènerait en Angleterre. Il ne pouvait pas passer par l'Espagne comme d'autres le faisaient : il craignait d'être reconnu ; après l'histoire du Heinkel, sa photo était passée un peu partout. Il n'eut pas de chance en Bretagne. Des pêcheurs prenant tous les risques pour traverser la Manche, cela existait. Il n'en rencontra pas. Un seul pourtant, qui lui promit de le prendre pour son prochain voyage, au début de décembre. Un marin des Côtes-du-Nord, appelées maintenant Côtes-d'Armor, d'un petit port proche de Saint-Brieuc. Mais quand Ramon s'est présenté au rendez-vous, l'homme n'y était pas, emmené une semaine plus tôt par les Allemands. La guerre est une sale loterie. En Bretagne, Ramon n'avait pas tiré le bon numéro.

Il s'est retrouvé plus tard en Limousin. Tout le Sud venait d'être occupé. Et dans cette terre au relief chaotique, couverte de forêts, de plateaux entaillés par des gorges comme on en voit dans les films de cow-boys, commençaient à s'organiser des hommes, communistes ou chrétiens, qui avaient la révolte dans le sang. Depuis les émeutes des croquants jusqu'à la Commune de Paris, les Limousins ont été de tous les coups durs. Ils n'allaient pas manquer celui-là. Il leur arrivait de se disputer entre eux, quand ils ne s'unissaient pas contre les gendarmes ou les Allemands. Mais Ramon avait connu bien pis en Espagne.

Là-bas, il est devenu saboteur. Il avait rencontré un Anglais, parachuté dans la région trois semaines plut tôt et complètement isolé : les « contacts » qu'on lui avait donnés à Londres, un petit réseau assez autonome je crois, venaient d'être arrêtés. Ils ont commencé à travailler en tandem. L'Anglais disposait d'un peu d'explosifs et de « crayons-retard », des détonateurs que l'on pouvait régler afin qu'ils explosent bien longtemps après que l'on a fui. A deux, ils ont fait sauter des lignes à haute tension, une locomotive, un transformateur électrique et je ne sais plus quoi. « Du bricolage », me disait Ramon que j'avais rejoint pour une nuit près de Limoges.

Il était caché alors dans une vieille ferme, tenue par un couple étonnant. Une minuscule femme aux cheveux reliés en chignon qui formait une sorte de petite pomme au sommet du crâne. Si elle n'avait été toujours courbée, comme cassée, elle aurait pu jouer le fils de Guillaume Tell. Le bonhomme, au contraire, un géant roux, contraint de se baisser pour franchir chaque porte car elles étaient basses dans cette masure. Trois pièces au sol de terre battue. Des murs de pierre et de torchis. Le royaume des araignées. Le plus étrange : dans la cabane qui servait de toilettes, au milieu de la cour, une planche trouée posée sur un tonneau qui menaçait à chaque instant de basculer, on avait mis une grande statue de la vierge de Lourdes, robe blanche, maculée de taches, et ceinture bleue. Installée là par dérision ou pour inciter ceux qui prenaient place sur la planche à méditer sur les fins dernières ? Je n'ai pas posé la question. Je n'ai pas osé.

Dans la nuit, alors que Ramon me caressait sur un vieux matelas de paille, il a entendu un bruit de moteur. Tout de suite sur ses gardes alors que j'étais prête, que je l'attendais. Il a sauté dans ses vêtements. J'en ai fait autant. Il a chuchoté « ennemis ». Pour lui, un moteur de moto, dans ce coin, à cette heure de la nuit, ça ne pouvait être qu'un adversaire. Nous nous sommes enfuis par le petit jardin — en passant, j'ai lancé un SOS à la Vierge — vers un pré où paissaient vaches et veaux le jour, puis un petit bosquet où nous avons attendu, guetté. Les motocyclistes se sont arrêtés devant la baraque, ont tapé comme des sourds à la porte. C'est alors que je m'en suis aperçue : j'avais oublié ma culotte ! Ramon, lui, avait emporté tout son matériel, toujours prêt dans un sac à dos. Si les autres découvraient cette culotte, soie et dentelles, qualité d'avant-guerre...

Il fallait fuir. Nous avons beaucoup couru. J'ai appris plus tard que nos deux amis paysans avaient été arrêtés et emprisonnés plusieurs mois. Dénoncés par ma petite culotte.

Je me le suis longtemps reproché. Jusqu'au jour, bien après la Libération, où j'ai retrouvé leur trace, non sans peine car Ramon ne m'avait donné alors aucune adresse. Ils m'ont fêtée. Sans rancune. Tout fiers semblait-il : les Allemands partis, ils avaient été considérés comme des héros ; ils accumulaient les décorations, des médailles commémoratives sans grande valeur que l'on distribuait assez largement à cette époque. J'avais le sentiment que le grand bonhomme roux gardait toujours les yeux fixés sur ma jupe, pensait à ma culotte que les autres, en l'interrogeant, lui avaient longtemps fourrée sous le nez : la preuve qu'il avait hébergé quelqu'un. Je me demande comment la vieille et lui avaient répondu. Quand je leur posai la question, ils eurent un petit rire, assez déplaisant. Mais pas un mot de plus.

Je reviens à notre fuite. J'aurais pu me débrouiller pour gagner Limoges, récupérer mon petit bagage confié à un jeune prêtre ami d'Aline, et repartir pour Paris : mes papiers étaient en règle. Mais après une telle alerte, je ne voulais pas laisser Ramon comme cela. Je l'ai suivi une semaine, presque jusqu'à son rendez-vous avec l'Anglais. Celui-ci, depuis son parachutage, n'avait pas perdu de temps. Entre deux sabotages, il avait rétabli des contacts, notamment avec un réseau de renseignements étendu dans la région d'Ussel, en Corrèze. Ces gens avaient même utilisé un petit champ d'aviation, proche d'un village appelé Thalamy, pour accueillir des hommes venus d'Angleterre : l'avion, toujours un Lysander, débarquait son passager en quelques secondes, en emportait parfois un autre pour repartir aussitôt. Mais les Allemands, ayant fini par le savoir, avaient fait labourer le champ avant de le parsemer d'obstacles.

Ce terrain devenu indisponible, la radio de Londres, par une phrase code, venait quand même d'annoncer un parachutage. Il était prévu assez loin de là, en Creuse. Le choix du lieu n'avait pas été simple : dans cette région, les parcelles sont réduites et les prés enclos de hautes haies.

Je ne voulais pas rater cela. Ramon ne s'y opposa pas. Toutes ces aventures l'amusaient un peu. Et puisqu'il fallait prendre le train, un tortillard, pour gagner la Creuse, un couple serait moins suspect aux gendarmes qu'un homme seul. Au visage tellement espagnol, en outre.

Nous nous sommes retrouvés la nuit dans un grand pré. Quelques ombres qui chuchotaient. Des feux de balisage avaient été installés sur deux lignes parallèles : des lampes-tempête récoltées je ne sais où, et même des bougies. L'attente. Puis le grondement lointain d'un moteur. On craint de rêver. On se demande si ce n'est pas une voiture, une moto. Je pense à ma culotte et, le cœur serré, aux deux paysans qui nous avaient accueillis.

Je prie, un peu. Le bruit se précise. Plus de doute. L'avion est là, déjà, nous survole, dépasse ce terrain de fortune et revient. Voilà que se détachent des containers chargés d'armes et d'explosifs, retenus par d'immenses parachutes. Et voilà qu'éclate une fusillade. Nous sommes cernés, bien que des guetteurs aient été placés sur les routes voisines ; nous avons été dénoncés. Fuir. Ramon m'entraîne. Un homme est avec nous, que je ne connais pas, bien sûr. « Par ici », dit-il. Nous le suivons. Pas le choix. Même pas le temps de penser qu'il nous entraîne peut-être dans la gueule du loup. Cette hypothèse, fausse, surgira plus tard. Les tirs toujours. Les autres ne sont pas loin, derrière nous. Claquements secs, un peu lointains. Des balles sans doute. Ramon trébuche. Une racine, une pierre sorties de terre ? Hélas, non. Une balle. L'autre homme a compris plus vite que moi. « On va le soutenir. » Ramon gémit. Nous le redressons. Il tente de marcher. Il faut le traîner plutôt. « Sous le pont », dit l'autre. Il existe, très près, un tout petit pont de pierre au-dessus d'un ruisselet dans lequel nous glissons tous les trois. Des tirs encore, plus lointains. Des cris. J'essaye de parler à Ramon. Pas de réponse. Je suis comme folle. L'autre me retient, m'immobilise, me couche presque dans le ruisseau. « Pas bouger, dit-il. C'est fini. »

C'était fini. Ramon. Inutile de chercher du secours. Hébétée, brisée, j'étais même incapable de pleurer. Je grelottais. L'homme tentait de sortir Ramon de l'eau où il avait glissé. J'ai réussi à me reprendre pour l'aider. Je croyais qu'il agissait ainsi uniquement par respect. Il m'a expliqué plus tard qu'il voulait surtout éviter que le sang coule dans le ruisseau, ce qui nous ferait repérer le lendemain, si les autres continuaient leurs recherches. Ils les ont poursuivies, en effet, toute la nuit. Et le lendemain encore. Ils fouillaient les bois, les villages et les hameaux, mirent à sac plusieurs maisons, se hissèrent même dans quelques clochers.

Nous ne pouvions pas bouger. Au petit jour, j'avais vu

se dessiner peu à peu le visage de Ramon, paisible, gris. Je lui ai fermé les yeux. Sous son blouson, sur la poitrine, une vilaine tache rouge, près du cœur semblait-il. Une balle perdue peut-être, mais trop bien arrivée. Trop mal.

La journée a passé ainsi. Je n'avais même pas faim. Je rêvais parfois de mourir aussi. Des folies plein la tête. L'homme, un jeune, en blouse bleue de paysan comme je n'imaginais pas qu'il en existât encore, m'avait d'abord regardée avec surprise : je ne portais certes pas la tenue adéquate. Tailleur genre Chanel, je faisais très parisienne en balade. Avec un gros chandail, par chance, car ces régions sont glaciales au petit matin.

Je pensais à l'avenir. Mes projets écroulés. Je n'essayais même pas d'imaginer comment nous allions sortir de là. Nous ne parlions pas. Nous entendions des moteurs lointains. Les bruits des bêtes, aussi. Quelques cris vers la fin de la matinée. Le ronronnement d'un petit avion : peut-être une illusion.

L'homme, alors que le soir allait tomber, m'a dit : « Le caveau de ma famille. » Je ne comprenais pas. Il m'a montré Ramon. « On pourrait le mettre là, cette nuit. Comment faire autrement ? » Il avait un léger accent parisien. C'est ce qui m'a frappée d'abord, un peu bêtement peut-être. Je devais apprendre plus tard qu'il avait travaillé à Paris chez un petit entrepreneur de maçonnerie, avant la guerre. Mais Ramon, le caveau ? Cet homme avait raison, pourtant.

C'était un de ces grands tombeaux de granit comme on en voit dans les cimetières de la région, très larges et très hauts, presque à étage, que l'on pouvait ouvrir sans avoir à creuser en descellant une pierre verticale munie d'un anneau, une sorte de porte.

Quand la nuit fut tombée, nous tendions toujours l'oreille. Pas un bruit. L'homme est sorti de ce fossé en s'agrippant aux herbes et aux ronces. Rien ne bougeait. Il est revenu vers moi. Et Ramon. A deux, nous avons réussi à remonter le corps. J'étais tombée plusieurs fois dans le ruisseau. J'ai désespéré. Mais nous avons réussi.

Le cimetière n'était pas trop éloigné. Il fallait traverser un bois, d'abord. Plusieurs fois, nous nous sommes arrêtés. Il me laissait pour aller voir, plus loin, en avant-garde. Revenait, rassurant. Esquissant même, parfois, un vague sourire. Il y eut ensuite un pré, une haie difficile à franchir, un champ en jachère, puis un pré encore. Un chien aboyait sur notre droite, hurlait à la mort, comme s'il savait. Je n'en pouvais plus. La route enfin, qui grimpait au cimetière. La porte qui grinçait, « à réveiller les morts », ai-je pensé. C'était idiot, cette formule surgie de ma mémoire. Mais elle était là, elle résonnait dans ma tête tandis que nous traînions Ramon, très raide déjà, sur les dernières mètres : je ne pouvais plus le porter, j'étais épuisée.

« Attendez ! » L'homme est parti chercher un levier pour desceller la pierre. Je n'ai pas vu passer le temps. Je m'étais agenouillée près de Ramon. Je priais Marie, moi qui ne priais plus depuis si longtemps. Ou plutôt je me laissais bercer par elle, dans la douceur. Je ne me suis interrompue que pour fixer au poignet de Ramon mon bracelet, un gros bijou en or.

L'homme est revenu avec une jeune femme, sa femme, dont j'ai deviné, malgré l'obscurité, qu'elle était enceinte. Elle m'a caressé le front. Elle portait une vieille couverture, lui un pied-de-biche. Il a rapidement descellé la pierre. Nous avons roulé Ramon dans la couverture, avant de le faire glisser sur un cercueil, à droite de ce grand caveau. « Mon grand-père », a simplement dit l'homme. J'ai fait un signe de croix. Pas eux. Ces régions ne sont pas très croyantes. Il a reposé la pierre, puis s'est mis à chercher sur les tombes voisines. Il a ramené quelques morceaux ce mousse qu'il a appliqués sur les interstices : la femme avait sorti de sa jupe, pour les fixer, un petit pinceau et une bouteille d'encre Waterman contenant un épais liquide, une colle. Ainsi, on ne pourrait pas voir aisément que l'on avait touché à ce tombeau. La mousse sur les bords de la pierre ferait illusion. J'étais confondue, émerveillée de tant de précautions. J'en oubliais presque ma douleur. Ensuite, nous avons gratté la terre du chemin, avec nos doigts, pour effacer les traces de piétinement.

Ils m'ont ramenée chez eux. Je n'en suis sortie qu'après huit jours. Le temps de nettoyer mon tailleur et mes chaussures, de laisser s'oublier les recherches et les perquisitions. Nous parlions peu. Marcelle, elle s'appelait Marcelle, avait perdu son père à la guerre, l'autre tuerie, et deux de ses oncles. Je ne les questionnais pas : j'étais avec Ramon. Ils travaillaient. J'essayais d'aider un peu, sans me montrer. Je me sentais inutile.

Au moment du départ, je lui ai donné une partie de mon argent. Elle l'a accepté, sans mot dire.

Je les ai retrouvés après la Libération, quand on a sorti le corps de Ramon pour l'amener à Paris, puis au début des années cinquante. Ils étaient revenus dans la capitale. L'homme avait repris l'affaire de maçonnerie de son oncle. Les Allemands ne l'avaient jamais inquiété, disait-il, bien qu'il ait toujours aidé le maquis. Ils avaient trois enfants, et pas mal d'argent semblait-il.

J'étais partie au petit matin, un dimanche, dans la voiture d'un docteur qui appartenait à la Résistance. Il n'était pas question d'échanger des confidences. Nous avons parlé de la vie à Paris. En quelques phrases seulement. J'étais encore avec Ramon. Et j'avais hâte de me jeter dans les bras d'Aline. Comme si elle était ma mère.

II

« Comme si elle était ma mère. » Ce mot, qui m'est venu soudain à l'esprit, hier, n'est pas une formule. Aline nous a ouvert la route, guidées, formées. Comme le fait une aînée, souvent. Davantage encore quand la mère est morte et le père très absent.

Elle a surtout aidé Blandine. Je veux évoquer d'abord, bien sûr, la disparition d'Aurélie pendant près de vingt ans. Nous l'avons retrouvée à la veille de la guerre. Une grande joie, un éblouissant bonheur. Précédés d'une profonde déception, d'une gifle.

Retour en arrière, donc. Flash-back, encore. Nous sommes de nouveau en 1937.

Par l'entremise d'un détective privé, un fureteur détestable mais efficace, Aline avait acquis la conviction qu'Aurélie Bondues, qu'elle avait rencontrée, qui ressemblait tellement à Blandine, était bien la fille de celle-ci. Elle ne voulait pas l'annoncer avant d'avoir transformé cette conviction en absolue certitude. Blandine avait tellement de soucis. Impossible de l'entraîner dans une aventure dont les suites restaient imprévisibles.

Ce fut moi qu'Aline entraîna.

Elle s'était déjà rendue chez Julia Bondues, la mère adoptive d'Aurélie, pour tenter de lui dire sa conviction, obtenir une confirmation, un aveu. En vain. Elles s'étaient affrontées sans se haïr, violentes, se disputant la vérité sans s'injurier. Une sorte de premier round, épuisant, destructeur. Aline n'avait récupéré, comme on dirait d'un sportif, qu'après quelques jours, s'était juré de reprendre le combat. Elle n'abandonnerait pas. Tout à fait Aline, cela.

Pour la suite, quand même, elle m'a appelée en renfort. Je l'ai accompagnée dans la courée de Roubaix où résidait Julia Bondues.

Je dois l'avouer et je n'en suis pas fière : ce matin-là, j'ai découvert une autre planète. Imaginez d'abord que s'ouvre dans une rue, entre deux bâtiments, une sorte de sentier. Plutôt un tunnel au sol autrefois cimenté mais désormais fendillé, troué, lépreux, humide ; des murs blancs de salpêtre et verts de moisissures ; des odeurs de cimetière. J'avais lu, jeune, le cœur transi, un poème aujourd'hui oublié de Victor Hugo : « Caves de Lille ! On meurt sous vos plafonds de pierre ! » Des souterrains, disait-il, où le malheur s'acharne sur les travailleurs, les tisserands et leurs famille, des bouges noirs, un monceau d'indigences terribles. Mais ce cri datait de l'autre siècle. Presque aussi loin que l'Antiquité quand on est adolescente. Une triste histoire. Qui, justement, appartenait à l'Histoire. Dépassée, donc.

Voilà qu'Aline entrait, décidée, dans cette sombre venelle. Je crus aussitôt entendre le cri du vieux Victor. Je m'arrêtai, interdite. Elle devina, me saisit le poignet : « Viens ! »

Le sentier ouvrait sur une petite cour mal pavée, entourée de grises et basses maisonnettes. Quelques-unes, presque coquettes pourtant, je ne veux pas assombrir le tableau, blanchies à la chaux, garnies aux fenêtres de plantes vertes que le soleil ne devait pas caresser souvent. On devinait que des ménagères attentives nettoyaient avec soin leurs étroites vitres, repassaient leurs tristes et proprets petits rideaux de coton. J'ai pensé, un éclair, que derrière ces portes et ces fenêtres vivaient des femmes qui pourraient être lectrices de *La Vie en rose*, dont certaines l'étaient peut-être. En rose ! Dérision.

Aline me tira presque jusqu'à une maison du fond de

la cour, la plus blanche peut-être, le bas du mur recouvert d'une sorte de goudron noir, pour se protéger de l'humidité, j'imagine.

Surprise : des fenêtres nues, sans rideaux. Grandes ou petites, riches ou pauvres, les maisons ne peuvent pas tricher : on les devine aussitôt animées ou au contraire délaissées, vides. Celle-là l'était, à coup sûr.

Aline me regarda, secoua la tête comme pour chasser un mauvais rêve ou un insecte entêtant, tapa pourtant à la porte, sans conviction. Je collais le nez à la vitre : murs nus, pas de meubles. Aline s'est pris la tête dans les mains, faisant basculer son chapeau. Cette fois, c'est moi qui lui ai pris le bras : « Viens ! »

Elle allait me suivre quand un homme est sorti d'une petite maisonnette, en face. Un vieux bonhomme au visage à demi masqué par une trop large casquette de marin, à grande visière. Plutôt sympathique alors que je m'imaginais, depuis l'entrée dans le sentier, en territoire ennemi.

— Elles sont parties, a-t-il dit simplement.

Merci. Nous l'avions compris.

— Quand ?

Il a haussé les épaules.

— Attendez.

Il a levé la main droite, dressé un, deux, trois doigts comme pour compter les jours, hésité sur le quatrième, haussé encore les épaules.

— Dimanche, j'crois.

Il avait un fort accent.

Aline, soudain, s'est lancée à l'assaut. Presque collée contre lui, qui reculait doucement, prit appui enfin contre un volet au vernis écaillé. Elle le pressait de questions : pourquoi, comment, et ainsi de suite.

« Comme à la cloche de bois », murmurait-il. Et comme elle haussait le sourcil : « Vous comprenez pas, c'est sûr, vous êtes des dames. Ça veut dire quand on part en vitesse, presque en se cachant. Déménager à la cloche de bois, c'est ça que ça veut dire. » Il répétait :

« C'est ça, c'est ça », content de son petit effet. Puis, comme pour se rattraper : « Remarquez, Mme Bondues, c'est quelqu'un d'honnête. Avant, elle est allée voir son propriétaire, le grand bistrot là-bas sur la place, pour régler son mois et tout cela. »

J'abrège. Pressé de questions, il a fini par lâcher qu'Aurélie et sa mère étaient parties pour Paris. Avec leurs meubles ? « Ça, j'crois pas. C'est le fiancé de la fille qui a tout mis sur une charrette, avec son père. »

Paris. Les retrouver à Paris. Une folie. Aline a ouvert son sac, cherché quelque monnaie. Le vieil homme a compris, reculé. Pas de ça. Nous avons balbutié des « merci ». Perdues.

Aline a pourtant tenu le coup, dans la voiture, en présence du chauffeur. Chez elle, elle a craqué : « C'est à cause de nous, répétait-elle. Elles sont parties pour nous fuir. Elles savent et elles nous détestent. Elles ont même peut-être parlé de Paris à ce vieux pour nous mettre sur une fausse piste. Mais pourquoi ? Pourquoi ? Elles sont pourtant si attachantes, toutes les deux. » Je ne sais pas d'où lui était venu ce mot, « attachantes », mais elle ne cessait de le mêler à ses « pourquoi ». Elle a ajouté, en feuilletant, rageuse, un annuaire téléphonique comme si elle espérait y trouver une indication : « Je les aimais déjà. »

Je cherchais, moi, une vraie piste. Comment sortir de là ? Impossible de réfléchir longtemps, cependant. Aline m'interpellait, obsédée par cette question : pourquoi avaient-elles fui ? Elle échafaudait des hypothèses. J'ai cru quelque temps que toute l'histoire des relations entre patrons et ouvriers dans la région y passerait. « C'est la lutte des classes, disait Aline. D'ailleurs, tu as vu cette courée ? Il nous rendent responsables de tout. Normal en un sens. Pourtant... » Je la sentais chavirée, loin de ses certitudes. Je pensais alors — je ne sais pas trop pourquoi — à ce que j'entendais à l'office quand, gamine, je m'attardais parmi les bonnes, ce que ma mère n'aimait pas du tout.

Ou bien, Aline me dressait le portrait de cette Aurélie que je n'avais jamais rencontrée. « Comme Blandine, disait-elle. Pas seulement ses yeux, qui m'ont mise sur la voie. Mais le caractère : sensible et obstiné. Tu sais qu'elle faisait partie du Comité pendant les grèves du Front populaire ? En même temps, elle va à la messe. Je me suis renseignée... Je ne comprends pas bien, je ne comprends pas. »

Cela devenait un refrain. Je l'ai interrompue pour souligner qu'elle aurait tout le temps de l'interroger quand on l'aurait retrouvée.

Elle a redressé la tête, surprise, ébauchant un demi-sourire.

— Parce que tu crois que... ?

— Bien sûr.

Son sourire s'est affirmé. Je la retrouvais soudain, solide, prête à repartir de l'avant. Toujours rageuse quand même :

— Elle doit nous en vouloir de l'avoir abandonnée. Elle ne sait pas combien j'ai cherché. Et Blandine si malheureuse. Tu la verrais, cette Aurélie, on ne l'imaginerait pas si rancunière pourtant...

Une vraie tendresse, dans sa voix, quand elle parlait de cette fille... Impossible d'en rester là, si près du but peut-être. C'est alors que j'ai pensé à ce garçon, revenu de Madrid avec nous dans la montgolfière : son père connaissait Dautriche, l'homme mystérieux dont la disparition avait rompu la chaîne qui menait à Aurélie. Paul Bonpain. J'ignorais encore son nom ce jour-là. Ou je l'avais oublié, je ne sais plus. Mais je l'ai vite retrouvé. Grâce à Aline.

Dès que je lui en ai reparlé — nous avions déjà évoqué cette rencontre auparavant mais les événements s'étaient précipités, son discutable détective était allé plus vite — elle a couru vers le téléphone, appelé Dussart, l'homme qui était alors en charge du personnel des usines. Je retrouvais l'Aline que j'aime : pas une seconde à perdre, et voilà ce qu'il me faut. Ce qu'il lui fallait était simple :

le nom ou les noms des garçons d'une vingtaine d'années qui avaient quitté l'entreprise durant l'été 1936. Dix minutes plus tard, Dussart avait la réponse. Deux garçons seulement : René Bertrand et Paul Bonpain. Paul, bien sûr, j'avais ce prénom en mémoire. J'entendais encore Ramon crier : « Paul, le brûleur ! » quand la montgolfière faisait mine de descendre.

Dussart ne savait pas ce qu'il était devenu, ce Paul. Mais Aline était à nouveau sur le sentier de la guerre. Elle chercherait.

Je suis repartie le jour même pour Paris. Le TGV n'existait évidemment pas, mais il ne faut pas croire : les rapides étaient rapides et confortables.

Dès le lendemain, elle m'a appelée au journal. Elle avait raconté toute l'histoire à son mari. Elle le tenait soigneusement au courant depuis qu'elle avait commis l'erreur de se mettre dans les pattes de ce détective. Leurs relations avaient beaucoup tangué alors ; elle avait donc pris la résolution de tout dire à Boidin, et elle s'y conformait. Elle a bien fait. Il a sursauté : le détective en question lui avait confié, à lui, que la jeune Aurélie avait un petit ami, ou un fiancé, qui pouvait bien être ce Bonpain.

Sur les registres de Dussart se trouvait encore son adresse, qui était celle de ses parents.

Aline voulut que je l'accompagne, à nouveau. Je suis repartie dans le Nord le dimanche suivant.

Les parents Bonpain n'habitaient pas dans une courée mais à Wattrelos, entre Roubaix et la Belgique, une sorte de maisonnette où la SNCF, qui venait d'être créée, logeait des cheminots. Plusieurs bâtisses de bois longeaient ainsi la voie ferrée, toutes semblables, entourées d'un petit jardin. Un coin un peu perdu, où des enfants jouaient à la balle et poussaient un cerceau. L'arrivée de notre voiture ne pouvait passer inaperçue. Un petit rouquin nous a même ouvert la porte, cérémonieux comme un laquais. J'ai cru qu'il allait tendre la main. Mais non. Quand il nous a indiqué la maison des Bonpain, je lui ai donné cinq sous, vingt-cinq centimes, une petite somme pour un gosse, alors.

J'avais aperçu une femme aux abords de cette maison proprette. Elle portait un petit sac d'où sortaient des brins d'herbe, probablement coupés le long de la voie pour nourrir des lapins. Elle a vite disparu. Nous avons frappé à la porte. Personne n'a répondu. Les gosses étaient alignés sur le trottoir, immobiles, silencieux, nous observant, un peu rigolards. Je me suis hasardée à faire le tour du petit bâtiment. Le sac d'herbes était abandonné devant le clapier. De toute évidence, on ne tenait vraiment pas à nous voir.

Nous avons tergiversé, gênées, il faut l'avouer, par les regards des gosses, étrangement silencieux soudain. Deux ou trois voisins avaient mis le nez à la fenêtre. Nous sommes parties, vexées. Plus tard, bien plus tard, les Bonpain nous ont avoué, très embarrassés, honteux à ne pas croire, qu'ils avaient beaucoup tergiversé, eux aussi. Notre arrivée les avait surpris. Résultat : quand nous sommes revenues, une heure plus tard, après avoir fait un tour dans Roubaix, le père Bonpain était dans son jardin, occupé à creuser une petite ligne le long d'un cordeau. Cette fois, il ne pouvait pas nous échapper.

Je les aime beaucoup ces Bonpain. Ensuite, quand tout a été réglé, j'allais parfois les surprendre. La mère en profitait pour boire un petit genièvre, deux ou trois parfois... Lui me racontait des histoires en patois, j'en raffolais. Mais ce jour-là ! Ils ne savaient rien ou presque. Leur fils ? « Parti soldat » comme ils disaient. Et loin. En Algérie, ce qui ne nous a pas surprises. L'armée n'allait pas faire de cadeaux à un garçon passé par les Brigades internationales, même s'il en était vite revenu.

D'Aurélie, ils prétendaient ne rien savoir. C'est vrai, leurs fils Paul en avait pincé un moment pour une fille Bondues, il lui avait même « fait de l'œil » — c'est-à-dire des avances, j'ai adoré cette expression — mais ensuite, ils ne s'étaient plus revus. Ils ignoraient ce qu'elle était devenue. Je leur avais raconté, histoire de les amadouer, que je l'avais bien connu, leur Paul, à Madrid, puis lors de notre retour en France. Ils savaient, ils me remerciaient, crurent même devoir préciser que c'était son départ pour l'Espagne qui avait provoqué la rupture avec Aurélie : « Elle était pas d'accord, disait la mère. Du coup, c'était fini. » C'était possible, et cela nous a troublées : les informations du fameux détective sur les relations de ces deux jeunes dataient peut-être.

Quand même, nous devinions les Bonpain embarrassés. Ces gens-là n'étaient pas habitués à mentir ; or, de toute évidence ils mentaient. Ils se regardaient souvent comme pour se réconforter, ou se faire confirmer l'un par l'autre qu'ils respectaient bien leur petite histoire imaginée. Ils hésitaient. Le père rougissait presque. Son épouse paraissait plus sûre d'elle-même, l'effet des genièvres peut-être, tentait de faire dévier la conversation sur la pluie et le beau temps, ou multipliait les remerciements pour l'aide apportée à son fils.

Nous n'étions pas décidées à les lâcher. Aline d'abord, moi prenant le relais, nous leur avons expliqué pourquoi nous recherchions Aurélie avec tant d'ardeur. Aline évoquait le fameux Berton-Dautriche. Et moi, au père : « D'après ce que disait Paul en Espagne, vous l'avez bien connu, je crois. » J'insistai sur ces relations, mentionnai aussi la solidarité avec Aline puisqu'ils avaient appartenu au même réseau. J'ai cru un instant qu'il allait craquer. Son épouse a repris le dessus, un peu cérémonieuse, s'efforçant même de gommer son accent.

— Vous ne m'en voudrez pas, mesdames, mais quand je vous entends, je me demande pourquoi votre sœur, Mme Blandine, quand elle s'est connue enceinte, n'a pas tout dit à ses parents. Surtout en pleine guerre, comme ça.

J'ai sauté sur cet « en pleine guerre » pour souligner qu'avec un père allemand... Je ne pouvais expliquer à quel point des parents tels que les nôtres se montraient soucieux des bonnes règles mais aussi de l'opinion de leur entourage, du scandale — oui, du scandale — qu'aurait provoqué chez les notables l'aveu de cette naissance. Entre notre monde et celui de ce couple s'étendait alors l'espace qui sépare les deux pôles. Alors que nous discutions autour de la table de cette cuisine-salle à manger où une cocotte, sur le gaz, soulevait parfois son couvercle pour lancer de petits jets de vapeur, je mesurais la difficulté, l'impossibilité même, de nous faire comprendre. On parlerait aujourd'hui d'un mur entre deux cultures. Ces concepts nous étaient moins familiers, naguère. Mais l'existence de ce mur, j'en pris soudain une conscience aiguë.

Je pensais même, l'espace d'une seconde, que cette expérience, au moins, me servirait pour le journal, où nous étions encore loin de nos lectrices. Puis j'imaginais cette Aurélie, que je n'avais jamais vue, sautant un immense mur ou bien volant d'une planète à l'autre, comme une sorte de fée (nous ne connaissions pas très bien encore les astronautes et leurs fusées).

C'est moi qui ai craqué. La cocotte, sur le gaz, accélérait ses jets de vapeur. Mme Bonpain, trop contente de cette diversion, nous tourna le dos pour se précipiter, soulever le couvercle, baisser le gaz. Il fallait partir. Nous nous regardâmes, Aline et moi : excusez-nous, merci, au revoir, si vous pouviez demander à votre fils, il vous écrit bien sûr, il sait peut-être lui, les jeunes, on ne sait pas, ça se dispute puis ça raccroche parfois. Nous lancions toutes ces phrases, en désordre, pour ne pas rompre tout à fait le dialogue amorcé. Ils acquiesçaient, soulagés.

Nous nous étions levées et, machinale, je m'étais un peu approchée du buffet, un de ces buffets comme les meubles Lévitan — « garantis pour longtemps », disait la publicité — ou les Galeries Barbès, aussi appelées « Le bonhomme en bois », en vendaient alors par milliers : des meubles à deux corps superposés, celui du bas réservé à la vaisselle, celui du haut, supporté par des colonnes, à la verrerie ; entre les deux, sur une plaque de faux ou de vrai marbre, les gens du peuple mettaient souvent des photos dans des cadres, des bricoles achetées en voyage.

J'ai cru reconnaître le fils Bonpain, Paul, sur une photo dans un cadre verni, à côté d'une belle fille.

Tant pis, je me suis approchée. A tous risques.

— C'est votre fils, là, je le reconnais bien. Viens voir, Aline, le beau garçon.

Elle a compris aussitôt. Les autres : le désarroi. La mère Bonpain en avait oublié sa cocotte dont le couvercle claquait de plus en plus vite.

Aline :

— Mais c'est Aurélie Bondues.

Elle tremblait de joie, me collait presque au buffet :

— Vois, tu ne trouves pas qu'elle ressemble à Blandine ?

Cela me paraissait moins évident. L'évidence, c'était le charme de cette fille. Et les sourires que ces deux-là s'adressaient ne laissaient pas présager une rupture. Quoique...

Nous avons peut-être regardé trop longtemps cette photo. Quelques secondes de trop. Les autres avaient eu le temps de se ressaisir, la femme en tout cas (les femmes sont-elles plus douées que les hommes pour le mensonge ? Celle-là, en tout cas, l'était). Tournée vers son mari :

— Tu vois, je t'avais dit qu'on ne devait pas garder cette photo, puisqu'ils ne se parlent plus.

Puis, vers nous :

— Il était si bien là-dessus, notre Paul. Et si loin maintenant. C'est pour ça qu'on l'a laissée là... Vous allez croire, bien sûr...

Aline a sauté sur ce « bien sûr ». Avec ce ton de commandement, un peu agressif, qui me rappelait père, parfois.

— Oui, nous croyons que vous en savez plus que vous ne le dites. S'ils avaient vraiment rompu, vous n'auriez pas gardé cette photo. Vous en avez certainement d'autres où il est seul, votre Paul, non ?

Le père détournait la tête, les mains dans les poches pour qu'on ne les voie pas trembler. Un autre nous aurait peut-être jetées à la porte. Pas lui, trop bon. C'est à nouveau la mère qui a paré le coup, un peu démontée :

— Vous savez, tout cela a été si vite...

Un silence. Puis :

— En plus, on l'aimait bien, cette petite.

Nouveau silence. Puis :

— On espérait toujours que ça allait reprendre.

Nous lui laissions trop de temps, nous, au lieu de l'assommer de questions comme l'auraient fait des policiers. Trop polies. Nous avons raté le coche ce jour-là, de peu, de très peu. Plus tard, je me suis demandé ce qu'auraient fait des hommes à notre place. Ramon ? Comme nous, trop gentil. Boidin, lui, les aurait peut-être pris à la gorge.

Aline, quand même :

— Nous ne vous croyons pas. Nous ne pouvons pas vous obliger à dire, bien sûr. Mais nous ne vous croyons pas.

Ce sursaut m'a encouragée :

— Faites-lui savoir que nous continuerons à chercher. Qu'elle pense à sa mère. Vous pouvez comprendre ce qu'il y a dans le cœur d'une mère qui a perdu sa fille et qui voudrait tant la retrouver. Vous le comprenez, n'est-ce pas ? Vous le comprenez ? Alors, dites-le-lui.

J'avais commencé en douceur mais là, sur la fin, j'ai peut-être été trop véhémente.

Ils baissaient les yeux, silencieux.

Nous ne pouvions que partir.

Sur le pas de la porte, le père Bonpain a chuchoté :

— On fait ce qu'on peut.

Ce qui ressemblait vaguement à une promesse. Les gosses, au bord du chemin, entouraient toujours la grosse voiture d'Aline, interrogeaient, plutôt respectueux, le chauffeur. Ils nous ont fait une sorte de haie d'honneur.

Aline, cette fois, a esquissé un sourire, s'est jetée à mon cou :

— Bravo pour la photo. Tu vois, j'avais raison de t'appeler à l'aide. Maintenant, nous tenons un bout de la chaîne.

Elle avait raison. Du moins, en partie.

La lettre est arrivée huit jours plus tard. Signée Julia Bondues. Venue de Paris. Calligraphiée, le mot s'impose, comme on ne le fait plus, avec un souci d'installer là où il le fallait les pleins et les déliés. A vous donner des regrets d'utiliser stylos billes ou plumes, et machines diverses.

Passons à l'essentiel, le texte. J'en ai gardé une copie. Je n'ai pas retrouvé l'original dans les papiers d'Aline.

« Madame Boidin,

« Je sais que ce que nous avons fait n'était pas très poli. Vous avez toujours été gentille avec moi et avec Aurélie, même quand elle vous a demandé de réembaucher sa sœur qui allait partir deux jours après au sanatorium. Excusez-moi d'écrire sa sœur mais elles sont toutes les trois mes filles, Françoise, Juliette et elle qui est plus jeune, Aurélie. Je n'ai jamais fait de différence dans mon cœur. Vous êtes une mère, vous pouvez me comprendre.

« Je n'ai jamais connu les origines d'Aurélie. Vous savez pourquoi, mieux que moi. J'ai commencé à m'en douter quand vous êtes venue chez moi l'autre jour. Après, c'est elle qui a tout découvert à cause d'un sale monsieur qui la suivait.

« Elle ne comprend pas pourquoi elle a été abandonnée. Moi pas très bien non plus. Nous sommes de petites gens, des ouvriers. Nous avons notre fierté, mais nous ne sommes pas du même monde que vous. Aurélie dit qu'elle ne serait pas heureuse dans le grand monde. Je crois qu'elle a raison. Je comprends le chagrin d'une mère qui a perdu son enfant et voudrait le retrouver. Mais je comprends aussi Aurélie.

« Il ne faut pas nous en vouloir. Nous avons du travail et nous sommes toutes en bonne santé. J'espère qu'il en est de même pour vous, Monsieur Boidin et vos enfants.

« Je me permets de vous demander quelque chose : dites à ce monsieur qui a attendu quelquefois Aurélie à la sortie du travail de ne plus chercher à l'embêter. Il n'a pas l'air très honnête ce monsieur, si je peux le dire. J'ai été étonné que vous l'avez envoyé. Mais c'est peut-être Monsieur Boidin. Tout cela nous a beaucoup tourmenté. Je sais que vous nous cherchez encore. Laissez-nous du temps. On ne sait jamais. Surtout avec cette sale guerre qui approche. Vous êtes une mère et une grande dame. Chaque fois que je vous ai vu, vous m'avez comprise, sauf la dernière peut-être. Comprenez-moi encore.

« Veuillez croire, Madame Boidin, en mes sentiments très distingués.

« Julia Bondues. »

Aline semblait presque heureuse d'avoir reçu cette lettre. Je la comprenais, mais je ne voyais là aucune ouverture, aucun moyen d'avancer dans nos recherches, de nous trouver enfin face à cette Aurélie. Ma nièce. Après tout, il fallait que je me fasse à cette idée. Le cachet de la poste indiquait la gare du Nord à Paris, mais cela n'ouvrait aucune piste bien sûr.

Quand je signalai à Aline que la dernière phrase semblait directement tirée d'un manuel du genre « Cent exemples de lettres pour toutes les occasions » et que cette Julia Bondues semblait avoir des difficultés avec les règles d'accord des participes passés, elle m'a blâmée : facile de plaisanter ; je ne comprenais donc pas qu'un lien était préservé ? Les Bonpain avaient fait les messagers, comme elle l'espérait. Nous pourrions donc les utiliser à l'occasion, de la même manière ; ils joueraient sans doute les ignorants, les innocents, mais ils transmettraient.

Restait une vraie question : Aurélie connaissait-elle l'existence de cette lettre, l'avait-elle inspirée ? Aline voulait le croire : « C'est elle qui mène le jeu. Tu aurais vu, quand elle a convaincu sa mère, je veux dire Julia Bondues, de démissionner comme elle de l'usine, par solidarité, demander sa quinzaine comme ils disent : Julia a suivi. Un vrai caractère, Aurélie, comme Blandine. Plus forte même. Douce aussi. » Elle me le répétait sans cesse.

Elle rêvait. Elle regrettait toujours de n'avoir fait que des garçons. Si elle avait pu avoir près d'elle une Aurélie !

Je rêvais moins. D'abord, je n'avais jamais rencontré cette petite merveille. Ensuite, je lui en voulais de nous dédaigner ainsi, de nous rejeter. Je pensais à toutes les jeunes femmes à qui l'on aurait annoncé un jour : voilà votre véritable famille ; vous vous demandiez où étaient vos racines — comme on dit maintenant —, elles sont là ; une famille où surgissent parfois des désaccords mais qui est unie aujourd'hui ; une famille, enfin, grâce à laquelle vous ne connaîtrez plus de problème financier ; en somme, vous avez gagné à la Loterie nationale ; et pas un « dixième » — à cette époque, les billets de loterie se vendaient le plus souvent par « dixièmes », pour être à la portée du plus grand nombre —, pas un dixième mais un billet entier. Le gros lot tout entier. Neuf jeunes femmes sur dix, j'imagine, ou plutôt quatre-vingt-dix-neuf sur cent auraient sauté de joie, se seraient pâmées d'enthousiasme. Retrouver sa mère, et une mère comme Blandine, dans une telle situation : le vrai bonheur ! Or, cette Aurélie le refusait. Impensable. Incroyable.

Oh ! Je croyais comprendre le sursaut qu'elle avait eu d'abord. Pour elle, nous étions les maîtres d'une entreprise où elle avait trimé, souffert peut-être. Elle pouvait également penser qu'entrer dans notre famille l'obligerait à un brutal changement de vie, que nous accepterions mal ce Paul Bonpain que j'avais embrassé un soir, aux abords de Madrid, alors que je croyais sa mort toute proche, pour lui donner un dernier signe de tendresse.

Mais si je pouvais comprendre le premier mouvement de recul d'Aurélie, aussi déplaisant fût-il pour nous, j'admettais moins aisément qu'elle en soit restée là. Or, la lettre de Julia Bondues, sans adresse de l'expéditeur, signifiait qu'elle voulait toujours nous échapper, comme elle l'avait fait en déménageant « à la cloche de bois » pour reprendre l'expression du vieux bonhomme de la courée. La courée ! Quand j'y pense, encore aujourd'hui, je me demande ce qu'eussent pensé Père et Mère s'ils avaient su, ou imaginé, qu'une petite-fille Surmont-Rousset emprunterait, chaque jour, des années durant, le sentier gluant et puant qui y conduisait.

Je reviens à ma discussion avec Aline après qu'elle m'eut fait lire la lettre de Julia Bondues. Je lui fis valoir, bien sûr, tous ces arguments. Elles les entendait très bien. Mais elle ne voulait pas s'avouer vaincue. (Il m'est arrivé parfois de penser qu'une femme qui est parvenue à s'accommoder de Clément Boidin et à se faire entendre de lui comme, en fin de compte, de notre père, une femme de cette trempe ne pourrait jamais s'avouer vaincue.)

— Tu n'as pas lu, me dit-elle, la phrase clé de cette lettre. Julia Bondues a écrit : « Laissez-nous du temps. » Moi, je traduis : laissez le temps à Aurélie de digérer toute cette affaire, et laissez-moi le temps de l'aider à digérer. Elle est avec nous, cette Julia.

Je n'en étais pas certaine. D'ailleurs, quelle était son influence réelle sur notre Aurélie ? Ne l'avait-elle pas toujours suivie ?

Aline concéda pourtant que nous ne devions pas rester immobiles, attendre patiemment le bon plaisir de ces dames (c'est moi qui utilisais cette expression ; elle se montrait plus indulgente). Il fallait d'abord les retrouver, les « loger » comme disent les policiers aujourd'hui. Sans nous faire repérer. Sans utiliser des personnages douteux comme ce détective dont l'intervention brutale, maladroite, avait fait tout rater, Aline en était persuadée.

Comment avancer ? Après réflexion, nous avons décidé d'explorer deux pistes, pas très faciles. Boidin, que cette histoire agaçait sans doute, même s'il n'en disait rien à Aline, disposait de relations étendues dans le monde militaire. A l'approche de la guerre, ces messieurs les généraux et les ministres se résignaient enfin à équiper davantage les armées. Ce qui ne signifiait pas seulement produire des chars et des canons, construire des avions — en trop petit nombre, hélas, comme on l'a vu — mais aussi fabriquer des uniformes, des couvertures, des sacs et ainsi de suite. Bonne affaire pour l'industrie qui, en 1939, allait enfin rattraper son niveau de production antérieur à la grande crise de 1929, « grâce à Paul Reynaud, ministre des Finances », m'a raconté Boidin pendant la guerre. Quoi qu'il en soit, dès 1937-1938, il a recommencé, lui, à chercher la clientèle de l'armée, comme en 1914. Peut-être pourrait-il utiliser ces relations pour trouver la trace du jeune Bonpain ? Premier point.

Le deuxième point me fut attribué. Le tristement fameux détective avait appris, entre autres, qu'une des filles, Françoise, avait réussi à se faire engager à Paris chez une grande modiste. Des voisins lui avaient aussi raconté qu'elle avait attiré ensuite l'autre jumelle, Juliette, et même que pendant quelque temps, toutes ces femmes Bondues, Aurélie comprise, avaient fabriqué ou réparé des chapeaux pour les femmes du quartier. De là à imaginer qu'à Paris... Bref, il fallait enquêter chez les modistes, grandes ou petites, décréta Aline. A son avis, j'étais la mieux placée, grâce au service « Mode » de mon journal, pour le faire.

Elle n'avait pas tout à fait tort. Mais je fis valoir que cela serait sans doute long, qu'il ne fallait pas attendre, sauf miracle, de résultat immédiat. Boidin, quand elle lui en parla, fit la même réponse.

Je ne sais plus qui a dit qu'un instant de patience est déjà une victoire. Un auteur arabe, je crois. A ce compte, nous avons remporté des millions de victoires.

III

L'hiver, en mars 1938, n'en finissait pas. Paris, alors, ne manquait de rien, mais Paris grelottait. J'écoutais donc à peine le plus jeune de nos photographes, Michel Garcin, de retour d'un reportage sur Charles Trenet, lequel allait passer à l'ABC, un music-hall des Grands Boulevards, et y connaître le triomphe. Nous avons décidé de consacrer un très long « papier » à celui que l'on appelait « le fou chantant », l'auteur de « Y'a d'la joie », étonnant personnage « hirsute, écarlate, l'œil large ouvert et couleur de bille » comme l'a décrit Jean Cocteau.

A ce moment, en effet, mon journal, *La Vie en rose*, devait se battre. On annonçait pour le mois suivant la naissance d'un concurrent, *Confidences*, surtout composé de récits à la première personne, inspirés par les lettres des lectrices. Nous, nous allions donc jouer davantage encore sur les vedettes. Ces jours-là, c'était Trenet.

Notre photographe, Michel Garcin, rentrant de répétition, toussait à fendre l'âme. Je l'interrogeais sur Trenet mais l'écoutais à peine, le réprimandai même quand il m'expliqua que, s'étant promené dans le quartier — à peine couvert par ce temps ! — il avait découvert rue Saint-Fiacre une petite boutique de modiste, d'apparence minable qui présentait, en vitrine, une toque de velours avec voilette romantique de paillettes à côté d'une haute coiffure de fleurs et tulles et de quelques capelines plus banales. Tandis que ces deux chapeaux-là, des merveilles à l'entendre : « Vous verriez ça, patronne, mieux que Chanel ou Schiaparelli. Ou même Claude Saint-Cyr. » Comme s'il y connaissait quelque chose. Je crois bien lui avoir répondu qu'il aille faire part de ses découvertes aux journalistes de la rubrique « Mode » mais seulement après s'être tapé un double grog bien tassé : la moitié de mon équipe gisait déjà, sur le flanc, grippée, cela suffisait.

Je repris la correction d'un reportage sur le tournage de *Quai des brumes*, le nouveau film de Marcel Carné dont on commençait à dire qu'il allait faire un malheur. Il avait déjà, en tout cas, toute une histoire derrière lui, sur laquelle nous informait, ponctuelle, la jeune actrice Jany Star aux décolletés toujours étourdissants. La firme allemande UFA, très implantée en France et inféodée aux nazis bien sûr, avait finalement refusé de le produire : elle ne voulait pas d'une histoire dont le héros était déserteur, même si c'était l'armée française qu'il abandonnait ! Pour comble, elle avait vendu ses droits à un réfugié allemand, antinazi et juif de surcroît ! Ajoutez que Jacques Prévert avait écrit le scénario pour son amie du moment, Jacqueline Laurent. Tandis que Gabin, lui, avait déniché une débutante, très jolie fille aux yeux d'eau claire promis à la célébrité, Michèle Morgan bien sûr. Laquelle, convoquée pour le traditionnel bout d'essai, avait réussi un coup de maître. Une belle histoire, donc. D'autant que Gabin faisait rêver nos lectrices. Les yeux de cette Michèle, j'en étais sûre, ensorcelleraient nos lecteurs.

J'oubliai vite la découverte des surprenants jolis chapeaux.

J'avais tort. Ils étaient l'œuvre des Bondues, mère et filles.

Près d'une année s'était écoulée depuis notre visite chez les Bonpain. Aline y était retournée, sans grand succès d'abord. Ils l'avaient fort aimablement reçue, et donné d'abondantes nouvelles de leur fils qui tenait le coup dans son régiment de tirailleurs algériens où de vieux sous-officiers lui faisaient presque manger du sable. Mais ils se prétendaient sans nouvelles des Bondues, assuraient n'être pour rien dans la lettre de la mère, Julia, arrivée comme par hasard après notre première visite chez eux. Aline avait failli tempêter, s'était heureusement contrôlée, l'attitude qu'il fallait, comme la suite allait le montrer : quelques jours plus tard, elle reçut une nouvelle lettre, d'Aurélie cette fois. Elle m'en a aussitôt adressé une copie. La voici :

« Madame,

« Je vous appelle Madame, même si vous êtes ma tante, parce que je ne peux pas encore faire autrement.

« Cette lettre est très difficile à écrire. J'ai déjà fait plusieurs brouillons. Chaque fois, je les déchire.

« Je dois d'abord vous demander pardon. Je sais que je vous ai causé beaucoup d'ennuis, alors que vous nous avez toujours aidées, ma mère et moi, quand nous sommes venues vous voir. Mais, s'il vous plaît, comprenez-moi : j'ai été abandonnée, je ne sais pas pourquoi, pendant une vingtaine d'années. Maintenant, ce n'est même pas ma vraie mère qui me cherche, mais vous. Il y a trop de choses pas claires dans tout cela. Je dois réfléchir. Je veux être libre.

« Ma mère me prie de vous adresser ses salutations. Mes deux sœurs vont bien. Je vous dis encore merci.

« Aurélie. »

J'entends encore Aline au téléphone, quand elle m'a annoncé la nouvelle. Elle riait et pleurait. Répétait : « Tu verras : pas une seule faute de français. Pour cela, elle n'est pas comme sa mère — je veux dire : l'autre, Julia Bondues. »

Nous avions fait un grand pas. Mais Aurélie ne donnait aucune adresse, restait maîtresse du jeu. Impossible de répondre aux questions qu'elle se posait et qu'elle posait sur Blandine, par exemple. J'étais frappée par cette phrase : « Je veux être libre. » Ces filles ne ressemblaient guère à leurs aînées. Les femmes changeaient bien vite. Ce soir-là, le soir où Aline m'a téléphoné, j'ai décidé d'écrire un éditorial pour *La Vie en rose*, intitulé « Le siècle des femmes ».

Aline, elle, a aussitôt couru chez les Bonpain. Ils ont tenté de jouer les innocents, une fois encore, mais ce rôle devenait impossible. Si j'ai bien compris, elle s'est montrée violente — elle en est capable — dans le style : finie la comédie ; vous savez très bien où elle se trouve ; vous allez donc lui dire que j'aimerais bien la rencontrer ; ce sera où elle voudra quand elle voudra ; parce qu'elle se pose des questions dont je détiens les réponses ; si elle veut rester dans le noir avec des questions plein la tête, elle n'a qu'à continuer à se cacher ; tandis que me rencontrer n'importe où ne l'engage à rien — si elle ne veut pas me donner son adresse, elle ne sera pas obligée ; et si elle souhaite que je n'en parle à personne, je me tairai.

C'était bien joué. La raison même. Les Bonpain ont paru soulagés, presque heureux, promis de transmettre. Peut-être étaient-ils agacés, comme nous, par ce que j'appelais parfois l'intransigeance d'Aurélie. Elle était bien comme sa mère, celle-là. Je veux dire : Blandine. Passionnée. Avec un petit côté Laurent Surmont-Rousset qui avait toujours aimé tenir toutes les rênes en main, qui se méfiait de tout et de tous, était capable aussi de nourrir de vieilles rancunes.

Le coup a réussi. Des semaines plus tard, je n'ai jamais su pourquoi. Aline entre-temps avait fait le siège des Bonpain qui n'en pouvaient mais, ne savaient rien ou n'osaient pas, refusaient même de livrer les coordonnées de leur fils dont Clément Boidin peinait encore à retrouver la trace en dépit de ses relations militaires. Jusqu'au jour où le père Bonpain en personne a pris le Mongy, le tramway qui reliait Roubaix à Lille pour annoncer que, oui, la rencontre était possible.

Ce n'était pas d'une extrême simplicité. Aurélie avait choisi un lieu situé à mi-chemin entre Paris et Lille : Amiens, comme si Aline et elle étaient des plénipotentiaires chargés de négocier un armistice, qui se rejoignaient en terrain neutre, entre les lignes de front. C'était un peu ridicule et je n'ai pas manqué de le lui dire, plus tard. Elle en est convenue, nous étions devenues très proches. « J'étais effrayée, m'a-t-elle dit alors. Je suis allée voir la tante Aline en tremblant. Tu te rends compte : vous étiez la famille de mes patrons, bien au-dessus des surveillants, des contremaîtres, de Dussart et des autres qui nous menaient à la baguette, comme à la caserne. » Alors, moi : « Ça ne t'avait pas empêchée de faire la grève et même d'appartenir à la bande des meneurs ! » Réponse : « Rien à voir, cela n'avait rien à voir. Pour la grève, nous étions nombreux. J'étais parmi les autres, et dans le genre meneuse, il y a mieux. Mais là : toute seule, j'étais toute seule. » Moi : « Tu avais ta mère, Julia. » Aurélie : « Elle me poussait. Vous n'en avez rien su, vous, mais elle me poussait à reprendre contact. Pour mon bonheur, disait-elle. Pour celui de Blandine, aussi. Mon bonheur, je n'en étais pas certaine. Blandine, ma mère, je ne savais pas... Mais mon autre mère, Julia, je pensais qu'elle agissait ainsi par habitude d'obéir, d'accepter. Elle répétait que nous étions des petits, pas du grand monde, qu'il ne fallait pas nous croire capables de grimper trop haut. Une résignée, un peu. Pendant la grève, elle était contente, fière, solidaire. Mais elle craignait toujours que nous allions trop loin. »

C'était bien ce que je pensais : entre Aurélie et Julia, et Aline, et même moi qui me piquais d'être dans le coup, il y avait plus qu'une différence de génération. Les mentalités changeaient, se retournaient. Je ne vais pas répéter ici ce que les médias, les sociologues et tant d'autres ont écrit à ce sujet ensuite. Mais j'insiste : avant même la guerre, qui a encore précipité le mouvement, on sentait venir ce bouleversement.

Revenons au roman policier, comme je disais alors. Parce que Aurélie avait pris des précautions de roman policier : Aline devait se rendre dans une brasserie proche de la gare d'Amiens, demander une certaine Maria, une serveuse qu'Aurélie et sa sœur avaient connue quand celle-ci était au sana. Une brave fille, cette Maria, soit dit entre parenthèses, qui avait rêvé d'être engagée au pavillon des Arts féminins de l'Exposition universelle ; sa lettre de candidature n'avait même pas reçu de réponse ; plus tard, Aline, qui aimait jouer les bonnes fées, lui a trouvé un travail paisible dans les affaires de Boidin. Bref, à l'époque, je veux dire à sa sortie du sana, cette Maria s'était d'abord retrouvée, bien contente d'avoir du travail, dans cette miteuse brasserie. J'imagine Aline entrant là pour commander un thé puis s'intéresser aux serveuses : celle-là qui paraît voûtée, la poitrine creuse, cette gamine qui pointe les seins comme des canons, ou cette plantureuse qui rit aux éclats avec un groupe d'hommes, des cheminots sans doute ? C'était la voûtée, bien sûr. Qui s'est bientôt présentée d'elle-même — « Aurélie m'a expliqué ; je me suis doutée dès que je vous ai vue » — et lui a donné son adresse. Elle n'habitait pas loin. Aurélie attendait là. Des précautions de roman policier, je le répète. Elle lisait beaucoup tandis que son Paul marchait dans le bled.

Je regrette aujourd'hui encore, après plus de quarante ans, de n'avoir pu assister à leur rencontre. Bien entendu, je me suis tout fait raconter, j'ai harcelé Aline d'abord, Aurélie plus tard. Mais ce n'est pas la même chose.

Elles étaient aussi tremblantes l'une que l'autre, je crois. Elles ont commencé par parler de choses et d'autres, des trains qu'elles avaient pris pour se retrouver là par exemple. Elles étaient comme des insectes qui se tâtent les antennes, prudents, avant de se livrer davantage. Enfin Aurélie a questionné, Aline a répondu. Tout expliqué : la naissance, la peur des parents, puis les malheurs de Blandine qui ne s'était jamais vraiment remise, son mari pas davantage, de la disparition de leur fille aînée, ses années de vaines recherches. Aurélie était époustouflée, bouleversée. Voilà qu'elle se retrouvait l'aînée de deux filles. Avec un père allemand, ce qui la chiffonnait : apparemment, c'était une hypothèse qu'elle n'avait pas envisagée ; nous étions à quelques mois de la guerre ; les Allemands n'avaient pas bonne presse, sauf dans quelques milieux d'extrême droite ou chez les pacifistes à tout crin, et celui-là, Hans Schmidt, avait beau être antinazi, il restait allemand. Cet obstacle, nous ne l'avions pas prévu non plus. Aurélie m'a presque juré ensuite qu'il n'avait pas été déterminant, mais Aline a eu le sentiment qu'il avait contribué à la faire hésiter.

Après qu'elles eurent ainsi multiplié les confidences dans la petite chambre sous les combles de la serveuse Maria, Aurélie, en effet, hésitait encore. Elle a expliqué qu'elle ne décidait plus rien désormais sans son Paul, dont le bataillon cantonnait du côté de Constantine, qu'elle lui raconterait en détail, mais que cela prendrait un peu de temps. « Nous sommes un vrai couple, dit-elle. C'est normal qu'il donne son avis et que j'en tienne compte. Toute notre vie peut changer. » Elle avait pris un ton un peu solennel. Aline se demandait ce que signifiait exactement cette expression « vrai couple ». Non pas qu'elle soit très prude. Encore que... Mais elle m'a confié qu'à ce moment, elle avait regardé le ventre d'Aurélie. Bien plat en apparence.

Elles se sont embrassées. Aurélie a chuchoté « Ma tante... » avec un petit sourire. Tendre ou un peu moqueur ? Aline s'est interrogée, a opté pour le « tendre ». Elle avait raison. Aurélie ensuite me l'a confirmé, un peu scandalisée, même, que ladite tante ait pu s'y tromper.

Il n'empêche : elle ne voulait toujours pas donner son adresse et il n'était pas question, tant que demeurerait cette incertitude, d'en parler à Blandine qui avait assez de soucis avec son autre fille, Guida.

Alors qu'elles allaient se quitter devant la gare, Aline a eu une idée géniale : l'oncle. L'oncle Lucien.

Au fil du temps, cet homme un peu poète, drôle, qui m'amusait avec ses histoires d'espadons, avait pris l'allure d'un vieux sage, le patriarche de la famille. En compagnie de la tranquille et douce Isabelle. Voilà qui Aurélie devait rencontrer. Il la conseillerait mieux que personne. Respectueux de toutes les libertés en outre.

Aurélie a failli chanceler : il existait aussi un oncle producteur de cognac ! Le cognac Lafeuille, elle connaissait. Cette maison faisait assez parler d'elle dans les journaux. Et c'était ce M. Lucien Rousset qui ? Oui : il avait épousé la fille du propriétaire, développé l'affaire et, si elle voulait bien l'accepter, il était son grand-oncle. Un grand-oncle gâteau. Elle le comprendrait aussitôt si elle acceptait de le voir. Aline était près de dire qu'elle ne pourrait pas ne pas l'aimer, s'en abstint. Avec raison. Elle sentait Aurélie tellement bouleversée, sur ses gardes aussi, effarouchée, un peu comme le bébé qui apparaît soudain dans un monde inconnu. A cette différence que pour cette re-naissance qu'on lui demandait, qu'on lui offrait, la jeune Aurélie avait tous les sens en éveil, le cerveau en parfait état de marche, bien rodé.

— J'écrirai à notre oncle, dit Aline. Il sera si content.

— Moi aussi, je lui écrirai, murmura Aurélie. Son adresse est sur toutes les réclames.

Elle ne voulait décidément pas livrer la sienne, et Aline ne voulait rien brusquer. On dirait aujourd'hui qu'elle marchait sur des œufs.

Quelques semaines s'écoulèrent encore. Aline s'était informée de la vitesse du courrier avec l'Algérie. Pas question, justement, de parler de vitesse : les lettres prenaient le bateau à Marseille et le courrier des « troufions » n'avait pas priorité, pour le moins. Les Bonpain, qu'elle avait revus, s'en plaignaient assez, amers.

Lucien Rousset reçut enfin un message d'Aurélie. Rendez-vous fut pris par téléphone, dans un petit café de la rue Mouffetard. Ce quartier attire toujours les touristes et les chalands qui trouvent là, outre le pittoresque d'un marché à l'ancienne, le visage presque intact du Vieux Paris. Bien des petits bistrots ont cédé la place à de minuscules restaurants grecs ou libanais ; les marchandes des quatre-saisons qui poussaient leurs petites voitures à deux roues chargées de choux, d'ail en tresse, de pommes de terre et de bottes de radis ont disparu ; les lourds percherons qui traînaient des voitures chargées de charbon ou de peaux de bœuf aux fortes odeurs n'existent plus que dans quelques mémoires. Mais il reste encore possible, en se promenant dans « la Mouffe », de retrouver le décor où Lucien Rousset alla rencontrer cette nièce si longtemps attendue. Doublement heureux puisque ce quartier avait tout pour lui plaire. J'imagine qu'il flâna beaucoup, s'arrêta pour écouter la vieille chanteuse des rues qui vendait les « p'tits formats » — les partitions et les paroles — des ritournelles à la mode, « Il a mal aux reins, Tintin » ou « Mon légionnaire ».

Impossible de retenir Aline. Elle était accourue à Paris, m'avait rejointe au journal, ce samedi où nous attendions, impatientes, le retour de notre oncle ambassadeur.

Il était tombé sous le charme. Je m'interrogeais : qu'avait donc cette Aurélie pour les séduire ainsi, tous ? L'oncle Lucien me parlait de douceur, de beauté, d'intelligence. Et quoi encore ? Je tentais d'imaginer ce qu'en penserait Boidin qui ne se laissait pas captiver si facilement. Mon Ramon à moi, bien sûr, s'en amouracherait aussitôt. Pour le reste, l'essentiel, les progrès étaient lents. La jeune fille piétinait toujours au bord de sa nouvelle route, au seuil d'une nouvelle vie, hésitait à prendre le départ, à franchir le pas. Son Paul Bonpain, semblait-il, l'encourageait à le faire. Mais, après s'être fait raconter la famille en long et en large, elle demandait encore un sursis. Oh, rien, presque rien, quelques jours.

Pour quelle raison ? J'ai cru tomber, moi que plus rien n'étonnait, quand l'oncle me l'a confiée après le départ d'Aline, quelque peu dépitée. « C'est à cause d'elle, m'a-t-il dit, Aline. Tu sais ce que m'a dit Aurélie à son propos, je n'en revenais pas ? Elle m'a dit : "Je l'admire trop, cette femme. Tout ce qu'elle a fait... Alors, souvent, je me dis que si je me mets à l'aimer, j'y perdrai ma liberté." »

Sa liberté ! Encore !

Ça ne pouvait plus durer.

Je pensais que c'était à moi de jouer, désormais. J'étais plus jeune après tout. Donc plus proche, peut-être. Mais je ne savais comment la joindre. Jusqu'au jour où, en réunion de rédaction du journal, une fille qui flirtait beaucoup avec ce photographe, Michel Garcin, a parlé de la modiste découverte par lui, rue Saint-Fiacre. Quand elle a cité, enthousiaste, une Juliette qui, après quelques mois chez Gabrielle Mono, place Vendôme, s'était ensuite installée à son compte et réalisait des merveilles de petits bibis avec un bout de feutre, quelques centimètres de dentelle, un morceau de tulle et un vieux bijou fantaisie, j'ai d'abord pensé, peu attentive, que son ami était décidément très convaincant. « Elles sont trois et elles savent tout faire de leurs mains, disait-elle, comme de vraies modistes : tapisser un fauteuil, couper et coudre une robe et inventer des chapeaux. Tandis qu'on ne trouverait pas le contraire : les filles de la couture, la plupart n'ont pas le truc pour faire des chapeaux. » Une discussion s'est engagée sur ce thème. Je pensais plutôt à Ramon, alors sur son biplan en Espagne et dont je n'avais plus de nouvelles depuis des jours et des jours, ce qui commençait à m'inquiéter, quand j'ai entendu citer le nom de Bondues. J'ai sursauté. Quoi, Bondues ? C'était le nom de la modiste, voyons. Juliette Bondues.

J'ai abrégé la réunion. Ils voulaient faire un article sur cette révélation. « L'inconnue de la rue Saint-Fiacre », le titre était déjà trouvé. Très bien. Qu'ils le fassent. J'étais déjà dans un taxi.

Elles étaient trois, dans une minuscule boutique-atelier encombrée de feutres roses et blancs, de canotiers miniatures, de calottes ornées de rubans ou bordées de valenciennes. Dans la pénombre, je distinguais une bouteille de bière comme on les faisait en ce temps-là, coiffée d'une muselière de fil de fer qui portait un bouchon de porcelaine muni d'un joint de caoutchouc rouge. Pas de doute : je me retrouvais dans le Nord.

La plus âgée, Julia Bondues, tremblante, presque affolée, se piqua d'un coup d'épingle à chapeau à l'index : elle avait aussitôt reconnu une fille Surmont-Rousset mais croyait se trouver face à Blandine. Je lui prêtai à peine attention, me tournai vers les deux autres, interrogeai :

— Excusez-moi, mais je voudrais parler à Aurélie. C'est vous ?

Je regardai Juliette. J'avais éliminé d'emblée la troisième, une fille qui montrait sa poitrine avec la même générosité que Jany Star, ma petite vedette pourvoyeuse en potins de cinéma. Je devais apprendre plus tard qu'il s'agissait d'une certaine Violette, compagne de sana de Juliette.

— Aurélie n'est pas là, dit celle-ci.

J'eus le temps de penser, un peu affolée, qu'elle nous avait fuies encore. Je l'imaginai, un quart de seconde, partie en Algérie rejoindre son Paul Bonpain.

La mère me détrompa. Elle paraissait soudain soulagée, esquissa un sourire, tout en se suçant le doigt où perçait le sang.

— Elle est allée choisir des rubans.

Je dus m'appuyer contre une petite table où s'entassaient mousselines, tulle et fleurs de tissu. J'étais lasse, soudain. Mais d'une lassitude heureuse. Je pense qu'un sportif qui vient de gagner une course éprouve les mêmes sensations. Nous touchions au but. La mère — enfin : Julia Bondues — serait désormais ma complice, elle l'avait laissé entendre dans sa lettre à Aline et toute son attitude à cet instant, son sourire, son invitation à m'installer, le confirmait. L'autre fille, la fameuse Juliette qui d'après mes journalistes menait cet atelier, avait pris le même parti. Elle m'expliqua que, depuis la visite du photographe qui avait pris tant de clichés pour *La Vie en rose*, elle pressentait que je ferais un jour le lien entre Roubaix et la rue Saint-Fiacre. Aurélie aussi. Pourtant, elle n'avait pas cherché de parade. Elle acceptait d'être la fille de Blandine.

Je crois être assez solide. J'en avais vu de rudes en Espagne. Auparavant aussi, d'une autre manière, avec Olivier de Lontrade qui me mettait ses maîtresses sous le nez. Je tirais vanité de n'avoir jamais pleuré, sauf, bien sûr, pour la mort de Mère et Père. Mais là, j'avais les larmes aux yeux.

Comme toujours dans ces cas-là, nous avons évité de parler de l'essentiel. La diversion était toute trouvée : comment cette Juliette avait-elle, en deux temps et trois mouvements, assimilé les techniques et l'esprit de ce métier ? Elle me racontait, parfois coupée par sa mère, combien ce qu'elle avait fait, un temps, dans leur quartier de Roubaix, pour les voisins, n'était que du bricolage, du raccommodage de vieux chapeaux. C'est ensuite, chez Gabrielle Mono, qu'elle avait appris à laitonner les entrées de tête, tendre des feutres sur un moule, couper des biais dans la sparterie, les tresses de crin, d'alfa ou de paille. Elle avait vite compris que, dans cette grande maison, elle ne pourrait plus progresser : tous les postes intéressants, ceux des « premières apprêteuses », étaient occupés par de jeunes femmes qui se trouvaient bien là. Elle serait condamnée à passer longtemps le bichon, une brosse à poils durs d'un côté, souples de l'autre, qui lisse le feutre. Chercher ailleurs ? Presque tous les ateliers affichaient complet. C'est alors qu'Aurélie et Julia Bondues étaient débarquées à Paris. Elles avaient tenu une sorte de conseil de famille, décidé que Juliette se mettrait à son compte, Julia faisant le sacrifice des quatre sous qui figuraient sur son livret de Caisse d'épargne. Une histoire de réussite comme en rêvent les journalistes, le genre de *success-story* que je réclame chaque jour à ma rédaction : les premiers mois dans un grenier du XIIIe, à inventer des chapeaux à un franc qu'Aurélie — le côté commerce, c'était elle — allait placer chez des mercières ou des modistes de banlieue. Puis la découverte de ce bout de boutique — poussière, toiles d'araignée, moisissures — qu'elles avaient repeint elles-mêmes. Enfin, plus classique, la rumeur, le bouche-à-oreille. Une bonne bourgeoise qui passe par là en sortant du Rex, la salle géante dont les grandes orgues et les décors à l'espagnole ou l'italienne faisaient courir tout Paris. Bientôt, elles sont plusieurs à raconter qu'elles ont déniché la bonne affaire : une petite modiste de rien du tout dont les coiffures, pour rien du tout aussi, valaient bien celles de Rose

Descat, Blanche et Simone, Gaby Mono ou Claude Saint-Cyr, les vedettes de l'époque.

Elles s'interrompaient, s'interpellaient, parlaient parfois toutes ensemble pour ajouter un détail, une anecdote, si fières d'en être là, même Violette, appelée à la rescousse dès sa sortie du sana, le mois précédent, tant les commandes affluaient. Regardant cette pièce mal éclairée et mal aérée, je m'inquiétais : voilà qui n'arrangerait guère leur santé. Il faudrait les tirer de là. Mais Aurélie...

Elle ne rentrait pas. Je commençais à m'inquiéter. Julia s'en aperçut, me rassura : sa fille — elle disait « ma fille », paisible, sans problème — était peut-être allée aussi du côté de la Cité Paradis où nichaient tous les commissionnaires qui vendaient à l'étranger les chapeaux *made in Paris*. Décidément, le commerce c'était elle, l'ex-petite meneuse de grève, la rebelle. Elle avait de qui tenir. Je pensais à mon père. Je l'imaginais aussi aux prises avec Clément Boidin.

Je tournais le dos à la porte quand elle entra. Je m'étais plantée devant un miroir pour essayer un haut béret de feutre bleu nuit dont la taille m'amusait — les chapeaux commençaient à grimper, ce n'était rien à côté de ce que nous verrions, et porterions, sous l'Occupation, mais le mouvement était lancé et ces femmes étaient dans le coup.

Aurélie me prit d'abord pour une cliente. Les autres, si loquaces l'instant d'avant, s'étaient tues aussitôt. Ce silence, je crois, l'intrigua. Nous nous regardâmes par l'intermédiaire du miroir. Une seconde peut-être, même pas. Elle m'avait reconnue, devinée. Esquissa un sourire tandis que je me retournais.

— Ça devait arriver, dit-elle.

Je n'avais qu'une question en tête, je n'étais venue là que pour la poser. Je la jetai, sans précaution :

— Est-ce que je peux le dire à Blandine ?

Elle fit oui de la tête, eut un mouvement vers Julia, comme si elle allait se jeter dans ses bras. S'interrompit.

Juliette s'était avancée, comme pour la soutenir. S'interrompit aussi. Nous devions composer un curieux tableau. Un groupe de statues tendues l'une vers l'autre, figées.

J'aurais voulu l'embrasser. Je n'ai pas eu ce courage, ou cette impudence. Je mesurais tout le chemin qu'Aurélie avait dû parcourir pour arriver à ce petit mouvement de la tête, tout ce qui l'attendait encore.

Violette, soudain, rompit ce silence, en proposant à boire. Ce qui m'agaça d'abord. Mais quoi ? Il fallait bien trouver une issue, aussi bête parut-elle alors.

Elles ne disposaient que de verres à moutarde et de bière. Cette bière eut un petit goût de champagne.

Un peu plus tard, presque grisée, j'essayais une dizaine de chapeaux. Nous avons ri. Un peu folles. Violette tournait comme une toupie. Nous n'avions pas échangé vingt phrases depuis l'arrivée d'Aurélie. Nous étions incapables de trouver les gestes, ou les mots.

Restait à organiser la suite. Ce ne fut pas le plus facile.

J'avais couru vers le café le plus proche — elles n'avaient pas le téléphone — pour appeler Aline. L'homme du comptoir me regardait, surpris. Je m'aperçus alors seulement que j'avais gardé le chapeau, le grand béret de feutre bleu nuit, qui penchait, baroque !

J'avais chaud. Je pensai soudain que je devais sentir la sueur, que j'aurais dû prévoir, me parfumer davantage. Tout cela est ridicule, je le sais. Mais ce fut ainsi. Des femmes, peut-être, me comprendront.

Je réussis enfin à atteindre Aline. Elle parut à peine surprise. C'était bien d'elle : une maîtrise de soi absolue. Du moins en apparence. Le feu à l'intérieur, je crois. Mais un roc auquel nous pouvions nous accrocher. C'est pourquoi, cinq ans plus tard, quand j'ai perdu Ramon, tué par une balle perdue dans un pré de la Creuse, j'ai aussitôt voulu courir vers elle.

Ce jour de 1938 encore, c'est elle qui a montré le cap. Elle prendrait le premier train pour Paris, elle essayerait d'emmener Boidin — depuis la mort de Père, elle emmenait toujours Boidin. Nous tiendrions tous ensemble une sorte de réunion au sommet. Mais elle avait déjà son idée :

— C'est Julia Bondues, dit-elle, qui doit conduire Aurélie jusqu'à Blandine.

— A Roanne ?

— Il n'y a pas d'autre solution. Sous quel prétexte faire venir Blandine et Hans à Paris ?

Julia et Aurélie, le lendemain, acceptèrent. Mais proposèrent un autre lieu : chez l'oncle, à Cognac. Une heureuse idée.

Je n'en fus pas. Ni Delphine, notre plus jeune sœur, dont j'ai peu parlé jusqu'ici. Aurélie et Aline ne voulaient pas commencer par une grande réunion de famille — un meeting disait Aurélie —, Julia non plus, je le sentais, bien qu'elle ait sur ce point comme sur beaucoup d'autres gardé le silence. Elle passait la main, accordait sa fille à d'autres, faisait son travail de deuil comme disent désormais ceux qui parlent psy.

J'ai vu des photos de ces retrouvailles. Une pose : Aurélie entourant de ses bras ses deux mamans. Des instantanés : Blandine tendant une main vers l'objectif pour refuser d'être photographiée et l'on devine que ses yeux sont tellement embués. Aurélie dans les bras de la tante Isabelle toujours aussi séduisante ; l'oncle faisant visiter ses réserves à Julia Bondues, ébahie par ces alignements de tonneaux ; toute la famille enfin réunie sauf Boidin qui prenait le cliché et Guida, qui était jusqu'alors la fille aînée de Blandine. Car se posa presque aussitôt le problème Guida.

IV

J'ai toujours choisi de dire les choses comme elles étaient, ou comme elles sont. Du moins, j'ai essayé. Je dois donc avouer que Guida, la première fille que Blandine et Hans eurent en Allemagne, était devenue une vraie petite nazie. Elle avait avalé tout cru les mensonges et les sornettes que l'on racontait aux gosses de son âge à l'école et dans les rangs de la jeunesse hitlérienne féminine. Elle avait même dénoncé, alors que sa famille vivait encore à Munich, sa sœur plus jeune, moins assidue aux réunions de ce mouvement nazi, moins réceptive à cette propagande. Une attitude qui avait contribué à l'exil forcé de sa famille, venue chercher refuge en France. Ses parents croyaient qu'elle se déprendrait, chez nous, de ces idées. Ils se trompaient.

Je me souviens, comme d'hier, de l'état de Blandine au lendemain du cocktail de lancement de *La Vie en rose*, au printemps de 1937, un an plus tôt.

J'étais tout excitée, contente du succès de cette réception où l'on avait vu se presser ministres et grands couturiers, vedettes, journalistes connus et banquiers reconnus. Ce matin-là, je me tenais donc aux aguets : nous avions envoyé des émissaires faire le tour des marchands de journaux de Paris pour vérifier l'évolution des ventes. Et les premières indications étaient bonnes. De quoi faire la fête ? Non. Je savais depuis la veille que mon père, l'initiateur de toute cette aventure de presse, était mal parti :

Aline avait couru le rejoindre. Et Blandine, venue par gentillesse à cette réception qui ne l'amusait guère, m'est tombée dessus, le lendemain donc, défaite : elle avait découvert que sa Guida entretenait, en cachette, une correspondance suivie, régulière, avec une nazie pur sucre, ou plutôt pur poison, une certaine Martha.

Je ne savais que lui dire, que lui conseiller. Je ne lui ai pas été, ce jour-là, d'une grand secours. Le téléphone sonnait, les journalistes déboulaient dans mon bureau : « Alors, il paraît que ça marche ? Unetelle (ou untel) m'a téléphoné ce matin — j'étais à peine réveillé — pour me féliciter. Elle (ou il) trouve le journal très bien, avec peut-être pas assez de mode à son avis, mais je lui ai expliqué que, justement, nous voulions insister sur le côté vie des gens, des vedettes, des personnalités, nous démarquer de ce que faisaient déjà tant d'autres revues... »

J'abrège. Vous pouvez imaginer l'ambiance, ce type de discours, ces gens qui allaient et venaient plus réjouis les uns que les autres. Et Blandine, dans un fauteuil, sur le côté, qui ne pleurait pas — ce n'est pas son genre — mais tendue, mâchoires serrées, à éclater. Impossible de tenir plus longtemps comme cela. Je l'ai emmenée chez moi. Je ne savais que lui dire.

Je crois que personne, en réalité, ne savait que dire, comment faire. Des années après la guerre, on a beaucoup parlé de « lavage de cerveau » — c'était, semble-t-il, une invention des Soviétiques, pas très brillante. Nous, à ce moment, nous ne savions comment convaincre Guida, plutôt gentille fille en apparence mais avec cette force, cette obstination héritées de Blandine. Les discussions avec ses parents, je n'y ai pas assisté, je ne pourrais pas les rapporter. Mais je me souviens que Ramon, mon Ramon, lui a passé un bouquin publié par une petite maison d'édition, un livre intitulé *Le peuple allemand accuse* et préfacé par Romain Rolland. Ce bouquin recensait déjà toutes les persécutions que des tas de gens n'allaient découvrir qu'après la guerre ; on y trouvait même une carte détaillée des camps de concentration qui existaient déjà, Dachau bien sûr et deux ou trois dizaines d'autres.

Ce livre, Guida le lui a presque jeté à la tête. C'était de la propagande juive et communiste, disait-elle. Pure propagande. Mensonge. Point final.

Je l'avais retrouvée, Guida, à l'Exposition universelle de 1937. Elle s'était enfuie de Roanne. Ses parents n'ont pas douté longtemps : ils savaient que Martha, sa correspondante nazie, avait été recrutée parmi les hôtesses du pavillon allemand de l'Expo. Ils m'ont téléphoné aussitôt. J'avais des amis au ministère des Affaires étrangères : j'ai vérifié que cette Martha était bien là. J'ai mis un ami policier sur le coup : en deux heures, il m'a trouvé les lieux où logeaient tous ces Allemands. Le reste, je l'ai fait moi-même. Seule. Le pied de grue devant le pavillon allemand — il avait de l'allure, face au pavillon soviétique, deux géants, on en avait fait aussitôt des symboles — et le petit hôtel, dans le XVe, où logeait cette Martha.

Je n'ai pas attendu longtemps. En quarante-huit heures, j'ai mis la main sur Guida. Je faisais l'étonnée. Elle était assez futée pour ne pas s'y tromper, mais j'avais choisi ce rôle-là imaginant qu'elle pourrait entrer dans le jeu à son tour ; ce serait plus facile et efficace que le genre « Allez, je t'emmène et je te jette dans le premier train pour Roanne, fini de rire. Pense à tes pauvres parents », et ainsi de suite.

Mon petit système a marché. Marchotté plutôt, si ce verbe existe. Je lui ai offert de l'héberger. Elle a accepté : ces Allemands n'avaient pas voulu d'elle dans l'hôtel, en dépit des demandes répétées de son amie Martha ; le règlement, c'est le règlement, elle n'était pas prévue dans l'effectif.

Je ne sais pas où elle avait niché depuis deux jours. Elle ne me l'a jamais avoué. Elle avait sans doute pris de l'argent à ses parents et trouvé place dans une maison où l'on n'était pas trop regardant sur l'âge et les papiers :

c'était l'Expo, il fallait en profiter pour se faire de la monnaie.

Quand elle est arrivée dans l'appartement, chez moi, après être allée chercher son bagage, elle a établi aussitôt les règles du jeu, ou plutôt le cahier des charges. Sur le pas de la porte, prête à repartir. C'était : « D'accord pour profiter de ton offre. D'accord et merci. Tu es une gentille tantine, je t'aime bien. » Je détestais ce nom de tantine qu'elles me donnaient, sa sœur et elle, sans doute une habitude allemande d'utiliser des diminutifs aussi bébêtes que tendres. Mais je crois qu'elle était sincère en proclamant son affection pour moi : on peut être nazi et avoir un cœur ; pas ouvert à tout le monde, certes, mais un cœur quand même. Aujourd'hui encore, j'ose à peine l'écrire, bien que je le croie.

Après cette déclaration, sont venues les conditions : on s'abstiendrait de toute discussion sur l'Allemagne, les Allemands, les Juifs, le sort de l'Europe, et ainsi de suite ; je pourrais lui raconter les histoires de la famille — et de la mode, car elle s'intéressait à la mode — en échange elle me ferait part de ses découvertes à l'Expo, sans me parler d'aucun pavillon des pays quels qu'ils soient, ce qui pourrait dévier sur la politique ; j'aurais le droit de prévenir ses parents et de leur annoncer son prochain retour, à une date qu'elle choisirait ; mais elle ne leur parlerait pas au téléphone ; elle voulait les punir de lui avoir interdit ce voyage.

Il y avait d'autres conditions encore, que j'ai oubliées. Je n'ai retenu que l'essentiel.

Je l'écoutais, interdite. Pas tout à fait surprise : il y avait du Blandine là-dedans. Comme chez Aurélie : plus tard, quand j'ai bien connu Aurélie, j'ai parfois pensé à Guida. Tellement différentes, c'est vrai. Sauf pour cette force. Cette intransigeance parfois.

Je fus tentée, plusieurs fois, de la gifler, de la traiter de petite péronnelle. Mais j'ai accepté. Je pensais que je tenais un bout du fil et qu'il ne fallait pas le lâcher. Je voulais pouvoir rassurer Blandine aussi : l'oiseau était là, dans une curieuse cage à la porte grande ouverte, mais enfin, il s'y trouvait.

Nous avons cohabité tant bien que mal, plusieurs jours. Après la guerre, je me suis promenée parfois sur les dunes, sur la côte : on se heurtait à de longues zones clôturées par des barbelés rouillés et quelque pancartes, « *Achtung ! Minen* », attention, terrain miné. Eh bien, c'était cela, nos conversations du soir : nous avancions à tâtons, prudentes, attentives à ne pas poser le pied, par inadvertance, sur un terrain miné, à ne pas aborder, même de loin, un sujet explosif. Rude épreuve.

Dure épreuve le soir où Ramon, qui n'avait rien promis, lui, qui ne faisait pas partie du pacte, a apporté ce livre *Le peuple allemand accuse*. J'étais folle. Je lui ai fait une scène. Notre seule scène. Devant elle qui nous regardait, un peu souriante. Moqueuse peut-être ? Sans doute. Elle a quand même repris le livre, accepté d'y jeter un coup d'œil. Ces Espagnols ont du charme. Et puis, il n'avait pas encore abattu son avion allemand, il en était encore à ses leçons de pilotage à Villacoublay.

Quand elle est repartie pour Roanne, car elle est repartie, soudain, j'ai eu des regrets : j'aurais dû tenter quelque chose. Mais allez savoir. Ensuite, le jour des obsèques de mon père, auxquelles elle a assisté avec ses parents et sa sœur, j'ai éprouvé un brin de satisfaction : si elle se trouvait là, si la famille ne montrait, ainsi, aucune fissure, c'était peut-être parce que, quelques semaines plus tôt, j'avais tenu le bout du fil. Je pense que les mois suivants, chez eux, à Roanne, le même système a été instauré, et respecté : conversations limitées, en terrain miné. La différence, c'est qu'elle écrivait désormais à cette Martha sans se cacher.

Ils l'ont envoyée aussi en vacances chez l'oncle Lucien, l'éternel recours.

Et voilà — grande nouvelle, total bouleversement — qu'Aurélie est réapparue. Apparue plutôt, pour Guida et Erika.

J'ai vu quelques pièces de boulevard, au long de ma

vie, où un disparu retrouve soudain sa famille, où un amnésique recouvre la mémoire : en général cela se passe dans l'allégresse générale, tout le monde s'embrasse, c'est le bonheur, la promesse d'une vie toute de félicité. Rideau. La salle applaudit. Les spectateurs quittent leurs sièges, rassérénés, se congratulent presque, bien contents d'un tel dénouement qui remet la vie en ordre, rassemble les affluents du fleuve.

Ce n'est pas ce qui advint chez les Schmidt. Je ne sais pas exactement ce que Blandine et Hans avaient dit auparavant à leurs deux filles du bébé qui était perdu. Blandine m'a toujours assurée qu'ils les avaient tenues au courant, et bien entendu je la crois. Mais « perdu un enfant » est un mot à double sens : il est mort, ou égaré. Si on raconte cette histoire à des gamines de six ou huit ans, que comprennent-elles ? Que retiennent-elles ensuite ? D'autant qu'ils ne devaient pas en parler tous les jours. Je pense même qu'entre Blandine et Hans, ce n'était pas un sujet de conversation très fréquent. Il existe dans les couples des douleurs que l'on tait, des blessures que l'on ne veut pas réouvrir parce que l'on s'aime et qu'il faut continuer. Le non-dit, parfois, aide à aimer. Le temps, toujours, aide à oublier. Sauf pour Aline, mais c'est une autre histoire.

L'apparition d'Aurélie parmi ces quatre-là, brinquebalés par d'autres événements, blessés, souffrants, déchirés, fut certes un bonheur. Mais provoqua une crise. Avec Guida, je l'ai dit.

Je n'étais pas présente, je le répète. Ce que j'ai appris de cette rencontre, je le tiens de l'oncle Lucien.

Premier acte : Aline et Clément Boidin débarquent au « Vaisseau » — c'est le nom que l'oncle a donné au château de pierres blondes du père Lafeuille. Clément Boidin n'est pas très en forme : des grèves ont éclaté dans la métallurgie dont il craint l'extension aux autres industries, comme en 1936 (il se trompe, mais ces grèves dureront quand même des semaines). Une petite altercation l'oppose à Aline qui fait peu de cas de ce souci-là. Elle est partagée entre la joie du retour d'Aurélie et la crainte des réactions qu'il va susciter. L'oncle Lucien se dit que, décidément, ses nièces lui en auront fait beaucoup voir. Il soigne tout ce petit monde au cognac.

Deuxième acte : ils accueillent ensemble Blandine et sa famille que l'oncle a invitées pour Pâques. C'est l'avantage du printemps : les fêtes fournissent des prétextes à retrouvailles. Suivant le scénario qu'ils ont mis au point, Aline et l'oncle se débrouillent pour entraîner le couple Schmidt dans le chais. La tante s'occupe des gamines. Clément Boidin téléphone, c'est son activité favorite et nécessaire, et s'apprête à partir pour la gare d'Angoulême accueillir Aurélie et Julia. Dans le chais, grande scène : Aline a commencé à préparer le couple, plus embarrassée que triomphante : « Voilà, nous ne serons pas seuls pour Pâques. Nous attendons deux personnes. Je ne voulais pas vous prévenir avant d'être sûre. » Elle bredouille, s'emmêle dans ses phrases. Les autres, interloqués, regardent l'oncle, la tête en forme de question. Lui, pas plus sûr de lui, leur lâche tout à phrases hachées, précipitées : oui, voilà, c'est comme ça, incroyable, mais c'est comme ça, Aurélie, oui, le bébé Aurélie de 1917, a été retrouvée, oui, vivante, oui, Aurélie, c'est bien elle, à coup sûr, oui, on ne vous le dirait pas si on n'en était pas certains, on a tout vérifié, oui, c'est bien elle, ouvrière dans les chapeaux, non, quand elle était ouvrière c'était chez Surmont-Rousset, oui, Boidin si vous préférez. Il ne s'aperçoit pas, l'oncle, que Blandine, qui s'est d'abord appuyée sur une cuve, a glissé peu à peu, est allongée sur le sol. Évanouie, Blandine, cette solide. A ne pas croire. Son mari, alors, se met à hurler. Curieux, ce cri, mais très allemand peut-être. Boidin, qui était déjà dans sa voiture, coupe le contact, accourt, suivi des deux filles qui ont échappé à la tante. Hans : « Ne craignez rien ! C'est la joie, la joie seulement. Votre sœur est retrouvée. Vous savez bien : Aurélie. Retrouvée. »

Il y a toujours du cognac là-bas, c'est un avantage. Boidin l'utilise pour remonter Blandine et Aline. Mais l'oncle est intrigué par l'attitude des deux filles. Elles semblent n'avoir rien compris. Abasourdies. Quand il m'a raconté cette scène, je lui ai demandé : « Elles étaient comme un comédien qui tournait dans un film et, s'étant trompé de studio, se retrouve dans une autre histoire ? » Il a ri. C'était un jour où l'on pouvait se permettre de rire, car il y en eut peu, à ce moment.

« C'était cela, exactement cela, m'a-t-il dit ensuite. Elles ne savaient plus où elles en étaient. Isabelle et moi, nous les avons prises à part. Hans avait assez à faire avec Blandine, encore blanche et sans voix en dépit du cognac. Aline avait décidé soudain d'accompagner Boidin à la gare. Donc, avec les filles nous avons tout repris, depuis le début : le stage de leur père avant 1914, les rêves de leur mère adolescente, leurs amours clandestines, la naissance cachée, tout. Elles savaient à peu près, reconnaissaient que, c'est vrai, leur mère ne leur avait pas dissimulé qu'elles avaient eu une sœur aînée. C'est Erika, la plus jeune, qui, sans le savoir, a mis la première le feu aux poudres. En indiquant qu'elle n'avait jamais compris pourquoi la naissance d'Aurélie avait été tenue cachée. J'avais commencé à répondre que les mœurs avaient beaucoup évolué et à charger votre mère, Célestine, bornée, rigide, arriérée et ainsi de suite — la pauvre, je lui ai tout mis sur le dos, je n'avais pas le choix —, j'étais donc occupé à en dresser le plus sombre portrait quand Guida m'a interrompu, brusque, brutale même : “Pas vrai. C'est seulement parce qu'il s'agissait du bébé d'un Allemand. Un Anglais ça aurait passé, évidemment. Mais un Allemand, un barbare, un boche, un teuton, un égorgeur...” Elle cherchait des qualificatifs plus violents encore, s'exaspérait de n'en point trouver peut-être, a fini par crier : “Eh bien, moi, je suis allemande et fière d'appartenir à la patrie du Führer, et de Richard Wagner.” Elle en a cité bien d'autres dont j'ai oublié les noms, des inconnus pour la plupart. Elle était presque hystérique. Il a fallu la calmer. Isabelle l'a emmenée dans la maison. Guida a fini par promettre de faire bonne figure : “Après tout, cette Aurélie n'est qu'une victime de l'intransigeance française." Nous avons respiré. » Fin du récit de l'oncle Lucien.

Moi, Céline, contant cette scène en 1982, j'ai conscience de ce qu'elle pourra avoir d'irréel, d'incroyable, pour ceux qui me liront un jour. Il leur faudra se souvenir de l'empire extraordinaire qu'Adolf Hitler exerçait sur l'esprit des Allemands, surtout des adolescents bien entendu. Et nous étions si près de la guerre, la seconde guerre.

Le troisième acte fut un drame. Pour une raison tout à fait imprévue, une de ces raisons qui vous paraissent évidentes et vous font dire après coup « Mais c'est bien sûr », comme je ne sais plus quel détective des premières séries télévisées.

La rencontre d'Aurélie, de Blandine et de Hans avait été aussi émouvante que l'on peut l'imaginer. Cognac pour tous, y compris Erika et Guida. Tout le monde faisait bonne figure, même si coulaient quelques larmes. Boidin en oubliait de téléphoner. Guida semblait même s'être entichée de sa sœur — « une victime des ignobles préjugés français », ne l'oublions pas. Le lendemain, après le déjeuner, les trois filles sont parties se promener dans la campagne charentaise. Les autres les ont regardées s'éloigner avec émotion. L'oncle et la tante se félicitaient d'avoir calmé Guida la veille. Aline et Boidin songeaient à partir pour la gare, accueillir leurs trois garçons, leur raconter cette sorte de conte de fées. Fragile, comme toutes les histoires de fées, mais qui semblait se diriger vers la plus heureuse des fins.

Aline, le matin je crois, avait bien mis en garde Aurélie, lui avait expliqué que Guida se sentait non seulement allemande — ce qui était légitime — mais aussi entichée de Hitler et des idées nazies. Il est possible qu'elle n'ait pas assez insisté : par pudeur peut-être, ou parce qu'elle avait le sentiment que Blandine et son mari en rajoutaient beaucoup sur ce sujet. Il est possible aussi qu'Aurélie se soit montrée imprudente, par fatigue : après les émotions de la veille, une soirée longtemps prolongée, personne n'avait beaucoup dormi. Je crois surtout que, comme d'ordinaire, comme nous n'allions pas tarder à le savoir, c'est son amour, plutôt sa passion, de la vérité qui l'a entraînée.

Ce qui s'est produit cet après-midi-là, alors qu'elles goûtaient aux douceurs de la campagne charentaise, est simple. Une conversation entre filles. La jeune Erika demande à Aurélie si elle a un amoureux. Réponse : Oui, Paul Bonpain, il fait son service militaire, il en a encore pour une année environ, et même un peu plus.

Jusque-là, guère de problème. Guida juge normal, archinormal qu'un garçon soit incorporé, fût-ce dans l'armée française. Les hommes sont faits pour cela. Peut-être regrette-t-elle, à ce moment, d'appartenir au deuxième sexe. Sa jeune sœur poursuit par une question banale : « Et où est-il ? » Réponse : « En Algérie. » Là, étonnement. Pourquoi en Algérie ? C'est bien loin, très exotique vu d'Allemagne. Alors, Aurélie, paisible, explique que l'on peut considérer cette affectation comme une punition, le jeune Bonpain ayant combattu quelques mois, en Espagne, dans les Brigades internationales. Catastrophe. Guida : « Il est communiste ? » Personne au monde ayant connu Aurélie ne peut imaginer qu'elle ait répondu « non » à une telle question, ou cherché une échappatoire. Qu'elle ait soudain perçu le piège, le risque, le danger, est évident : elle me l'a ensuite assez répété. Mais elle ne pouvait mentir. Elle ne savait pas mentir. Comme d'autres ne savent pas marcher, ou parler.

Guida lui a fait face, prête sans doute à la gifler, puis s'est enfuie aussitôt. Elle courait à travers les rangs de vigne, les deux autres bientôt à ses trousses. Chez les jeunesses hitlériennes, les activités sportives occupaient une bonne part de l'emploi du temps : elle les a distancées, a trouvé refuge et cachette dans un petit bosquet qui longeait un ruisseau. Aurélie et Erika ont craint, un instant, qu'elle se soit jetée à l'eau, exploré les berges. Un instant suffisant pour que Guida fuie plus loin encore. Impossible de la retrouver. Elles sont rentrées chez l'oncle, espérant, sans trop le croire, retrouver leur sœur. Un rêve, bien sûr.

Cette soirée a été étrange. Un côté veillée mortuaire. Un côté, aussi, bonheur de faire bloc, unis pour affronter le malheur. Blandine et Aurélie se sont retrouvées, là, mieux que si elles avaient célébré en famille leurs retrouvailles. Elles ont échangé confidences et promesses, tendresse et questions. Plus tard, un soir de guerre où nous étions seules, inquiètes, Aurélie me l'a raconté, par bribes : « L'oncle Lucien était parti alerter la gendarmerie, avec Hans. La tante Isabelle avait voulu entraîner l'oncle Clément et deux de ses fils dans une partie de bridge, mais il ne connaissait pas ce jeu, seulement la belote ou la manille. Dans notre monde, chez les ouvriers, on ne joue pas au bridge, et, malgré toutes ses usines, son argent et ses relations, il est toujours de notre monde, l'oncle Clément. On ne change pas si facilement. C'est une des choses que j'ai expliquées à Blandine, ce soir-là. J'avais décidé de l'appeler Blandine, je ne parvenais pas à l'appeler maman. Maman, c'était le nom que je donnais à... à ma mère, Julia Bondues, depuis toujours, tu comprends. Donc, je ne pouvais pas. J'aurais bien voulu mais je ne pouvais pas. Ça lui faisait de la peine, à Blandine, mais je ne pouvais pas. Elle a compris, je pense ; elle a accepté en tout cas. Elle me questionnait sur ma vie, elle me pressait parfois de questions comme si elle voulait tout rattraper d'un coup. Parfois, elle jetait un coup d'œil à la grosse horloge sur la cheminée, s'inquiétait de Guida. Je pensais que je lui servais de dérivatif. Je voulais bien, tant je la sentais malheureuse. Mais c'était plus que cela : elle m'aurait bien dévorée je crois, elle aurait presque voulu me faire rentrer en elle, pour effacer tant d'années perdues. Parfois elle me prenait la main, ou le bras, ou les épaules. J'avais l'impression qu'elle me tâtait, qu'elle me palpait pour s'assurer que j'étais là, que ce n'était pas un rêve, qu'elle n'avait pas affaire à un fantôme ou je ne sais quoi. Je regardais maman — je veux dire Julia — qui discutait avec tante Aline, lui racontait la vie à l'usine, le travail de son mari mineur, avant la guerre, l'autre, celle de 1914. Moi, avec Blandine, j'en faisais beaucoup sur l'histoire des chapeaux. Je trouvais que c'était plus drôle et qu'elle avait besoin de cela. Elle souriait même parfois. C'est là que j'ai découvert qu'elle était solide. Parce qu'elle s'inquiétait toujours de Guida, m'interrompait parfois — surtout quand elle avait regardé la pendule — pour me raconter les difficultés qu'ils avaient eues avec elle, en Allemagne d'abord, en France après. Puis elle me relançait : "Et alors ? Dis-moi." C'était son expression, ce soir-là : "Et alors ? Dis-moi." Ou bien : "Guida ? Où est-elle allée ? Guida ?" On passait de l'un à l'autre. Comme si elle avait perdu une fille au moment même où elle trouvait l'autre. Comme si le bonheur complet lui était interdit, inaccessible. J'en étais malheureuse, malheureuse... Je lui avais dit, dès le début, combien je regrettais d'avoir parlé à Guida du passage de Paul dans les Brigades internationales. Elle avait voulu me rassurer : "Nous avons caché trop de choses dans notre famille, à commencer par toi. Dieu sait combien nous avons été malheureuses, ensuite. Alors, le temps des secrets, c'est fini." Cela me plaisait beaucoup, ce qu'elle disait là. Je l'ai embrassée. Maman — je veux dire Julia — nous a regardées à ce moment ; je me demandais ce qu'elle pensait. Je crois qu'elle était contente. C'est un cœur. Là où je me suis embrouillée, c'est quand Blandine m'a demandé pourquoi je m'étais cachée pendant des mois, alors qu'Aline me cherchait. Bon : il y avait l'histoire du détective, ce sale bonhomme. Ça, c'était facile à dire. Et puis de la rancune, puisqu'ils m'avaient abandonnée. Il faut me comprendre : ensuite, c'est vrai, tante Aline m'a expliqué. Je ne l'ai pas admis tout à fait : une mère qui abandonne son enfant, même si elle espère le récupérer après... moi, je crois que je ne pourrais pas. Mais le dire à Blandine, c'était une autre histoire, surtout ce soir-là, avec la disparition de Guida. Si j'avais hésité aussi, après avoir rencontré la tante Aline, c'est à l'idée que celle-là devait aimer tout diriger, fais pas ci, fais pas ça, va là-bas, viens ici. Une patronne, quoi. Moi, les patrons, je sortais d'en prendre. J'avais retrouvé la liberté avec les chapeaux. On en avait bavé les premiers temps, quand on recherchait les adresses des commissionnaires, que j'allais sonner à leurs portes, j'étais reçue par des pimbêches la plupart du temps, des prétentieuses qui se moquaient. Chez les petits commerçants, ce n'était pas toujours mieux. Mais enfin, on était libres. Tiens, tu ne peux pas savoir ce que c'est : ne plus entendre la sirène qui te convoque à l'usine. Nous, avec les chapeaux, on faisait plus d'heures qu'à l'usine. Les quarante heures, tu parles. Mais on était libres. Et je me suis dit : avec cette Aline, je ne serai plus libre. Je l'ai écrit à Paul. Il s'est moqué de moi : ces gens-là sont comme nous, ils ont besoin de boire, de manger et d'aller aux toilettes. Voilà ce qu'il m'a écrit. Je connais cette phrase par cœur. Oh, il a ajouté bien d'autres choses plus sérieuses. Il ne comprenait pas cette peur qui me bloquait. Il écrivait : "ça ne te ressemble pas". Facile à dire. Ce n'était pas lui qui devait faire le grand bond. Je lui répondais qu'il faudrait bien qu'il s'y mette un jour, comme moi, et qu'il verrait. Mais vu d'Algérie, ça semblait plus facile peut-être. Moi, je pensais : un communiste dans cette famille ! Je me suis accrochée à cet argument, ce prétexte, quand Blandine me questionnait sur mes hésitations, je n'ai pas osé lui parler d'Aline et de cette sorte de peur qu'elle m'inspirait. Elle insistait, Blandine, elle n'est pas tombée de la dernière pluie, cette explication ne lui semblait pas suffisante.

« Heureusement, Hans et l'oncle Lucien sont arrivés à ce moment. Ils avaient retrouvé Guida à la gare. Elle n'a pas fait trop de difficultés pour les suivre : l'oncle Lucien était persuasif. Plus que mon père peut-être. »

Fin du récit d'Aurélie. J'avais, depuis leur première rencontre, regretté qu'elle ne puisse appeler Blandine maman, et failli lui en faire le reproche. Je mesure aujourd'hui seulement, grâce aux multiples articles que j'ai lus sur le sujet dans mon journal et d'autres, quel arrachement, quelle mutilation éprouve le bébé séparé, dès la naissance, de sa mère : il n'entend plus les mêmes sons, ne respire plus les mêmes odeurs, il est, d'un coup, déraciné. Beaucoup, dit-on, ne s'en remettent jamais tout à fait. La chance d'Aurélie portait un nom : Julia Bondues.

Retour à ce jour de retrouvailles et de fuite de Guida. Le reste de la soirée, je crois, fut assez tristounet. Guida est montée aussitôt dans sa chambre. Les autres cherchaient des sujets de conversation qui éviteraient l'essentiel. Il y eut la sécheresse, exceptionnelle depuis février, qui posait des problèmes aux vignerons. La création de l'échelle mobile des salaires : 5 % chaque fois que le coût de la vie en ferait autant, ce qui confortait Clément Boidin dans ses projets d'installation d'usines dans des continents lointains où la main-d'œuvre ne lui coûterait que quatre sous. La tante Isabelle m'a dit qu'à cet instant elle avait vu Aurélie se mordre les lèvres. Ce n'était pas le moment, bien sûr, d'engager un tel débat. Mais il était comme cela, Boidin, il fonçait sans trop prendre garde aux obstacles et encore moins à ceux qui, au bord de la route, risquaient d'être écrasés. Il y eut aussi, selon Isabelle encore, une discussion sur une toute nouvelle loi qui accordait de nouveaux droits à la femme mariée, considérée comme une mineure, une incapable. Julia Bondues, presque silencieuse jusque-là, ne l'appréciait pas beaucoup. Une certaine habitude de la soumission peut-être. Aline, non plus, qui pourtant n'avait jamais accepté d'être jugée mineure ou incapable. Sans doute jugeait-elle qu'une loi ne changerait rien à l'affaire. Contre elles s'était formé un bloc : Blandine, Aurélie et Erika, qui célébraient cette victoire des femmes. Les hommes comptaient les points, amusés, ironiques ou neutres. Sauf l'aîné d'Aline, Henri, qui rêvait toujours d'entrer chez les jésuites. Je me suis souvent demandé s'il n'était pas devenu, lors de cette première rencontre, amoureux d'Aurélie. Mais ça n'a pas duré.

La nuit suivante, personne n'a beaucoup dormi, j'imagine. A l'exception, sans doute, de Clément : c'était une de ses forces, cette capacité de tirer un trait sur soucis et ennuis pour tomber dans le sommeil jusqu'au matin. Quand il n'avait pas mieux à faire au lit...

Le lendemain, après la messe de Pâques à laquelle Guida n'avait pas voulu se rendre — les jeunesses hitlériennes l'avaient détournée de la religion — et alors que l'oncle Lucien faisait goûter des pineaux en guise d'apéritif, Aurélie a énoncé son cahier des charges. Un peu comme Guida le jour où elle avait accepté de s'installer chez moi pendant l'Exposition de l'année précédente. C'était simple : la vie continuerait comme avant. Bien sûr, à l'époque des congés payés, elle rejoindrait Hans, Blandine et ses sœurs. Mais il n'était pas question qu'elle change de travail ni de façon de vivre. Boidin a tenté de lui offrir de l'aide, des capitaux, un prêt, ce qu'elle voudrait, pour agrandir cette affaire de chapeaux de la rue Saint-Fiacre. Elle a refusé, gentille, mais décidée, ferme. Il a voulu insister — rien de surprenant : c'était exactement une attitude qu'il ne pouvait pas comprendre — mais l'oncle Lucien l'a coupé, en évoquant des projets de vacances. Il était persuadé, lui, que le temps allait imposer des accommodements, contraindre à davantage de souplesse.

Boidin a quand même tiré un lapin de son chapeau, si j'ose parler de chapeau à propos d'Aurélie : un de ses amis du ministère de la Guerre lui avait confirmé deux jours plus tôt que le deuxième classe Paul Bonpain changerait bientôt d'affectation : il quitterait l'Algérie et serait versé — ce langage militaire trahit bien l'absence de respect pour les hommes — au 141ᵉ régiment d'infanterie, à Marseille. Ce n'était ni Paris, ni Lille, mais quand même. Alors, Aurélie lui a sauté au cou, puis les a tous embrassés, rouge de bonheur.

« A ce moment, m'a dit plus tard l'oncle Lucien, Isabelle et moi avons fait le même constat : elle ne refusait donc pas tous les avantages de sa nouvelle position. Elle acceptait un premier accroc à ses propres règles. »

V

Quand je retrouvais Aurélie, les mois suivants — nous avions l'habitude de dîner dans de petits bistrots de Montparnasse —, je lui demandais parfois si elle ne s'apprêtait pas à transférer son affaire de chapeaux à Marseille : une de ces plaisanteries, usées comme des mots de passe que l'on aime se répéter parce qu'elles trahissent une vraie complicité. C'est qu'elle était devenue une familière de la ligne Paris-Marseille. Elle courait vers cette ville à la moindre occasion : un dimanche de liberté pour son Paul, parfois quelques heures de quartier libre seulement.

Marseille jouissait alors dans tout le pays d'une flatteuse réputation. En raison, surtout, de Raimu, des films de Pagnol et des chansonnettes qui vantaient les beautés de la Canebière. Tout était chant dans le langage des Marseillais. Les Français de Paris et d'ailleurs, secoués par les crises et la crainte de la guerre, se berçaient de leur accent, grâce au cinéma parlant, pour nourrir des rêves d'insouciance et de paix.

Aurélie, frappée par la violence de la lumière et des couleurs, voyait à peine la ville. Son Paul, toujours un peu pédagogue, l'emmenait pourtant vers les quais où embarquaient sur des paquebots encore luxueux des fonctionnaires en instance de départ pour l'Extrême-Orient, des caïds algériens en burnous éclatants, des princes marocains ou des officiers déjà vêtus à la mode coloniale. Il l'avait aussi entraînée dans les ruelles noires et puantes du Vieux-Port où une foule bigarrée, parfois inquiétante, se tordait les pieds sur les pavés pointus. Elle n'avait d'yeux, partout, que pour lui.

Ce Paul, je tenais à le revoir, deux ans après notre rencontre de Madrid. Elle accepta que je l'accompagne à la fin d'octobre : il jouirait de quelque liberté après avoir été consigné à la caserne des semaines durant (faut-il rappeler qu'en septembre 1938, nous avions cru la guerre toute proche en raison des revendications d'Aldolf Hitler sur la Tchécoslovaquie, auxquelles France et Angleterre avaient fini par céder ?). « Un sursis », disait Boidin qui faisait tourner ses usines pour la Défense nationale... « et la caisse », ajoutait, toujours frondeur, l'oncle Lucien. Beaucoup, pourtant, voulaient encore croire à la paix. Aurélie était de ceux-là, puisqu'elle attendait, avec la libération de Paul, l'été suivant, leur mariage. Cette attente l'épuisait. Je crois bien, d'ailleurs, que son Paul et elle avaient « fait Pâques avant les Rameaux », comme disait ma vieille bonne Augusta, dans quelque hôtel marseillais dès qu'il eut débarqué d'Algérie. Mais aucun enfant ne s'annonçait.

Je lui savais gré d'avoir accepté, en cette fin d'octobre, que je lui serve de chaperon. J'étais décidée à me comporter en compagne complaisante et discrète. Mais nous ne vîmes pas Paul, ou si peu. Dès notre arrivée à la gare, nous avions constaté une vive agitation. Je la crus un instant naturelle à cette ville. Erreur. Un grand magasin de la Canebière, Les Nouvelles Galeries, était en flammes. Le mistral, soufflant là-dessus, avait transporté l'incendie jusqu'aux hôtels voisins, bourrés de députés, de ministres, de journalistes venus participer dans la ville, au congrès du Parti radical qui, avec les deux Édouard, Daladier et Herriot, tenait alors le haut du pavé dans une république chancelante. Une belle pagaille. C'était à qui décrirait, à coups de détails scandaleux, la panique qui avait transformé le magasin et les alentours en champ de bataille, les hommes bousculant les femmes, les jetant à terre, leur passant dessus pour s'enfuir au plus vite. Des histoires qui me rappelaient ce que l'on disait, dans mon enfance, de l'incendie du Bazar de la Charité, et qui hérissaient Aurélie.

Nous avons retrouvé Paul dans une rue voisine : les troupes avaient été appelées à la rescousse pour établir une sorte de cordon sanitaire autour du quartier sinistré et endeuillé — soixante-treize morts. Sa section d'infanterie avait donc veillé toute la nuit. Tout juste relevés, ils étaient assis au long d'un trottoir où le vent avait poussé des débris calcinés. Je l'ai trouvé très amaigri, plus viril aussi. Aurélie, qui avait craint je ne sais quoi, le pire sans doute, en ne le voyant pas à la porte de la caserne, s'était jetée sur lui, l'embrassait avec passion, magnifique d'impudeur. Si magnifique, superbe, décoiffée, que leurs voisins, les soldats aux visages gris qui les entouraient, rigolards, avaient commencé par leur lancer des quolibets ; ils cessèrent soudain de plaisanter, comme saisis d'admiration et de respect. Oui, admiration et respect. J'insiste sur cette scène parce que je n'avais jamais mesuré auparavant comment la manifestation d'un amour aussi total pouvait en imposer à des hommes sans doute familiers des gaudrioles de chambrée où les femmes tenaient le premier rôle — j'entends le plus humiliant. Ce fut, dans cette rue empestée de fumée, un instant de pure beauté. Je pensais à Ramon, alors en Espagne : s'il avait pu être avec moi, avec nous, pour partager ce bonheur ! Ma main droite tremblait, cherchait, comme si elle avait voulu saisir la sienne. Mais voilà.

Un peu plus loin, un sous-officier qui sortait d'un bistrot, a rompu le silence, le miraculeux silence. Quelques cris, que les soldats ont compris. Moi, j'étais encore ailleurs. Ils se sont levés dans un bruit de ferraille, les voisins de Paul encore silencieux. Il a fallu lui arracher Aurélie.

Nous l'avons revu le lendemain seulement. Quelques minutes pour moi. Le temps de fixer la date du mariage. Il avait consulté ses parents qui voulaient réunir toute leur famille : dans le Nord, nous saisissons avec bonheur chaque occasion de faire la fête. Ce serait donc en août 1939, au moment des congés payés.

Dois-je rappeler maintenant les événements d'août 1939 ? Le 23, à Moscou, fut signé le pacte germano-soviétique. C'était l'annonce d'une guerre imminente. Paul, indigné, annonça le lendemain à Aurélie qu'il n'aurait plus rien de commun désormais avec le parti communiste. Elle fut loin de triompher. Oubliées les polémiques qui les avaient opposés lors de son départ volontaire pour l'Espagne. Un monde s'écroulait pour lui, l'espoir d'une société plus fraternelle, plus humaine. Cette fois, je crois, elle pleura. Pour lui.

Leur mariage était fixé au 26, un samedi. Elle n'avait pas eu à le pousser pour qu'il acceptât de passer par l'église : il l'avait proposé. Ils s'étaient même disputaillés à ce sujet, sur le thème « Ne te crois pas obligé » répété par elle et « je ne me crois rien du tout, je pense que c'est normal », répondu par lui. Ce qui soulagea tout l'entourage : dans le Nord, à cette époque, ne pas se marier à l'église était exceptionnel ; il arrivait seulement que le père de la mariée, ou un oncle, ou un vague cousin reste ostensiblement à la porte du bâtiment.

Ce ne fut évidemment pas le cas. Côté Bonpain, toute la famille était là, cousins proches et lointains bien décidés à faire la fête. Nous, nous n'avions pas convoqué le ban et l'arrière-ban des Surmont et des Rousset, histoire de ne pas en imposer ni intimider. Cette cérémonie avait été difficile à organiser. Ni clandestinité ni ostentation, avait tranché Aline le jour où Aurélie avança qu'elle voulait se marier à Roubaix, dans sa paroisse, son quartier, où elle comptait tant de relations et d'amis.

Ni clandestinité ni ostentation, c'était facile à énoncer. Chaque détail posait un problème : les invitations, le choix du restaurant, l'heure de la cérémonie. L'annonce de ce mariage avait pourtant fait moins de bruit dans le landerneau de Lille-Roubaix-Tourcoing que celui d'Aline avec Clément Boidin. Les temps changeaient, la réapparition de Blandine après qu'on l'eut annoncée morte, puis celle d'Aurélie dont l'existence avait toujours été ignorée : autant d'événements familiaux qui nous avaient classés à part dans les esprits du lieu. Les enfants d'Aline, ceux de Delphine aussi, en souffraient parfois dans les cours de récréation de leurs collèges, un peu comme s'ils appartenaient à une lignée de débauchés, amoraux, peu convenables à tout le moins.

Il n'empêche : bien que la plupart des grandes familles, comme on disait encore, fussent à la fin d'août dans leurs villas du Touquet ou d'Ostende — la mode n'était pas encore à l'entassement sur la Côte d'Azur —, beaucoup s'arrangèrent pour dépêcher à la messe de mariage un émissaire, une sorte d'espion.

Ceux-là en furent pour leurs frais. Aurélie rayonnait. Je m'étais chargée de les habiller, elle et son Paul. Elle n'avait pas refusé : elle était assez fine pour comprendre quelle partie était engagée, elle jouait le jeu. Blandine et Hans aussi que l'on n'avait pas revus dans la région depuis les obsèques de Père. Et même leurs deux filles. Guida, visage fermé, la tête un peu embrouillée, j'imagine : cette fille à qui les nazis n'avaient guère appris le sens des nuances et des artifices de la vie politique était à coup sûr davantage bouleversée que Paul par le pacte que son idole, Aldolf Hitler, venait de signer, par Ribbentrop interposé, avec le démoniaque Joseph Staline.

Aurélie rayonnait, je l'ai dit. Mais Julia Bondues me confia qu'elle l'avait surprise à pleurer, la veille : elle écoutait, à la TSF, tous les bulletins d'information, devinait bien ce qui nous attendait, ce qui les attendait.

Ils avaient prévu, en guise de voyage de noce, d'aller passer quelques jours à Malo-les-Bains, la plage de Dunkerque. Leur départ fut retardé par deux policiers en civil qui voulaient interroger Paul. Le parti communiste avait été interdit le 26, le jour même de leur mariage. Paul était toujours fiché parmi ses membres, bien qu'il ait déjà rendu sa carte. Il était donc suspect.

Ils n'eurent que trois jours de répit. Mobilisé parmi les

premiers, il rejoignit Valenciennes. Le dimanche suivant, la guerre commençait.

Ils sont des millions, ceux dont la vie a été brisée, fauchée, par les déchirements de l'Europe en ce siècle. Toute ma génération sans doute. Côté hommes, on n'oubliera pas que bien des survivants de la Première Guerre se retrouvèrent parmi les combattants et les victimes de la Seconde. Laquelle fit, côté femmes, des ravages inconnus jusqu'alors.

Je n'ai pas l'intention de m'étendre longtemps sur des enchaînements de malheurs. Il me faut pourtant évoquer l'essentiel.

Parler d'abord de Blandine et Hans.

Depuis des mois, leur vie était devenue plus que difficile à Roanne. Hans se sentait surveillé comme une sorte d'espion. Le personnel des usines, qui reconnaissait ses qualités, acceptait mal, à mesure que le danger de guerre se précisait, d'être dirigé par un Allemand, « le Boche », disaient quelques-uns. Guida n'arrangeait rien en affichant en classe et ailleurs ses sentiments, provoquait même des incidents. Cela ne pouvait se prolonger.

Clément Boidin passait régulièrement par Roanne comme par la Normandie, visitant ses usines : « Le meilleur engrais pour une terre, aimait-il répéter, ce sont les bottes du propriétaire. » Il avait vite compris la nécessité d'une autre solution. Quelques jours avant le mariage d'Aurélie, alors que nous étions ensemble en vacances chez l'oncle Lucien — ces soirées à goûter le cognac sur la terrasse ! —, il leur a fait une proposition séduisante. Voilà : deux ans plus tôt, il avait commencé de poser des jalons en Amérique latine, avec l'aide d'un garçon brillantissime, un certain André Millet. Il s'intéressait au

Guatemala où les possibilités de développer la production de coton étaient importantes (là-dessus, Millet et Boidin se trompaient, mais on ne peut pas avoir toujours raison) et au Brésil, le pays de l'avenir (on le répète encore aujourd'hui, mais l'avenir brésilien est toujours pour après-demain). Là, deux usines s'ouvriraient bientôt, à São Paulo. André Millet, aussi brillant qu'il soit, était plutôt, selon mon beau-frère, un découvreur, un pionnier, qu'un patron. Si Hans le voulait, disait donc Boidin, il pourrait prendre la direction de ces affaires.

Hans avait vacillé, ébloui, surpris ou incrédule, je ne sais pas. Devant nous, il objectait son ignorance des langues du cru, le portugais autant que l'espagnol. Boidin, comme toujours, balayait l'argument : « Plus on parle de langues, plus on apprend aisément les autres, c'est connu. Or, vous : l'allemand, bien sûr, l'anglais, le français, ça fait déjà trois. »

Je n'ai jamais trouvé excellent le français de Hans, mais bon, Boidin, quand il était lancé, ne s'embarrassait pas de nuances, je l'ai déjà dit.

Le problème des langues, bien entendu, n'était pas le principal : de toutes les questions soulevées par un tel exil, j'imagine que Blandine et son mari ont dû parler le soir, au lit, bien tranquilles, chez eux. Le lit, dans les couples solides, ne sert pas seulement au sommeil et aux fêtes des corps.

Le lendemain, Hans a annoncé qu'ils étaient très touchés mais que, quand même, il fallait réfléchir encore. Nous étions tous réunis sur la terrasse, sauf les enfants partis profiter de la fraîcheur d'une rivière voisine. Du moins, je le croyais. Mais j'ai aperçu soudain Guida, en retard sur ses cousins et sa sœur, parce qu'elle ne retrouvait pas son maillot peut-être : quoi qu'il en soit, elle s'était immobilisée, écoutait, ébahie. Quand elle a vu que je la regardais, elle est partie rejoindre les autres, en courant. J'imaginais la tempête dans sa tête. Que faire ?

La question, les questions n'ont pas été posées longtemps. Trois semaines plus tard, c'était donc la guerre.

La police ou la gendarmerie, je ne sais plus, s'est présentée chez Hans, à Roanne, pour l'arrêter. Voilà une histoire dont on parle peu parce qu'elle n'est pas très glorieuse : tous les réfugiés politiques allemands, des antinazis avérés pourtant, ont été arrêtés chez nous dès les premiers jours. Je comprends que le gouvernement de l'époque ait cru nécessaire de prendre quelques précautions : des agents hitlériens pouvaient s'être glissés parmi ces exilés. Mais là, on n'a pas fait le détail. Tous embarqués, ou presque.

Hans s'est retrouvé au camp des Miles, près d'Aix-en-Provence. Un de ces camps minables comme la République française sait en faire, elle l'avait prouvé quelques mois plus tôt du côté des Pyrénées, en entassant les Républicains espagnols, après la victoire de Franco, dans de crasseuses baraques ouvertes à tous les vents. Personne ne protestait : ce n'était pas encore la mode de ces pétitions que signent tant de gens pour se faire un nom. Le camp des Miles, où Blandine s'est bientôt précipitée, était installé dans une ancienne tuilerie. Plus tard, ils m'ont raconté : sol de terre battue, feuillées, bottes de paille en guise de lit, et vieux gardiens, des paysans ardéchois pour la plupart, des anciens de l'autre guerre qui avaient encore l'âge de servir à quelque chose pour celle-ci : en l'occurrence, garder des hommes encore plus hostiles qu'eux à Hitler et ses affidés. Ces hommes étaient des intellectuels, des artistes, des rabbins, des avocats, des médecins, quelques ingénieurs aussi, comme Hans, plus rares quand même. Baptisés « la racaille » par leurs gardiens, ils pestaient, appelaient à l'aide, mais on ne les entendait guère.

Blandine, elle, devait affronter sa Guida, qui triomphait sans vergogne : « Tu vois, les Français. Toujours les mêmes depuis le traité de Versailles. Pas changés. C'est à l'Allemagne qu'ils en ont. Pas à Hitler. Hitler, pour eux, c'est un prétexte. » Sa sœur, Erika, elle-même, était ébranlée.

Elle est forte, Blandine, je l'ai assez répété, mais trop

c'était trop, on ne peut pas demander l'impossible. J'ai cru qu'elle allait craquer.

Toute la famille s'y est mise, bien sûr, pour sortir Hans de la trappe. Boidin, lors de ses déjeuners avec les officiers à qui il vendait des tonnes de lainages et de tissus. L'oncle Lucien, qui est venu voir Cocteau à Paris afin qu'il remue les peintres, le petit monde de l'art : les artistes étaient nombreux au camp des Miles, Max Ernst par exemple qui occupait ses journées à découper des tuiles mal cuites pour en faire des chefs-d'œuvre. Je me démenais aussi, autant que je le pouvais : le monde politique n'avait pas encore tout à fait mesuré la puissance des hebdomadaires féminins, mais enfin je disposais de quelques relations.

Cela ne s'est pas réglé en deux temps et trois mouvements. Il a fallu attendre près de quatre mois pour obtenir la libération d'un paquet de ces Allemands-là. Parmi lesquels figurait Hans. C'était quelques jours avant Noël. Je les ai tous invités pour la fête. La dernière réunion de famille, pensais-je. Ramon n'avait toujours pas réussi à se faire incorporer. L'aîné d'Aline, Henri, dix-huit ans, suivait des cours de préparation militaire mais ne serait mobilisé que si la guerre se prolongeait. Personne, donc, ne manquait à l'appel. Même pas Delphine et son mari, venu avec une fausse permission, ce qui me gênait. Même Aurélie dont le Paul se gelait les pieds, lui, quelque part en Lorraine. Même Guida, peu bavarde et qui avait accueilli son père libéré par deux mots, deux mots seulement : « Tu vois ? »

Donc, la joie de se retrouver. Noël, c'est un soupir d'espoir. Mais c'était encore, pour nous, une conversation en terrain miné. Histoire de les amuser, j'avais commencé à raconter comment, à l'instar de Paul Poiret en 1914, Schiaparelli et Lanvin s'étaient empressés de créer des costumes d'infirmières du dernier chic mais « respectant les prescriptions de la Croix-Rouge ». Je me suis interrompue après avoir croisé le sourire méprisant de Guida, le regard de sa mère qui sonnait l'alarme.

Ramon, toujours prévenant, malin, a lancé, à propos de l'uniforme et de couturiers, un débat inattendu sur la tauromachie. Je ne sais pas d'où il tirait ses informations mais il prétendait que, depuis la guerre civile de son pays, les capes étaient moins rutilantes, l'habit de lumière des toreros plus strict. Quelqu'un a saisi la perche, l'oncle Lucien sans doute, toujours prompt dans les cas difficiles à pousser la voile dans le bon sens, qui racontait d'incroyables aventures de matadors et de toros inventées peut-être à mesure. Sauf l'existence, à laquelle personne ne voulait croire, d'un « torodrome » à Roubaix, au début du siècle. C'était pourtant vrai, je l'ai vérifié récemment.

Ramon et l'oncle formaient un joli duo, drôle, inventif, qui s'évertuait à occuper tout le terrain disponible entre les champs de mines, évitant de se laisser interrompre, coupant la parole à qui tentait de s'immiscer dans la conversation. Un beau numéro. Une manœuvre astucieuse à laquelle peu à peu chacun s'est prêté. Je les observais. Ils avaient tous compris. Même les adolescents. Bouleversés comme je l'étais par l'absurdité, la tristesse de cette petite comédie familiale.

Soudain, Guida a tout cassé. D'une voix forte, martelant chaque phrase. Pas si bête, puisque l'on discutait de tauromachie, elle s'est mise à parler de barbarie. L'éternel reproche, l'insulte habituelle, que se lançaient Français et Allemands. Impossible de l'arrêter, même si chacun — pour les plus jeunes, je ne sais pas — a vite compris où elle voulait en venir. La gentille réunion de famille volait en éclats. *Finita la commedia*. Hans et Blandine ont décidé de regagner au plus vite l'appartement qu'ils avaient loué à Paris — impossible, bien sûr, depuis la guerre, de retourner à Roanne. Blandine serrait les dents pour ne pas pleurer : je l'ai trop souvent vue ainsi, c'est l'image que je garde toujours d'elle. Je les imaginais, le soir, dans l'appartement où ils avaient à peine ouvert leurs valises, comme résignés à l'errance : chaque fille avait dû s'enfermer dans sa chambre, et les parents, seuls, échafaudant des hypothèses, cherchant des issues, partageant leur chagrin.

J'avais la larme plus facile que Blandine. J'ai pleuré. Ramon tournait autour de moi, embarrassé. J'ai souvent remarqué combien les hommes sont patauds, un peu balourds lorsque pleure la femme qu'ils aiment. C'est moi qui l'ai pris dans mes bras et l'ai emmené vers le lit. Nous nous sommes réchauffé les corps, beaucoup, les cœurs, un peu. C'était bien bon, quand même.

Le lendemain de ce triste Noël, Hans a revu Boidin. Ils étaient décidés, cette fois, à partir pour le Brésil. Avec leurs filles, bien entendu. Boidin a râlé, crié que c'était trop tard, que dans cette famille on ne l'écoutait jamais assez, et ainsi de suite. Il était injuste : à supposer que Blandine et Hans eussent accepté sa proposition au mois d'août, l'affaire eût été aussi difficile puisque la guerre est survenue presque aussitôt : à cette époque, on n'entreprenait un tel voyage, avec tout un barda, qu'en bateau, et cela ne s'improvisait pas. Mais ce Noël raté avait sans doute exaspéré et désespéré Boidin autant que moi. Je ne sais pas si, la nuit, avec Aline, ils se sont réconfortés — un peu — comme Ramon et moi. Je sais quand même que Boidin était un homme à colères froides, qu'il entretenait des heures avant de les laisser éclater. Aline m'a laissé entendre que dans ces cas-là, souvent, il était meilleur au lit. Je n'en dirai pas plus, ne sachant quel descendant me lira.

Quand même, Clément Boidin a fini par approuver Hans. Personne n'avait de meilleure solution.

La préparation de cet exil fut difficile. La France était en guerre contre l'Allemagne, Hans était allemand, assigné à résidence, surveillé peut-être. Il fallait d'abord leur procurer de faux papiers. Trois ans plus tard, les gens de la Résistance se débrouilleraient assez bien, dans de telles circonstances. Mais nous n'en étions pas là. Une fois de plus, Boidin a payé. Comme il l'avait fait auparavant pour réduire au silence le petit salaud de détective engagé par Aline pour retrouver Aurélie. Comme il l'avait fait pour sortir Hans du camp des Miles. Comme il le faisait pour tout régler. Ou presque. Il est de bon ton de médire de l'argent. Mais il est souvent l'instrument de la liberté : Boidin a donc payé des policiers belges, au plus haut niveau : il avait décidé que Hans, dont l'accent était épouvantable, pourrait à la rigueur passer pour un de ces Flamands dont la famille détestait les Wallons et utilisait donc peu le français. Belges, en outre, Hans et sa famille pourraient partir d'Anvers : la Belgique était encore neutre.

L'autre difficulté, plus rude encore, contre laquelle tout l'argent du monde ne pouvait rien, c'était Guida, bien sûr : il fallait éviter, jusqu'à la dernière seconde, qu'elle sache, ou qu'elle soupçonne la moindre velléité de départ. Ce que cela représente de silences, de précautions, de mensonges, je vous le laisse à deviner. Vivre jour après jour en compagnie d'une personne sans doute prête à vous trahir, votre fille en outre, que vous aimez encore, que vous ne pouvez qu'aimer, que vous voulez sauver du mal où elle s'enfonce, sans savoir comment la sauver, est une épreuve que je ne puis qu'imaginer, mais que je ne souhaite pas à mon pire ennemi, s'il m'en reste à cet âge.

Aline, Blandine et moi avons inventé une fable, une histoire au brou de noix, disait Blandine (je n'ai jamais bien compris ce que signifiait cette expression, sachant pourtant que le brou, liquide tiré de la coque des noix, est utilisé pour teinter les meubles, camoufler si l'on veut). Brou de noix ou pas, l'histoire se tenait. La preuve : les hommes n'y ont pas fait objection. Il s'agissait de faire disparaître Hans. On raconterait à ses filles et aux autres que la police française était venue l'arrêter à nouveau, un matin, tandis que ses filles étaient en classe. Il s'installerait chez l'oncle Lucien, bien sûr, le temps de préparer le voyage. Blandine ferait mine de lui écrire au camp des Miles, serait même contrainte, si l'affaire traînait trop, de prendre le train pour Aix-en-Provence, histoire de lui rendre visite. Rien ne permettrait à Guida d'imaginer qu'un grand voyage, un brutal changement de vie était en préparation. A condition, bien sûr, que Blandine joue parfaitement la comédie, se tienne à chaque instant sur ses gardes.

Elle semblait y parvenir. « Tu vois, m'a-t-elle dit un matin — elle venait souvent au journal pour s'oxygéner, reprendre ses forces —, tu vois, je suis toujours condamnée à dissimuler, jouer des rôles. Pendant l'autre guerre déjà, quand j'étais enceinte. Quand nous avons quitté Munich, ensuite. Et maintenant. »

Je craignais chaque jour qu'elle ne craque. D'autant que Guida triomphait, vitupérait la France et les Français coupables, un crime de plus, de tenir enfermé un homme, un innocent, un faible, qui avait cru pouvoir leur faire confiance.

Qu'elle réagisse ainsi, nous l'avions prévu et d'avance accepté comme un prix à payer pour la sécurité de l'opération. Nous avions pourtant commis une erreur : l'argument faisait fléchir la plus jeune, Erika, déjà malheureuse de se sentir suspecte dans son lycée. Les deux filles s'étaient présentées à leurs camarades comme Alsaciennes réfugiées à Paris. Mais une rumeur, surgie d'on ne sait où — Guida ? —, évoquait leur origine allemande.

Erika se plaignait à sa mère de vivre une sorte de quarantaine : elle ne se trouvait pas d'amie alors que toutes les filles de cet âge rêvent d'avoir « une meilleure amie » ; les conversations s'éteignaient dès qu'elle approchait d'un groupe dans la cour de récréation. Il est vrai que Paris était couvert d'affiches gouvernementales proclamant « Taisez-vous, méfiez-vous, les oreilles ennemies vous écoutent ». Mais ces lycéennes ne disposaient certes pas de secrets intéressant la Défense nationale. Elles jouaient les importantes, voilà. Un groupe se soude plus aisément s'il se trouve un ennemi. Erika faisait l'affaire.

Cette histoire-là, nous ne l'avions pas prévue. « On ne saurait penser à tout », aurait dit ma pourvoyeuse de proverbes. Quand même. Je reprochais à Aline qui s'était trouvée à l'origine de cette fable de n'en avoir pas pesé toutes les conséquences. Elle rétorquait, non sans raison, que nous en avions discuté, en détail, toutes les trois (Delphine était hors du coup à ce moment ; son mari étant mobilisé en Alsace où il ne se passait rien, c'était la « drôle de guerre », elle s'était presque installée à demeure à Strasbourg).

Boidin, vers qui la famille tout entière se tournait désormais dans les cas difficiles, considérait que « ces histoires de gamines » pouvaient être réglées par les femmes. Ses affaires l'accaparaient. Il jugeait qu'Aline se débrouillerait très bien. Il se méfiait un peu de Blandine, je ne sais pourquoi. « Certaines personnes, m'a-t-il dit un jour, sont faites pour le malheur, portent la poisse. » Ce jour-là, je l'ai détesté. Mais je me suis demandé s'il ne voyait pas juste.

Quand nous nous rencontrions, c'était surtout pour parler de *La Vie en rose*, puisqu'il avait pris la succession de Père à la tête de l'entreprise. Il écartait d'un geste agacé toute allusion aux filles de Blandine, se bornait à dire que les papiers seraient bientôt prêts, qu'on lui avait promis deux cabines sur un cargo hollandais qui acceptait quelques passagers et partirait d'Anvers pour les Antilles et le Brésil dès qu'il serait sorti de la cale sèche où l'on retapait sa coque, et que rien n'était très facile en temps de guerre. Il sous-estimait le danger que pouvait représenter Guida. Il pensait, je crois bien, en avoir fait assez et en faire encore assez pour cette branche de la famille : plus loin ils seraient, mieux lui, Boidin, se porterait ; Aline aussi, et nous tous.

L'attente devenait insupportable. Le moral des Français déclinait de semaine en semaine, en dépit de la propagande gouvernementale qui répétait : « Nous vaincrons parce que nous sommes les plus forts. » Un soir, dans un dîner, un colonel m'avait raconté, comme une histoire drôle, que l'on avait confié à un général nommé Hering la création d'une ligne de défense antichars au nord de Paris, du côté de Chantilly je crois, ce qui était assez prudent. Ce général avait donc fait creuser des fossés, construire des casemates, que sais-je encore, mais quand il avait demandé des canons antichars pour donner un sens à ces trous et ces bosses, l'état-major lui avait répondu que l'on en manquait. Il riait presque, le colonel qui racontait cette histoire. Un autre enchérissait pour dénoncer la pagaille du haut commandement. Ils n'ont pas compris, je pense, pourquoi j'ai quitté presque aussitôt la table.

A la fin de février, enfin, Boidin a annoncé, un brin triomphant, que tout semblait réglé. Le cargo quittait sa cale sèche, les papiers étaient disponibles. Le départ était fixé au 11 mars, un lundi. Ce qui arrangeait tout le monde. Hans surgirait dans son appartement parisien le vendredi, soi-disant libéré à nouveau du camp des Miles mais feignant la lassitude et la méfiance : décidément, il était impossible de demeurer plus longtemps dans ce pays. Le lendemain, Blandine et lui emmèneraient leurs filles à Lille, histoire de passer en famille un week-end de retrouvailles. Le dimanche, Boidin prendrait la direction des opérations : il leur proposerait de quitter l'Europe où ils n'échapperaient jamais aux ennuis tant que la guerre durerait. « J'ai déjà de faux papiers pour vous. Tu te souviens, Blandine, quand je t'ai demandé vos photos d'identité, le mois dernier, tu t'étonnais. Je ne pouvais pas te le dire bien sûr, je ne voulais pas, mais j'y pensais déjà, je me disais que ce serait la seule solution quand ils auraient enfin libéré Hans. Et vendredi, dès que j'ai appris sa sortie, j'ai cherché s'il existait un passage pour le Brésil. J'ai trouvé un cargo qui part dans deux jours d'Anvers. Une vieille coque de noix, c'est vrai, mais il ne faut pas tarder. Vous n'avez pas le choix. »

Tel était le scénario prévu et, à quelques mots près, le thème du discours qu'il leur tiendrait.

Le plan a bien fonctionné d'abord. Boidin était bon comédien. Hans un peu moins : quand il a fait mine d'hésiter devant une telle proposition, de quêter l'approbation ou le refus de Blandine, de regarder ses filles avec des yeux en forme de points d'interrogation, je l'ai senti emprunté. Ses mains tremblaient. Il parlait faux, comme un acteur qui ne parvient pas à coller à son personnage. Je tentai de me rassurer : c'était peut-être une impression personnelle ; il est plus facile de détecter le menteur quand on connaît le mensonge ; les filles, peut-être, sur qui cette histoire tombait comme une météorite, ne s'apercevraient de rien.

Aline partageait mes craintes. Elle a proposé que les hommes — elle disait « les hommes » — s'isolent pour en discuter paisiblement : un tel changement de vie, chacun pouvait le comprendre, ne se décidait pas en trois secondes. Ils se sont donc retirés. Ce n'était pas du tout le style d'Aline, laisser ainsi la responsabilité aux hommes. Ni de Blandine qui, incapable de jouer plus longtemps la comédie, décida de les accompagner, balbutiant un « c'est très important, je veux savoir », que l'on pouvait interpréter en tous sens.

Nous sommes restées avec les filles, Aline et moi. Guida ne pipait mot. Très vite, en revanche, sa sœur, Erika, futée ce jour-là mais innocente souvent, a fait remarquer que tout cela n'était pas clair, qu'on ne leur avait pas tout dit — après tout ce week-end à Lille n'était pas si urgent, « au retour de papa, nous aurions été si heureux de nous retrouver tous les quatre » — et qu'on leur cachait peut-être des choses puisque ses parents s'étaient retirés avec leur oncle. Aline protestait de la bonne foi de tous les adultes, un peu trop véhémente peut-être. J'ai tenté de calmer le jeu en assurant que ce week-end à Lille, c'était moi qui en avais eu l'initiative : « Nous avions tellement craint pour ton père. Et puis, l'avenir est incertain, il faut saisir toutes les occasions de se retrouver. » Elle a fini par se calmer quand Aline a sorti des photos des usines en construction au Brésil. Habile, Aline : « Il y a longtemps que nous pensions à ce poste pour votre père. Les événements n'ont fait que précipiter les choses. »

Guida l'a crue, mais s'est étonnée : « Vous ? Tous les deux ? Toi aussi, tantine, pour les usines ? » Moi, j'avais bien remarqué depuis la mort de Père qu'Aline saisissait la moindre occasion de montrer qu'elle participait aux réflexions, voire aux décisions de Boidin, histoire de souligner que l'entreprise appartenait toujours à la lignée Surmont-Rousset. Mais je m'interrogeais sur l'étonnement de Guida devant ce « nous », cette question : « Toi aussi, pour les usines ? » Acceptait-elle si aisément, alors qu'elle ne manquait pas de caractère, que le rôle des femmes soit limité, inférieur ? C'était ce que préconisait, il est vrai, pour autant que je la connaisse, l'idéologie nazie. Quand même !

Ce n'était certes pas le moment d'ouvrir le débat. Mais je l'ai fait plus tard. Car il y eut un « plus tard ».

Ce soir-là, en fin de compte, quand Blandine et Hans eurent annoncé, comme prévu, qu'ils acceptaient la proposition de leur beau-frère, nous avons beaucoup parlé du Brésil que personne ne connaissait vraiment, ouvert dictionnaires et atlas, feuilleté un album. Il y eut un moment où, devant l'image d'un désert du Nordeste, Guida a murmuré : « Tout plutôt que la France. » Un coup de poignard. Elle me guettait du coin de l'œil, je crois. J'ai fait la sourde, observé Aline qui baissait les paupières. Nous n'allions pas discuter ce soir-là des motivations de cette fille. L'essentiel était qu'elle suive ses parents le lendemain matin.

Quand nous nous sommes embrassées, au moment du départ, elle m'a seulement glissé : « Toi, je t'aime quand même. » Je n'ai pas répondu. Je n'avais pas le temps de démêler tous les sous-entendus de ce petit bout de phrase. J'ai pensé qu'elle m'était reconnaissante de l'avoir hébergée au temps déjà si lointain de l'Exposition universelle. Je me suis réjouie aussi qu'elle sache utiliser le verbe aimer. J'en avais grand besoin.

Le surlendemain, en effet, l'oiseau s'est envolé. Le mardi, à l'aube, quand Blandine et Hans ont voulu quitter leur hôtel d'Anvers pour le port, Guida avait disparu. Les quelques gros billets que Blandine avait eu l'imprudence de laisser dans son sac aussi. Pas un mot d'explication. Pas un adieu. Pas la moindre lettre. Rien.

Ils ont beaucoup hésité. Faire appel à la police belge ? Avec de faux papiers, risqué. Renoncer au départ ? Pour faire quoi et où ? Le plus probable était que leur fille avait déjà pris le chemin de l'Allemagne.

Je les ai souvent imaginés sur un quai du port, comme au cinéma : une pluie fine pour assombrir le tableau, un vieux bateau qui fait retentir sa sirène tandis qu'une grue dépose encore à son bord quelque lourd colis, et ces trois voyageurs, presque sans bagages, s'attardant dans un fol espoir, gravissant enfin la passerelle en tournant la tête à chaque marche. Tragédie. La phrase de Boidin : « Certaines personnes sont faites pour le malheur. » Blandine.

Guida, j'ai fini par la revoir un an plus tard, ou presque. Personne, entre-temps, n'avait eu de ses nouvelles. Mais, dans cet « entre-temps », la face du monde avait changé. Les Allemands occupaient Paris et les deux tiers de la France. J'étais revenue dans la capitale avec l'espoir, vite abandonné, je l'ai dit, de relancer mon journal. Et j'étais restée. A ce moment, après son vain périple en Bretagne, Ramon errait un peu, cherchant des occasions d'ennuyer les Allemands, faute de pouvoir encore se battre. Au printemps 1941, il avait réussi à franchir la ligne de démarcation, c'est-à-dire passer dans la zone non occupée qui n'était pas tellement sûre car la police du gouvernement de Vichy ne nourrissait pas de bienveillance particulière pour les Républicains espagnols, fussent-ils marquis. Surtout marquis, dans son cas.

Ce printemps était souriant, qui succédait à un hiver glacial : on imagine mal aujourd'hui combien les hivers de l'Occupation ont été rudes, et cruelle la morsure du froid. Pas pour tout le monde, comme de juste. Certains se chauffaient bien, mangeaient encore mieux, et les milieux de la mode, que je fréquentais toujours, s'adaptaient aux nouveaux tissus, à base de bois. « La forêt s'est déshabillée pour vous vêtir », disait joliment un article paru dans *Pour Elle*, et un ingénieur m'avait expliqué qu'un tronc d'arbre de 100 kilos donnait en gros 60 kilos de tissu, ce qui permettait de fabriquer un nombre incroyable de chemises, voire de robes (j'ai oublié les chiffres).

Je n'étais pas très en forme ce matin de printemps, en dépit des sourires du ciel. Pas de nouvelles de Ramon. Des nouvelles, mauvaises, de la guerre : l'Angleterre tenait le coup, mais les Allemands avançaient en Libye, où ils étaient venus secourir leurs alliés italiens qui avaient plié. Ils semblaient encore invincibles. J'avais encore une bonne, à cette époque, une gentille Niçoise dont le mari était prisonnier et qui ne rêvait que de retour sur la Côte. Je revois son visage effaré, inquiet, quand, après un coup de sonnette, elle est venue me dire qu'une « soldate allemande » me demandait. C'était Guida, bien sûr. Guida, assez coquette dans l'uniforme gris-vert que portaient alors les auxiliaires féminines de l'armée allemande, ce qui les ferait surnommer les « souris » par les Parisiens. Qu'elle ait endossé cette tenue ne me surprit guère. Qu'elle ait souhaité me revoir m'étonna davantage. Mais je me suis souvenue de ce « toi, je t'aime quand même », lancé à Lille la veille de sa fugue.

Elle souriait, gentille, un peu condescendante : elle appartenait à l'armée des vainqueurs, de ceux qui, à ses yeux, représentaient la raison et la justice autant que la force, elle avait fait le bon choix, s'en félicitait chaque jour sans aucun doute et cela transparaissait dans le plus anodin de ses propos, même dans sa façon de se poser sur mon canapé. Elle était plus femme aussi et j'ai pensé aussitôt qu'elle avait un amant, ou plusieurs.

Elle était arrivée à Paris depuis quelques jours, travaillait dans un bureau installé rue de Rivoli, à l'Hôtel Meurice, là même où, en août 1944, le général von Choltitz conclurait une trêve avec les résistants insurgés.

Nous en étions loin.

Cette première rencontre fut assez brève. Je n'entendais pas la questionner ; la laisser venir plutôt. Elle voulut bien me dire qu'elle était heureuse de retrouver Paris, plus qu'elle ne l'aurait supposé. L'équipe de filles dont elle partageait la vie et le travail s'entendait bien, tout était donc pour le mieux. Je brûlais de lui demander si son amie Martha était devenue également parisienne. Je m'en abstins.

Elle m'interrogea sur Ramon. Je lui dis, sans plus, que la guerre nous avait séparés. J'eus droit au couplet-rengaine sur le malheur qu'était toute guerre, comme si cet Hitler qu'elle admirait tant, et adorait peut-être, ne portait dans l'affaire aucune responsabilité.

Je finis par évoquer ses parents et sa sœur. Elle m'interrompit aussitôt : « Si l'on doit se revoir, je préfère ne pas en parler. » C'était net. Le cahier des charges établi lors de l'Exposition s'était enrichi d'un nouvel article. J'obtempérai : une fois de plus, je tenais un petit bout de fil qui la reliait encore à la famille, je n'entendais pas le lâcher.

Nous nous sommes revues en effet. Rarement. Et toujours brièvement. Il arriva qu'elle me pose des questions sur les usines du Nord ou de Roanne. Jamais sur la famille. Plusieurs fois, je lui donnai des nouvelles des uns ou des autres, sauf de ses parents dont ne savions rien. Elle passait vite à d'autres sujets. Un jour où j'évoquais Aurélie, dont le Paul était prisonnier, elle eut un geste d'agacement, ou de mépris. Alors, j'ai explosé. Elle est partie aussitôt.

J'ai beaucoup hésité ensuite. Puisqu'elle ne revenait pas, devais-je aller me présenter à l'Hôtel Meurice, afin de rétablir ce petit bout de lien ? C'était ma nièce. J'y suis allée en traînant les pieds. Pas fière. Plutôt mal reçue, dès l'entrée, par un gros sous-officier, l'air bonasse pourtant, qui sentait l'alcool. Fraulein Guida Schmidt ? Il m'a fait beaucoup patienter. Il tenait de longues conversations téléphoniques dont je ne saisissais pas le sens, mais finit par me faire comprendre qu'elle n'était pas là. Je rêvais d'envoyer ce type sur le front de l'Est pour qu'il se gèle les doigts et le reste face aux tanks russes.

J'ai décidé de n'y plus retourner. Je ne pensais pas que j'y courrais des mois plus tard. Pour Aline.

VI

— Madame Lengagne ? Vous ne savez pas ? Mais ils l'ont emmenée la semaine dernière.

La portière du couvent, une religieuse qui ne devait pas jeûner souvent même en ces temps de pénurie, à en juger par sa taille et son teint, chuchotait doucement, très bas, comme si elle craignait d'être entendue, écoutée, alors que l'on n'apercevait personne dans la campagne alentour.

J'avais compris, mais je ne voulais pas comprendre.

Le chuchotis me laissait un petit bout d'espoir ; je lui fis donc répéter. Elle raconta, prolixe cette fois, comment quatre hommes en traction avant noire, imper et chapeau mou — presque l'uniforme de la Gestapo — s'étaient présentés le vendredi précédent, carillonnant, la bousculant, franchissant la clôture, comme disent les religieuses, la barrière interdite à tous et surtout aux hommes, pour emmener Aline. Ensuite, ils l'avaient présentée à un gros type resté dans la voiture. Embarquée enfin. Je croyais entendre à nouveau Ramon expliquant comment il avait basculé dans le camp des Républicains espagnols le jour où les Phalangistes avaient tué le vieil homme recueilli dans son domaine et qui chantait si bien la habanera.

C'était d'Aline qu'il s'agissait cette fois. Ma sœur. Aline qui avait trouvé refuge sous un faux nom dans ce couvent de Dordogne.

J'essayais d'en savoir plus. La portière — je crois que

l'on doit plutôt dire la sœur tourière, mais je ne fréquentais guère les couvents, moi — agitait les mains, les bras presque en croix, sortant de ses longues manches des doigts boudinés, rose vif, comme ébouillantés, criait presque, désormais, qu'elle ne savait rien de plus, la supérieure pas davantage, il ne fallait pas croire, ni la déranger, mais que le couvent priait beaucoup pour Mme Lengagne, tellement gentille, discrète aussi, que l'on avait hébergée dans l'infirmerie puisqu'elle n'était pas religieuse, un lieu ouvert aux étrangers, où le médecin pouvait venir au chevet des vieilles sœurs malades, et qu'elle y avait laissé ses affaires. Si je revenais le lendemain, je pourrais peut-être les reprendre, elle demanderait à la supérieure qui accepterait sans doute puisqu'elle m'avait vue, comme elle, à l'arrivée de Mme Lengagne au couvent, quand j'avais accompagné Aline quelques semaines plus tôt, et qu'elle savait que nous étions sœurs.

« Je vous ai tout de suite reconnue, chuchotait-elle comme si le silence et la prudence s'imposaient soudain après tant de cris. Sinon, je ne vous aurais rien dit. » Elle ébaucha un petit sourire, complice : « Ou plutôt, j'aurais fait comme ça : madame Lengagne ? Connais pas. Il n'y a que des religieuses ici. Pas de Madame. C'est ce que j'avais commencé à dire aux autres, ces hommes gris, vendredi. Mais, pfft, ils n'écoutaient pas. Ils étaient déjà passés. » Elle montrait les lourdes portes, après le petit couloir, qui m'étaient, à moi, interdites. Répétait « pfft » avec un geste du bras qui évoquait un brusque coup de balai.

Pfft. Je la laissai, soudain. Je ne pouvais plus supporter cette bavarde, qui tentait peut-être de compenser de longues journées de silence. Demain. Oui, demain. Je repris mon vélo, le cœur cassé. Aline. Après Ramon. Moi qui cherchais le réconfort.

Aline. Une autre aventure. Un nouveau retour en arrière.

En mai 1940, dès les premiers jours de l'offensive allemande, Boidin avait envoyé sa femme et ses trois fils en

Charente, chez l'oncle Lucien. Aline ne voulait rien savoir. Je ne sais pas comment il l'a convaincue : en faisant valoir l'intérêt des enfants, sans doute, et en lui disant que ça ne se prolongerait guère.

Les Allemands sont arrivés au pays du cognac comme sur toute la côte Atlantique — avec leur fausse monnaie d'occupation ils s'en gargarisaient à bas pris. Aline n'avait de cesse de repartir vers le Nord. L'oncle la retenait comme il pouvait, lui faisait même visiter la région. L'été semblait n'avoir jamais été aussi beau que celui-là : le ciel s'accorde rarement à nos sentiments.

Je me souviens d'une journée où l'oncle et la tante nous avaient emmenés à l'île Madame car je m'étais retrouvée là avec mes enfants, moi aussi, noyée dans la déferlante qui poussait tous les Français, affolés, du Nord au Midi.

L'île Madame, ce n'est presque rien, à quelques centaines de mètres de la côte, un bout de terre sauvage où l'on peut se rendre à pied à marée basse. Quand on a publié après la guerre *Le Petit Prince* de Saint-Exupéry, avec sa planète si étroite qu'elle ne pouvait accueillir qu'un réverbère et un bonhomme pour l'allumer et la rallumer sans cesse, j'ai pensé à l'île Madame, guère plus grande. J'exagère : elle doit bien faire un kilomètre de long. Aujourd'hui, on y attire le touriste, comme partout. C'était à l'époque presque un désert : on aurait pu installer là un ermitage. Nous traînions sur une plate-forme rocheuse où foisonnaient les coquillages, face à l'Océan. Je m'étais un peu écartée, je rêvais à Blandine qui se trouvait de l'autre côté, au Brésil, avec Hans Schmidt et Erika. Je m'interrogeais aussi sur Guida, dont personne n'avait plus de nouvelles, qui devait adorer plus que jamais son führer.

Donc, je m'étais éloignée sur un bout de caillou au-dessus de l'eau ; je me demandais comment elle vivait là-bas, Blandine, de l'autre côté de cet océan qui semblait si bleu, si pur, si paisible ce jour-là, quand j'ai entendu monter les voix de l'oncle et d'Aline. Toujours la même histoire. Elle : « C'est mon devoir. Je dois être aux côtés de mon mari. » Elle prenait à témoin la tante Isabelle dans le style : vous me comprenez, vous au moins, vous en feriez autant. La tante hochait la tête, souriait, embarrassée, compréhensive, laissait l'oncle faire le travail.

Il mettait en avant deux arguments, toujours les mêmes. Primo : pour aller dans le Nord, il fallait un laissez-passer puisque les Allemands avaient décrété zone interdite tout ce qui se trouvait au-dessus de la Somme. Deusio : elle était repérée d'avance, elle, Aline, puisqu'elle avait participé à ce réseau de renseignements, les Pyramides, pendant l'autre guerre, que l'on avait même parlé d'elle dans les petits journaux de l'association des anciens du réseau.

Elle trouvait réponse à tout : d'abord, il serait étonnant que les Allemands aient mis le nez dans ces journaux-là, des petits fascicules presque confidentiels, ils avaient d'autres chats à fouetter, surtout les combats contre l'Angleterre, qui se poursuivaient. Ensuite, elle n'était pas très connue pour son action pendant l'autre guerre, pas comme des Louise de Bettignies ou des Édith Cavell, dont seuls les nordistes et les Belges se souvenaient vaguement, et encore, parce qu'elles avaient été victimes des Allemands : les femmes, pour que l'opinion les considère comme des héroïnes, il fallait vraiment qu'elles en aient fait beaucoup, ou que l'occasion se présente. Ainsi, Jeanne d'Arc, dont l'Église avait attendu des siècles pour se rendre compte qu'elle était sainte, s'était enfin rattrapée en grande pompe quand le Vatican cherchait l'occasion de narguer la République (lorsqu'elle parlait ainsi, Aline me regardait toujours du coin de l'œil ; elle savait que je l'approuverais).

Sur notre bout de rocher, donc, le débat reprenait encore et encore. Mais un ton plus haut. Jusqu'au moment où la tante Isabelle a fait remarquer que la mer commençait à monter et qu'il urgerait de regagner la Passe-aux-Bœufs, le chemin qui permettait de revenir à la côte et serait bientôt submergé. C'est alors qu'Aline a lancé sa question : « Si je partais, vous pourriez garder les enfants, bien sûr ? Il y a de bonnes écoles à Cognac et Angoulême. » Ils ont haussé les épaules, l'oncle et la tante, pas très contents. Quelle question ! Cela allait de soi.

Le surlendemain, à l'aube, un taxi venu de Cognac attendait devant la porte. Aline avait fait ses bagages, tout préparé. Elle n'a pas voulu partir en se cachant, elle a embrassé tout son monde — son plus jeune fils pleurait —, mais elle nous a tous mis devant le fait accompli. L'oncle n'a même pas protesté. Il l'admirait, je crois. Moi, je lui ai donné les clés de mon appartement parisien. Qu'elle les laisse à la concierge après y avoir pris quelque repos — les trains à ce moment se traînaient, surchargés, épuisants — et si la concierge n'était pas là, qu'elle les confie à une maquettiste de *La Vie en rose*, une jeune femme à demi invalide dont j'étais à peu près certaine qu'elle n'avait pas quitté la capitale.

Je suis repartie moi-même deux jours plus tard. Aline s'était à peine arrêtée à Paris. Trop pressée. J'ai pensé que cette hâte ne s'expliquait pas seulement par le devoir, comme elle l'alléguait. Elle tenait décidément à son Boidin. Ou craignait-elle de le laisser trop longtemps seul ? Pourtant, on ne lui connaissait aucune aventure depuis sa rupture avec Jany Star. Sur ce point, au moins, Aline devait être vite rassurée : il avait autre chose à faire. Les Allemands lui causaient bien des soucis.

Dès leur arrivée, c'était reparti comme en 1914 : réquisition des matières premières, qui seraient évacuées chez eux dès le rétablissement des transports, regroupement des activités industrielles dans des « offices de marchandises », débarquement massif dans nos usines de leurs propres chefs d'entreprise qui pratiquaient un chantage facile : si vous ne me vendez pas très bas, je vous ferai saisir par l'armée.

Ce n'était qu'un début. Bientôt, à l'automne, ils allaient rafler et envoyer travailler chez eux — plus de deux ans, donc, avant le fameux Service du Travail Obligatoire —

des jeunes gens par centaines et centaines. Mais c'est une autre histoire, trop oubliée.

Boidin, au début, ne s'était pas mal débrouillé, comme toujours ; il avait liquidé en douce, à bon prix, à des Français précautionneux, pas mal de marchandises qui échappaient ainsi aux Allemands. Plus tard, à la Libération, certains loueraient pour cette raison son action patriotique. D'autres feraient valoir qu'il avait ainsi amassé un beau paquet. Les deux étaient vrais.

Pendant toute la guerre, mon beau-frère s'est bien conduit, mais pour ses affaires il a souvent eu de la chance : par exemple, Père et lui avaient acheté, dix ans plus tôt, pendant la grande crise, des usines de teillage de lin qui périclitaient. Or, qu'est-ce qui a bien marché au début de l'Occupation ? Le lin, que l'on pouvait cultiver sur place ; le coton, c'était, bien sûr, une autre histoire. Quant à la laine, elle demeurait rare puisque les brebis ne pouvaient pas multiplier à l'infini leur descendance. Ce fut le problème de la Lainor. Là, il fallut pratiquement fermer. Comment vendre par correspondance quand on n'a presque rien à vendre au détail et que la poste est désorganisée, impotente ?

Il courait d'une difficulté à l'autre, Boidin, succès ici, échec là, soucis partout, quand Aline a débarqué à Lille. Il s'inquiéta pour elle, bien sûr, lui demanda de ne pas trop se montrer. Des cartes de ravitaillement ayant été instituées, très vite, il lui a même interdit d'en prendre à son nom, afin qu'elle ne soit pas repérée : c'est dire. Il est vrai qu'ils ne manquaient pas d'argent pour se fournir au marché noir. Mais ils n'allaient pas vivre comme des ermites : Aline sortait un peu, allait à la messe le dimanche (la plus matinale, aussitôt après la fin du couvre-feu, où se côtoyaient commerçants et mères de famille pauvres, pas celle de midi où se montraient tous les notables), elle revoyait aussi quelques relations triées. Même s'il s'inquiétait, son mari n'était pas mécontent de la retrouver, de mettre un terme à quelques mois de vie solitaire, de pouvoir lui confier tous les ennuis dont il s'interdisait de faire confidence, même aux directeurs de ses usines : il se méfiait de tout le monde, sauf d'elle, et elle était revenue ! Une chance quand même.

A cette époque, j'étais seule à Paris, Ramon parti explorer les ports de pêche bretons comme je l'ai dit, et mes enfants restés chez l'oncle Lucien. Je dormais mal. J'étais visitée, presque chaque nuit, par le même rêve. Je voyais Aline courir, affolée, essoufflée, parmi les machines d'une filature, tournant la tête, à droite, à gauche, pour observer des poursuivants que je ne parvenais pas à distinguer. Cette usine était comme un labyrinthe où elle semblait se perdre, hésitant parfois, puis reprenant sa course au long d'interminables rangées de mécaniques qui marchaient toutes seules, sans ouvrières ni contremaîtres, personne pour les contrôler ou les utiliser. Elle courait toujours, sans jamais trouver d'issue, jamais rattrapée pourtant. Je finissais par me réveiller, en sueur. J'allumais, regardais : trois heures, quatre heures. Le silence. Les nuits de Paris étaient bien silencieuses, alors. A faire peur.

Quand je repense aujourd'hui à ces rêves, il me semble que je voyais alors une Aline beaucoup plus jeune, celle de la guerre précédente. Mais c'est peut-être une erreur : on colore volontiers, sans le savoir, ses souvenirs. On ne garde que des souvenirs de souvenirs. Demeure cette certitude : j'avais peur.

Rien ne dure. Les rêves sont devenus plus rares. Je recevais de Lille des lettres, brèves ou allusives mais rassurantes. Avant la fin de l'été 40, je suis même allée à Lille : le passage par la Somme n'était pas aussi difficile qu'on le pensait. J'ai vécu trois jours chez eux. Boidin avait pris un coup de vieux depuis le printemps : la bouche qui pendait un peu, des cheveux blancs, une certaine lenteur de la parole. Il était soucieux de ses usines de Roanne, en zone non occupée, qui fabriquaient des textiles artificiels ; il craignait que le gouvernement de Vichy, les Allemands aussi peut-être, mettent la main dessus. Il voyait juste, comme souvent : deux mois plus tard se créait « France-Rayonne », sous l'influence du gouvernement de Pétain, qui regroupait les soieries lyonnaises et Roanne, les Allemands prenant une bonne part du capital, sans même qu'il ait été consulté, lui, Boidin.

Moi, durant ces trois jours, je m'intéressais surtout à Aline. Une bonne venait de lui amener un soldat anglais caché par des habitants de Béthune à l'arrivée des Allemands, un dégingandé tout rouquin, disait-elle, que l'on s'était repassé de mains en mains, de cave en cave, pour l'aider à fuir, sans savoir où le diriger et avec la peur de se faire prendre si on le gardait trop longtemps chez soi. Elle aurait pu refuser. Boidin l'y poussait. Mais elle se souvenait de notre père, en 1914, comment il s'était décidé trop tard à aider un pauvre diable qui cachait trois soldats français et comment il avait erré, de longues heures, un jour de Noël, éperdu, courant même se confesser d'urgence tant il se sentait coupable de l'arrestation de ces braves gens.

L'Anglais rouquin s'ennuyait donc dans la cave. A titre provisoire, soulignait Boidin qui arguait que, responsable du sort de centaines d'ouvriers et d'ouvrières, parce qu'on ne savait pas ce que deviendraient les usines sans lui, il ne pouvait prendre de risques pour un seul bonhomme, fût-il soldat et anglais. Je faisais chorus, avec un autre argument : la chance ne repasserait pas deux fois. Elle avait beaucoup servi Aline pendant la guerre précédente ; elle finirait par se lasser, la Providence à laquelle Aline croyait plus que moi. Pauvre argument peut-être. Mais comme disait notre vieille bonne Augusta-les-proverbes, quarante ans plus tôt, « on fait avec ce qu'on a ». Et je n'avais pas mieux.

En fin de compte, c'est Boidin qui a découvert quelques jours plus tard un réseau belge d'évasion qui, curieusement, s'étendait jusqu'en Espagne. Il lui a repassé le rouquin, soulagé. Moi, avant de les quitter, j'avais fait jurer à Aline de ne plus recommencer. A force de supplications et d'évocations de dangers terrifiants, comme on le fait pour obtenir les promesses d'une gamine désobéissante, elle a juré. Je n'en étais pas très fière, elle non plus. Je n'y ai pas cru. Elle non plus. On se jouait une petite comédie, sans aucune illusion, parce que l'on s'aimait bien.

Elle s'est pourtant montrée prudente, de longs mois durant. Seule exception : la radio de Londres ayant demandé aux Français de défiler le 11 mai 1941 devant la statue de Jeanne d'Arc, elle s'y est rendue. Pas seule : dans l'après-midi, à l'heure dite, une dizaine de milliers de Lillois ont participé à cette manifestation aujourd'hui oubliée puisque l'on raconte que les Français étaient tous pétainistes.

Quand je lui en ai fait reproche, plus tard, Aline m'a raconté qu'elle avait pris soin de dissimuler son visage sous un long voile de deuil, comme c'était l'usage des veuves et des orphelines alors. Ça l'avait amusée de se cacher ainsi.

Cela ne m'a pas rassurée : on aurait dit qu'elle prenait goût, qu'elle retrouvait goût plutôt, à la clandestinité.

C'est vers la fin de 1942, pour autant que je le sache, qu'elle est rentrée dans un groupe plus ou moins rattaché au réseau Alliance et qui diffusait aussi le journal clandestin *La Voix du Nord.* Tout cela n'était pas très structuré et organisé : il faut bien voir que la Résistance, sauf chez les communistes peut-être, était composée de très jeunes gens, le plus souvent, des gamins et des gamines qui n'avaient pas été formés à l'action clandestine. Pas le genre OSS 117. J'ai découvert très vite ce qu'elle faisait pour le journal. Elle savait que j'avais planqué, en 1940, une partie des stocks de papier de *La Vie en rose* et a tenté de les récupérer. J'étais d'accord. Mais quand le camion qu'elle avait envoyé chercher la marchandise, un véhicule poussif marchant au gazogène comme la plupart, s'est présenté devant le hangar de la banlieue où devaient se trouver les rouleaux, celui-ci était vide. Je n'ai jamais su ce qui s'était passé, qui était le voleur, le traître, le délateur. Ce que je savais, en revanche, c'est qu'il ne fallait pas trop chercher à le savoir, si l'on ne tenait pas à se faire repérer. J'enrageais. Mais en silence.

Repérée, Aline l'a été finalement. Les Allemands, c'est vrai, ne s'étaient guère souciés de la rechercher en souvenir de ce qu'elle avait fait en 1914. Boidin recevait parfois des officiers à dîner chez lui : en 42, le textile était assez bien reparti, les Allemands achetaient, le sud de la France fournissait la laine de ses moutons et le bois pour le tissu artificiel, la fibranne. Et si ses invités s'étonnaient de son célibat, il répondait que son épouse et ses enfants étaient réfugiés depuis 1940 du côté de la Méditerranée ; ils n'insistaient pas ; ils s'en fichaient ; ces gens-là n'étaient pas du genre policier, plutôt business. Des hommes qui faisaient mine de s'apitoyer — « la guerre est un grand malheur », le même refrain que Guida — mais se remplissaient les poches. Et la bedaine, chez Boidin, à l'occasion.

L'un d'eux, pourtant, nous a bien rendu service. Un « référent », autrement dit un responsable d'un de ces « comités des marchandises » dont j'ai parlé, est venu un matin avertir Boidin que le nom d'Aline avait été lâché par un Français, un membre de son réseau, arrêté quelques jours plus tôt. Comment ce « référent » le savait-il ? Par une relation de popote, de mess des officiers, je crois.

Aline a sauté dans le premier train pour Paris. Boidin n'a pas été ennuyé par les Allemands : il a beaucoup payé ; par chance, c'était la police de l'armée et non la Gestapo qui avait mis la main sur le réseau ; ces gens-là se laissaient, semble-t-il, acheter plus facilement. Nous ne pouvions pas longtemps jouer avec le feu. Nous n'étions qu'en sursis. Grâce à Ramon, j'ai pu faire fabriquer de faux papiers au nom d'Alice Lengagne. Elle a passé quelque temps chez Aurélie et Julia Bondues, revenues à Paris après un bref séjour dans la Beauce. Puis, avant de rejoindre Ramon en Limousin, pour ces retrouvailles si cruellement terminées, j'ai accompagné ma sœur dans ce couvent de Dordogne où j'allais apprendre, des semaines plus tard, son arrestation.

Apparemment, la Gestapo avait pris le relais de la police de l'armée.

Au couvent, où une amie de la tante Isabelle devenue veuve en 1940 avait pris presque aussitôt le voile, on ne connaissait ma sœur que sous le nom de Lengagne. On n'avait même pas encore songé, allez savoir pourquoi, à prévenir la tante, quatre jours après l'arrestation. La peur peut-être. Ou la coupure avec le monde extérieur. C'était sur moi que tombait la nouvelle, moi qui venais de perdre Ramon... qui étais venue là pour partager mon chagrin. Une si grande peine.

Quand j'ai repris mon vélo pour rejoindre le bourg voisin, je ne voyais plus rien. Les larmes. J'ai failli tomber. Je me suis décidée à poursuivre à pied, prenant des petits chemins entre les champs de maïs, de tabac, les prairies où traînassaient des moutons.

Je me souviens d'avoir croisé une petite bergère — il existait encore des petites bergères en ce temps-là, des gamines assises sous un arbre, en compagnie d'un chien, tout à fait comme dans les contes pour enfants. Elle semblait assez délurée, tricotait un cache-col ou quelque chose de ce genre.

J'ai dû l'effrayer en surgissant soudain derrière elle. Elle s'est dressée, vive, m'a vue en larmes. « Vous avez mal, madame ? Vous êtes tombée ? Vous voulez mon mouchoir ? » Non. D'un signe de tête. Sans un mot. J'ai même esquissé un geste de la main, comme pour la repousser. C'est plus loin seulement que j'ai regretté. J'étais tentée de rebrousser chemin pour m'excuser, lui dire que je m'en voulais de m'être montrée si brusque, absente. Elle n'aurait pas compris peut-être. Elle devait être habituée à la brutalité, à l'incompréhension des adultes. Ce n'était pas une raison.

Je suis remontée sur mon vélo, aux abords du bourg où j'avais, la veille, trouvé une chambre.

Ma logeuse n'a pas prononcé une parole quand j'ai

gravi, sans même la saluer, l'escalier qui montait à cette chambre : beaucoup, en ces temps-là, commençaient à apprendre les vertus du silence. Je me suis jetée sur le lit pour pleurer tout mon soûl.

Au soir, la femme, une veuve de 14-18, des photos du poilu tapissaient toute la maison, a tapé à la porte : est-ce que je voudrais de la soupe, ou une bonne omelette avec des champignons de l'année précédente, des cèpes mis en conserve dans un pot ? Non. Rien. Je ne voulais rien. Du vin, si, du gros rouge si elle en avait, je payerais ce qu'il faudrait, ça m'aiderait peut-être à dormir, ça m'assommerait. Et qu'elle me réveille dès l'aube. Je venais de décider de ne pas retourner au couvent : les affaires d'Aline pouvaient attendre, y seraient bien gardées. Moi, j'allais filer à Paris. Pour tenter de trouver Guida, qui m'aiderait peut-être, s'il lui restait un peu de cœur. Je voulais le croire.

VII

Les Allemands de l'Hôtel Meurice ouvraient de grands yeux. Plus agacés qu'étonnés ou désolés. Non, ils ne connaissaient pas. Comme j'insistais, baragouinant, presque violente, ils se décidèrent à consulter registres et annuaires. L'une des deux « souris grises » de l'accueil — si on pouvait appeler « accueil » leur manière de recevoir les visiteurs au comptoir du concierge de l'hôtel où elles trônaient — consentit même à enfoncer une fiche dans un standard téléphonique pour appeler une interlocutrice, ou un interlocuteur, je ne sais pas, avec qui elle échangea des plaisanteries très amusantes, à en juger par ses rires, avant de me redire que, non, on ne connaissait pas. Je bouillais. Je n'avais en tête que le sort d'Aline. Et cette grosse fille réjouie... Elle tenta pourtant de m'expliquer que Guida avait peut-être changé de service : le « Gross Paris », comme elle disait, s'étendait tellement.

Je pestais, pensais que leur administration devait être aussi boursouflée que la nôtre. Un officier qui passait dans le hall s'approcha pour jouer les interprètes. Celui-là, un petit brun, un peu grassouillet, s'exprimait dans un excellent français, sans une pointe d'accent. Il suggéra que je laisse un message à l'intention de Guida, que l'on ferait passer dans les services. Si elle ne prenait pas contact aussitôt avec moi, je devrais revenir : peut-être pourrait-on alors me donner des indications sur sa nouvelle affectation.

Je crus un instant qu'il allait me faire un numéro de charme. Mais non. Salut. Claquement de talons. Il avait déjà disparu, prestement englouti dans une voiture qui l'attendait devant l'entrée. Bien : il fallait le ranger parmi les « corrects » puisque « correct » avait été, dans les premiers temps de l'Occupation, leur grand mot.

Je m'éloignai, moi aussi, par la rue de Rivoli et la Concorde, à peu près vides de voitures mais encombrées de panneaux indicateurs aux sigles incompréhensibles. Le ciel, ce jour-là, était d'un bleu très pâle. J'avais envie de marcher. Je me préparais à mettre au point toute une stratégie avec Clément Boidin que j'avais enfin réussi à joindre à Lille et qui espérait être à Paris le lendemain. Il faudrait établir une longue liste de démarches : des personnages que j'avais jadis approchés, que les journaux évoquaient souvent, qui devaient donc jouer un rôle dans la vie parisienne, entretenir avec les occupants quelques relations.

Sur la rive gauche, non loin de l'École militaire, je ne prêtai guère attention d'abord à quelques camions garés près d'un grand immeuble et qu'entouraient des soldats casqués et armés. Un groupe de badauds s'était formé de l'autre côté de la rue. J'allais le traverser, uniquement préoccupée de trouver un moyen d'intercéder en faveur d'Aline, quand une file d'hommes portant mallettes et valises sortit de l'immeuble, courant presque, d'autres soldats aux fesses, qui leur criaient des « *schnell* » et des « *los* ». Je compris vite : les civils portaient tous l'étoile jaune. Je m'arrêtai. Silencieuse comme mes voisines et mes voisins. Les Allemands faisaient grimper ces hommes — *schnell*, vite, *schnell* — dans des camions qui, bientôt surchargés, démarraient aussitôt.

J'étais comme paralysée. Un vieillard, derrière moi, grommelait. J'entendis seulement : « ... malheureux ». Mais une autre file sortait de l'immeuble gris, une école peut-être, ou un orphelinat, je ne sais plus. C'était, cette fois, des femmes, des juives aussi, qui tenaient par la main de petits enfants. Deux ou trois portaient même un bébé dans les bras. Quelqu'un, parmi les badauds, cria « non ! ». Une adolescente, je crois, que deux hommes âgés emmenèrent aussitôt : « Taisez-vous. Ou bien ils vous prendront aussi. » Ils avaient sans doute raison mais d'autres cris, éperdus, gémissants, suraigus, dominaient tout désormais : surgies d'on ne sait où, des « souris grises » avaient entrepris de séparer mères et enfants, avec l'aide des soldats. Les gosses pleuraient, trépignaient, s'accrochaient aux manteaux ou aux jupes de leurs mamans. Suraigu, un cri traversa mon ventre jusqu'au cœur. J'eus soudain devant les yeux une image de mon vieux catéchisme qui représentait le massacre des Innocents. Notre petit groupe esquissa un mouvement, avança d'un pas, de deux peut-être, toujours silencieux pourtant, figé. Mais déjà quelques soldats traversaient la rue, tenant leurs fusils à l'horizontale, comme des barrières. Une femme, près de moi, pleurait. Je n'avais d'yeux que pour les « souris grises ». Et une obsession : pourvu que Guida... Non, elle ne figurait pas dans cette petite escouade qui remontait déjà dans un camion, son horrible travail terminé. Mais elle portait cet uniforme, elle le portait volontairement. Aurait-elle accepté une telle tâche ? En avait-elle accompli ? Cette fille avait pourtant eu pour moi quelques délicatesses. Les autres aussi, peut-être, qui venaient d'arracher des enfants à leurs mères. Comment pouvaient-elles, comment pouvait-on ?

Les camions avaient disparu, les badauds s'étaient dispersés. Je ne pouvais plus marcher. J'ai hélé un vélo-taxi, lui ai donné l'adresse de Julia Bondues. Je ne pouvais pas rester seule avec ma peine. « Avec ma peine. » Ces trois mots battaient dans ma tête, interdisaient toute autre pensée. C'était ceux d'une chanson devenue rengaine, adoptée disait-on par les femmes des prisonniers : « Je suis seule ce soir, avec ma peine... » Je me sentais vidée, sans forces, si pauvre. Avec ma peine.

Julia Bondues et Aurélie, qui s'étaient séparées après le mariage de celle-ci, habitaient à nouveau ensemble, près de la porte de Versailles. A l'arrivée des Allemands, elles avaient tenté de fuir, comme beaucoup, sans pouvoir aller plus loin que la Beauce. A la fin de l'été 1940, Aurélie avait enfin reçu des nouvelles de Paul Bonpain, enfermé dans un stalag, un camp pas très éloigné de Berlin. Elles avaient réouvert, avec Juliette et son amie Violette, leur atelier-commerce de modiste. Qui marchait bien : n'ayant guère la possibilité, le plus souvent, de changer leur garde-robe, les femmes se rattrapaient, si l'on peut dire, avec les chapeaux, que l'on pouvait faire, ou modifier avec trois fois rien, bouts de dentelle ou de rubans, voire copeaux de bois, coton hydrophile ou papier buvard. Les débuts de l'Occupation avaient vu se multiplier les turbans, des cache-misère bien pratiques pour les mal-coiffées et les cyclistes. Mais commençaient de resurgir, et à prendre d'extravagantes altitudes, les galettes qui avaient tenté une brève apparition en 1939. Pour je ne sais quelle raison, peut-être parce que l'on élevait partout de la volaille pour se nourrir, on les plantait souvent de plumes, aussi grandes que possible, appelées « couteaux », qui se donnaient parfois des allures de paratonnerres disgracieux. Sacha Guitry, flatteur ou indulgent, disait que ces immenses coiffures tiraient les femmes vers le ciel. Je n'en suis pas aussi certaine.

Ce jour-là, bien sûr, j'avais d'autres préoccupations — le mot est faible — que l'évolution de la mode. Je veux seulement expliquer ici pourquoi, bien que l'on manquât d'à peu près tout, ces quatre femmes ne manquaient pas de travail. Surtout, elles étaient solides, me réchauffaient toujours le cœur.

Je tombai chez elles hébétée, abattue, brisée. Une image avait surgi alors que je réglais, au pied de leur immeuble, l'homme du vélo-taxi dont je ne vois plus le visage si je l'ai jamais vu : j'étais ailleurs, avec cette image de Guida arrachant un bébé des bras de sa mère, comme les soldats romains à Bethléem sur le dessin de mon vieux catéchisme. Guida, la fille de la douce et forte Blandine. Mais non. Impossible. Je ne voulais pas croire qu'elle eût agi ainsi. Je n'en étais pas certaine pourtant. Le doute est parfois pire que la certitude. Il pourrit.

Julia Bondues eut l'astuce de me faire parler, et parler encore, et parler toujours. De la tragédie que je venais de côtoyer, d'Aline et de Ramon. J'avais d'abord résisté, tenté de jouer la forte. Quelques secondes. Pas davantage. Je n'étais venue que pour cela. Dire mon malheur. tous les malheurs. Je me souviens de m'être emportée, un instant, en évoquant les noms de quelques écrivains partis pendant ce temps parader en Allemagne, Chardonne, Jouhandeau, à quoi Aurélie ajouta les noms des gens de cinéma, Danielle Darrieux et Suzy Delair, très connue alors. J'aurais pu citer aussi Coco Chanel qui avait voulu profiter de la législation antisémite pour remettre la main sur la société de parfums vendue par elle, avant la guerre, à des Juifs. Mais je n'avais pas de cœur pour la colère. Seulement pour la pitié et l'angoisse.

J'ai parlé longtemps, raconté en détail la mort de Ramon, le couvent d'Aline. Je voyais arriver l'heure du couvre-feu, je l'attendais : je n'aurais pas supporté de me trouver seule chez moi, ce soir-là. Julia Bondues l'avait compris, elle multipliait les questions dès que je m'interrompais. J'ai dormi chez elles. Elle avait tiré d'un lit un matelas qu'elle étendit à terre, un geste habituel chez elle quand il fallait héberger quelqu'un. Mais elles voulurent absolument que j'occupe, moi, le canapé d'Aurélie. Je me retrouvai dans sa petite chambre, envahie de photos de Paul. Je ne dormis pas, ou si peu. Très tôt, le matin, je guettai les bruits du petit appartement, impatiente de les entendre bouger, afin de pouvoir me lever moi aussi.

Alors que nous allions nous quitter, Aurélie m'a donné un nom auquel elle avait pensé dans la nuit, celui de Cocteau, le vieux complice de l'oncle Lucien pendant l'autre guerre. Grande lectrice de journaux, elle avait eu connaissance de son enthousiasme pour l'œuvre d'Arno Brecker, le sculpteur officiel des nazis, dont les statues représentant des corps d'éphèbes, des jeunes hommes purs et durs, au profil tout ce qu'il y a de nordique selon les critères raciaux en vigueur, venaient d'être exposées à Paris. Les hebdomadaires parisiens de la collaboration insultaient parfois Cocteau, je le savais, mais on pouvait supposer qu'il gardait quelques relations du côté allemand : rien n'est jamais tout à fait simple. Je me mis plus tard à sa recherche, mais il ne semblait pas être à Paris, et j'écrivis à l'oncle Lucien, à tout hasard.

Ce matin-là, j'avais d'abord couru à la gare du Nord pour accueillir Clément Boidin. La veille déjà, après mon coup de téléphone, il avait rencontré les Allemands qu'il connaissait à Lille : les affaires allaient de mal en pis, sauf le lin et la rayonne, ce qui lui permettait de garder avec eux quelques relations. D'autant qu'il avait racheté pour quatre sous une usine de dentelles et presque aussitôt décroché une commande de moustiquaires, mais oui, pour la Wehrmacht, l'armée allemande. Ses interlocuteurs ne lui avaient guère laissé d'espoirs, même celui qui l'avait averti du danger couru par Aline : la Dordogne était loin, les services qui luttaient contre « le terrorisme » — c'était le nom donné à la Résistance — peu causants.

Côté Allemands de Paris, son carnet d'adresses était peu garni. Il s'était donc mis en tête d'aller à Vichy. La plupart des industriels du Nord admiraient beaucoup Pétain, du moins pour son style « Travail, famille, patrie », mais son gouvernement se souciait fort peu de leurs problèmes, laissait les Allemands de Bruxelles décider et trancher en tous domaines. L'un d'eux, un Tourquennois, instigateur d'une lettre collective à Pétain pour demander la révocation des instituteurs et des professeurs ayant failli à leurs devoirs de Français, connaissait à Vichy un haut fonctionnaire qui avait l'oreille de Bousquet, secrétaire général de la Police. Il lui avait donné une lettre de recommandation. Nous nous répartîmes donc les rôles : Boidin Vichy, moi Paris.

Il repartit dès le lendemain. Je quêtais, chaque jour plus inquiète, des nouvelles d'Aline. Je traînai de bureau allemand en bureau allemand, j'allai à la Croix-Rouge, à la Préfecture de police, je rencontrai des journalistes croisés avant la guerre au temps où je dirigeais *La Vie en rose* et qui avaient basculé du côté de la collaboration. On ne me faisait guère de sourires, pas plus de promesses. On verrait. On tenterait de savoir. J'avançais dans un tunnel obscur. J'en vins à regretter l'absence de mon ancien mari — on dirait aujourd'hui mon « ex » —, Olivier de Lontrade, qui avait travaillé un temps aux côtés de Fernand de Brinon, nommé par le gouvernement de Vichy ambassadeur de France à Paris — oui, oui, il y eut une ambassade de France à Paris, un comble ! —, mais Olivier l'avait quitté, le trouvant décidément trop proche des Allemands, pour se faire nommer à l'ambassade de Budapest. Dans l'espoir aussi de retrouver Jenka, son ancienne maîtresse, j'imagine.

Manque de chance pour lui : elle se trouvait à Paris. Lorsque, ne recevant aucun message de Guida, je suis retournée, sans espoir mais assez vite, à l'Hôtel Meurice, l'une des « souris grises » m'a remis une enveloppe à mon nom. La surprise : c'était une lettre de Jenka. Elle souhaitait me voir, me donnait un numéro de téléphone où je pourrais la joindre. Je ne comprenais pas ce qu'elle faisait là. La Hongrie s'était engagée, aux côtés de l'Allemagne, dans la guerre contre la Russie, mais le régent Horthy, cousin de Jenka, tentait de préserver, semblait-il, une certaine indépendance.

J'appelai aussitôt, bien sûr : son message était comme une petite lumière, la plus inattendue.

Jenka me donna rendez-vous le lendemain, à l'heure du thé, dans un immense appartement qu'elle occupait près du Palais de Chaillot, avec son mari. La raison de sa présence à Paris était simple : après être passée de bras en bras, cette maîtresse femme soudain amoureuse comme une midinette avait épousé l'attaché militaire allemand à Budapest devenu, au long des années, général et commandant une unité installée dans la région parisienne. Désormais allemande, elle l'avait suivi — « la vie ici est tellement agréable, vos artistes et vos écrivains si gentils » — et pris en charge je ne sais quelle organisation officielle de loisirs au service des soldats et des souris grises. Une responsabilité qui me parut bien légère pour une femme qui démontrait jadis, dans son pays, passion et talent dans l'art politique. Je la soupçonnais d'exercer d'autres activités dont elle ne voulait pas me parler. Toujours est-il que, suivant des voies administratives obscures, mon message de recherche de Guida lui était passé sous les yeux.

De Lontrade — j'avais gardé mon nom de femme mariée — elle connaissait. Et pour cause ! Mais nos rivalités appartenaient à un passé déjà lointain. Elle pouvait peut-être m'aider. Je fis bonne mine.

Elle m'avait accueillie avec exubérance, embrassée avec quelque insistance. Je me demandais ce que ses lèvres cherchaient, furtives, dans mes cheveux, bientôt à la base de mon cou. Je ne me sentais guère attirante pourtant. Surtout surprise. Quand je m'écartai, je la trouvai à peine vieillie, le même visage lisse, les yeux d'un velours profond, les cheveux magnifiques, en torsade, qu'elle décida soudain de libérer.

Il me fallut rester là deux heures, tant elle souhaitait s'expliquer, s'épancher. Toujours souriante, volubile. Je voulais m'éclipser avant le retour possible de son général. Mais j'avais besoin d'elle, pour Aline d'abord. Pour Guida aussi peut-être. Elle me promit tout ce que je voulais, sans cacher les difficultés qu'elle risquait de rencontrer puisque ma sœur n'avait pas été arrêtée par la Wehrmacht. L'armée, expliquait-elle en mimant un frisson, ne parvenait guère à contrôler la Gestapo — ne le souhaitait d'ailleurs pas —, d'autant que celle-ci s'était adjoint des officines françaises, un ramassis d'aventuriers affairistes et sanguinaires. J'eus quelque peine à échapper à ses bras : la peau de mon cou semblait être, pour elle, très désirable. Ce qui m'inspira quelque espoir. Elle agirait.

J'avais raison. Deux jours plus tard, elle me rappelait. Elle avait trouvé la trace de Guida, mais ne voulait pas parler au téléphone. Rendez-vous à l'heure du thé, chez elle.

C'est alors qu'elle me parla du Lebensborn, où Guida s'était engagée.

Engagée : je ne sais pas si ce mot convient. Car le Lebensborn, un terme qui signifie « Fontaine de vie », était une étrange institution nazie, la plus folle peut-être, aujourd'hui encore trop méconnue, qui ait pu surgir dans des esprits racistes. Précisément dans celui de Himmler, le chef de la SS, d'après ce que Jenka croyait savoir. Il s'agissait d'assurer l'avenir de la race supérieure, germanique bien sûr, l'espèce royale de l'humanité. Ces mots étaient les leurs, soulignait-elle, avec un petit gloussement provoqué peut-être par ma mine ébahie. Je me demandais où elle voulait en venir. Je l'avoue : j'imaginais mal la suite et ce que Guida pouvait faire dans une telle histoire.

Ce qu'elle pouvait faire était pourtant simple : un enfant. Un enfant issu d'un couple sélectionné. Elle, d'abord, dont on avait sans doute vérifié, expliqua Jenka, qu'elle présentait tous les caractères de la race nordique : on prenait en compte les origines familiales mais on mesurait aussi le tour de tête, la longueur du nez, et je ne sais trop quoi. Et l'homme ? Elle ne pouvait pas le choisir. On lui désignait d'office un membre de la SS, sélectionné lui aussi. C'était, selon Himmler, un devoir d'honneur pour chaque führer SS de donner ainsi sa semence pour créer un homme nouveau, l'offrir à Adolf Hitler.

Je tombais des nues. Ces gens-là se prenaient pour Dieu lui-même ! J'entendais à peine Jenka qui décrivait les haras humains où se formaient ces couples provisoires au cours de nuits qui commençaient par de grandes fêtes. L'un d'eux se trouvait, m'a-t-elle expliqué plus tard, à Munich. Guida ne devait donc pas être dépaysée. Himmler poussait, si j'ose dire, à la production : compte tenu des pertes de l'armée allemande depuis le début de la guerre, il importait de multiplier les naissances.

Je pensai à Blandine, là-bas, de l'autre côté de l'océan.

Si elle savait... Elle ne pourrait pas imaginer. Et cette jeune Guida, plutôt mignonne, assez faible en fin de compte pour s'être laissé ainsi embobiner, embrigader. Je la voyais dans les pattes d'un de ces bonshommes vêtus de noir que l'on rencontrait parfois dans Paris et qui n'étaient pas tous des éphèbes, de jeunes et beaux mâles comme les représentaient Arno Brecker ou les affiches de la propagande.

Mais l'enfant, les enfants ? J'avoue que je ne m'étais pas posé la question aussitôt. Simple, répondait Jenka : on les enlevait vite à leurs mères, on leur inventait une identité. On les plaçait dans des établissements spécialisés, des orphelinats où l'on en ferait, au fil des ans, de parfaits petits nazis.

Cette fois, j'ai craqué. Existait-il une malédiction, un mauvais sort, que sais-je, qui de génération en génération reproduirait, dans des circonstances différentes certes, les mêmes situations ? Blandine avait perdu, si longtemps, Aurélie. Voilà que Guida... Mais Blandine n'avait que « placé » sa fille, comptant bien la revoir aussitôt la guerre terminée. Tandis que Guida...

Fous. Ils étaient fous. Des monstres. Comment pouvait-on les prendre un instant au sérieux, traiter avec eux ?

Jenka a pris conscience de ma détresse, s'est empressée : café ? thé ? eau ? petite liqueur ? cachet ? Rien. Non, rien. A quoi bon ?

Elle est venue s'asseoir près de moi, sur le profond canapé. Elle frôla mon épaule du doigt, mon coude s'emboîta dans sa main, elle m'attira, se creusa pour m'accueillir contre elle, ses cheveux dénoués me couvraient presque le visage. Je me laissai aller, petite fille perdue.

Le téléphone, par chance, sonna. Elle attendit un peu, se résigna à me quitter pour décrocher. J'entendis des réponses brèves, en allemand, très agacées. Des « *nein* » et des « *nein* ».

J'avais eu le temps de me reprendre. Savait-elle quelque chose d'Aline ? Si j'avais cherché Guida, elle ne devait pas l'oublier, c'était d'abord pour obtenir des nouvelles d'Aline.

Non. Elle n'avait rien appris. Son général se souciait pourtant de cette affaire. Il avait interrogé les services de renseignement de l'armée. Mais la Gestapo ne livrait pas aussi facilement ses informations. La rivalité des polices existait partout. Encore plus cruelle de ce côté.

Je me suis demandé plus tard si elle n'était pas informée, déjà : en me faisant attendre, elle me tenait, elle me contraignait à revenir. Je ne suis pas persuadée, aujourd'hui encore, qu'elle ait ainsi calculé. Elle pouvait aussi se montrer généreuse, s'apitoyer. Elle adorait manipuler hommes et femmes, les dévorer, trouver par eux des plaisirs, exercer à travers eux son pouvoir — je m'en étais déjà aperçue à Budapest —, remporter sur eux victoire après victoire. Mais elle avait des sincérités aussi : ce jour-là, en me décrivant le Lebensborn, elle était, j'en suis certaine, aussi horrifiée que moi.

Le lendemain, je rencontrai Cocteau, réapparu à Paris : à la demande de l'oncle, il m'avait donné rendez-vous. Chez Calvet, un restaurant du boulevard Saint-Germain où il avait ses habitudes quand son portefeuille le permettait et où il rencontrait parfois l'écrivain-capitaine allemand Ernst Jünger. L'un de ces endroits où l'on pouvait trouver, moyennant finances importantes, homard et charcutaille, soles et volailles, fromages et vraies pâtisseries au beurre et au sucre, ce qui donnait aux clients, voyant passer sur le boulevard des affamés, un fort sentiment de puissance, comme l'écrivit ensuite Jünger.

Cocteau était alors en pleine actualité : la Comédie-Française venait de créer sa tragédie en vers, *Renaud et Armide*, qu'il avait lue auparavant dans un salon très sélect devant Gaston Gallimard, Jean Marais bien sûr, Jünger — encore lui — et un autre Allemand très « culturel », le lieutenant Heller. Lesquels avaient beaucoup apprécié. Il n'empêche : les journaux de la collaboration l'avaient démoli. L'un d'eux, *Révolution nationale*, s'était même permis de le critiquer en alexandrins qui faisaient une grossière allusion à ses mœurs :

Au Théâtre-Français, on jouait Cocteau,
L'autre soir, on battait des records de recettes,
Les tapis poussiéreux ont besoin de tapettes.

Je m'attendais donc à rencontrer un homme inquiet. Ce ne fut pas le cas. Comme le disaient ces vers de mirliton, le théâtre battait des records de recettes, ce qui réjouissait notre auteur. Pour le reste, il se montra très aimable, mais me laissa entendre qu'il ne pouvait rien, que ses rapports avec les Allemands se limitaient à son admiration pour les sculptures d'Arno Brecker. Je le crus. Qui pouvait quelque chose ? J'avais le sentiment de me heurter aux murs d'une forteresse.

Jenka m'a rappelée deux jours plus tard. Elle avait des nouvelles ! Je pouvais venir aussitôt. Elle m'attendait. J'ai hésité un quart de seconde, pensé lui donner rendez-vous dans un café, un quelconque lieu public. Mais j'étais trop avide de savoir. J'ai couru place du Trocadéro.

Bien que la matinée fût très avancée, elle portait un peignoir, très ouvert sur une chemise qui laissait voir ses seins. Je n'ai pu m'interdire un petit mouvement de recul. Mais Aline.

Je ne sais si elle a perçu ma réserve. Je le crois. Elle n'a rien tenté, ce jour-là. Ce qu'elle devait me dire était assez horrible. Aline, après son arrestation, avait été emmenée à Bordeaux, puis à Paris, transférée ensuite en Allemagne, dans un camp.

Jenka tentait de me décrire ces camps comme des prisons plutôt paisibles. Mais elle mentait mal, cette fois. J'avais dans l'esprit les récits et les images, si inquiétantes, de ce livre que Ramon avait prêté à Guida, des années plus tôt, ce livre intitulé *Le peuple allemand accuse*, auquel ma nièce n'avait guère accordé de crédit. Je ne savais pas encore qu'il était bien au-dessous de la réalité, que les nazis avaient affiné leurs tortures, que les déportés et les déportées étaient aussi les victimes prioritaires, toutes désignées, des privations provoquées par la guerre, qu'il s'agissait de camps de la faim, du froid, du mépris, de la mort.

Clément Boidin rentra de Vichy abattu. Il avait perdu son temps en courant dans la ville d'eaux devenue un ersatz de capitale. Parce que l'ersatz de gouvernement était en crise : il n'était bruit dans ce petit monde que d'une nouvelle tentative, vite avortée, de Pétain pour se débarrasser de Laval. Ensuite parce que l'étoile de Bousquet clignotait de faiblesse : s'il avait pu auparavant, comme le disaient ses proches, protéger des communistes, des francs-maçons ou des Juifs, il n'était plus tout à fait en odeur de sainteté chez les Allemands, les SS notamment. Faire sortir qui que ce soit d'un camp — quel camp, d'abord ? — était impossible.

Restait la Croix-Rouge internationale. Boidin, qui ne reculait devant rien et dont la déprime n'était pas l'état naturel, résolut de partir pour la Suisse.

En attendant, je l'emmenai chez Julia Bondues. Il avait essayé, lors d'autres passages par Paris, de l'inviter, ainsi qu'Aurélie et Juliette, dans les meilleurs restaurants, Le Chapon fin de la porte Maillot, Ramponneau, Drouant, Prunier, d'autres encore un peu moins voyants mais aux cuisines bien achalandées. Elles refusaient toujours.

D'ordinaire, je les réunissais chez moi et il se chargeait d'apporter des victuailles dans un vieux carton qui n'attirerait pas l'attention des policiers toujours prêts à vous soupçonner de marché noir et confisquer la marchandise, souvent pour leur consommation personnelle.

Les chapeaux se vendaient bien, je l'ai dit. Sauf à l'exportation, un secteur qu'Aurélie avait un peu développé dans les derniers temps de l'avant-guerre. Leurs revenus restaient donc limités, d'autant qu'elles avaient toujours refusé toute aide financière, même de Blandine. Il n'était donc pas question pour elles de s'offrir des grands crus, du foie gras ou du homard. Il n'en aurait pas davantage été question, d'ailleurs, si elles en avaient eu les moyens.

Elles étaient ainsi. Or, Clément Boidin prenait un malin plaisir, quand je les invitais ensemble, à me fournir en victuailles hors de prix. Aurélie, un jour, avait tenté de l'en dissuader. Il faisait mine de ne pas comprendre. Elle s'était résignée à déguster en compagnie de Maria, de Juliette et de la jeune Violette — qui ne montrait aucune réticence, elle ! — des grands bordeaux où d'illustres bourgognes pour arroser des plats sortis de chez les meilleurs traiteurs.

Leurs rapports avec Boidin restaient difficiles. Il était, certes, l'oncle d'Aurélie, mais, de longues années durant, elles l'avaient connu seulement comme leur patron. Un patron très lointain, très exigeant aussi, j'imagine : quand on y est passé soi-même, on connaît tous les tours et les détours que peuvent utiliser ouvrières et ouvriers pour échapper aux rigueurs du travail. Cela ne pouvait s'oublier. Il aimait l'argent, en outre. L'argent, elles ne le détestaient pas, mais le considéraient avec une sorte de respect, se montraient peu disposées à le dépenser. Les pauvres ne se font pas si vite à l'aisance, même relative. A l'exception de Violette. J'ai souvent remarqué qu'elle se mettait en frais de beauté et de sourires pour Boidin. Il n'y était pas insensible. En d'autres temps et d'autres lieux peut-être, ces deux-là auraient pu... Mais, là, la belle Violette était bien obligée de suivre le chemin des autres. Boidin, lui, avait la tête et le cœur ailleurs. Et quand elle se penchait pour lui montrer ses beaux seins sous prétexte de lui avancer un plat ou un verre, il tournait les yeux, presque gêné, vers Aurélie.

A son retour de Vichy, je n'eus pas le cœur à les inviter tous. Ni le temps de les prévenir. Je l'ai donc amené chez Julia Bondues, emportant quand même deux saucissons et des conserves de petits pois. Ce fut une étonnante soirée. Clément avait commencé par leur raconter les usages désuets encore respectés dans la petite ville d'eaux, les papotages dans les restaurants du bord de l'Allier, les intrigues de la petite cour du Maréchal, les folies d'un amiral, Platon, qui voyait des francs-maçons partout et voulait tous les coffrer. Mais il n'a pas tenu longtemps. Il avait l'angoisse au cœur. Elle a débordé.

Julia Bondues possède un je-ne-sais-quoi, une sorte d'évidente bonté, de capacité d'accueil, appelez ça comme vous voudrez, qui attire les confidences. J'en avais déjà fait l'expérience. Boidin, quand même, c'était une affaire plus rude. Au détour d'une phrase, fatalement, l'objet de ce voyage a surgi : Aline, dont le sort occupait les esprits et qu'il voulait sauver. Tout, alors, s'est enchaîné : ses peurs mais aussi comment il l'avait aimée, les crises de leur couple, tout. J'ai plusieurs fois pensé l'interrompre. C'était facile : il parlait lentement, ses phrases venaient de loin, hachées de silences. Mais, justement, je n'osais pas tirer parti de ces silences. Ils ne m'appartenaient pas. Ils ne nous appartenaient pas. La belle Violette elle-même avait repoussé sa chaise dans un coin, discrète.

Il fallait quand même partir tôt, avant le couvre-feu. Sur le pas de la porte, il s'est tourné vers Julia Bondues et l'a embrassée. Boidin !

Dois-je dire que nous avions à peine entamé les saucissons ?

Le lendemain, il a pris un train pour Lyon. Je ne me suis pas demandé comment il entrerait en Suisse sans visa et autorisations de toutes sortes : par « France-Rayonne », il disposait d'un réseau de relations dans la région, et l'argent vaut bien des visas.

L'argent ne peut pourtant pas tout. La Croix-Rouge internationale peinait comme chacun à pénétrer dans la forteresse nazie. Quand ses représentants y parvenaient, on les trompait sans vergogne. On ne leur livrait les informations qu'au compte-gouttes.

Clément était rentré depuis longtemps sans aucune information, des semaines s'étaient écoulées, quand parvint enfin de Genève, un nom : Ravensbrück. Il avait sans doute laissé en Suisse, à je ne sais qui, beaucoup d'argent, qui avait ensuite coulé vers l'Allemagne, car Aline avait été classée NN (*Nacht und Nebel*, Nuit et Brouillard) :

les Nuit et Brouillard perdaient en entrant au camp leur identité, devenaient des inconnus pour le monde extérieur ; nul ne devait plus entendre parler d'eux. Savoir où elle se trouvait était presque miraculeux.

C'est Jenka qui me l'a expliqué ensuite. Je l'avais revue. La guerre avait fini par la frapper, elle aussi : son général avait été envoyé sur le front russe. La catastrophe que tentaient d'éviter par tous les moyens les Allemands stationnés en France. Elle avait décidé de rester à Paris plutôt que de s'enfermer dans le vieux château brandebourgeois de son mari, qui lui était étranger.

Cette fois-là, c'est elle qui m'est tombée dans les bras. Un peu plus tard, nos bouches se sont ouvertes l'une à l'autre. Elle a pris ma tête entre ses mains. Je me suis reprise, déprise bien vite. Elle a eu un petit sourire, dépité, amical, malheureux.

Ravensbrück : dès que ce nom nous était parvenu, nous avons cherché, Clément et moi, sur les Atlas, comme Aline et Père l'avaient fait quand Mère avait été internée, pendant l'autre guerre, à Holzminden. Notre histoire bégayait une fois encore. En pis. Nous avons cherché longtemps. Le village, peu important, figurait sur bien peu de cartes. Il n'était pas loin de Berlin : un peu moins de cent kilomètres.

Jenka, qui gardait bien des relations parmi les Allemands de Paris, me fournit bientôt des informations plus précises. Ravensbrück avait été créé juste avant la guerre pour interner des femmes, surtout des Allemandes alors, puis quelques Autrichiennes. Ce camp appartenait à la SS, la chasse gardée des hommes en noir. Des femmes aussi.

Nous ne pouvions qu'attendre. Et espérer.

VIII

Une aussi longue attente. Un an déjà qu'Aline avait été emmenée. Deux mois et quelques jours qu'Américains et Anglais avaient débarqué en Normandie. La patience en lambeaux. Enfin, les premiers signes de la débâcle allemande, leurs voitures crasseuses qui traversaient Paris chargées de soldats épuisés. D'autres voitures, celles de leurs amis français, qui, débordant de bagages, fuyaient vers l'Est. Les journaux de la Résistance bientôt vendus dans les rues presque sous les yeux des occupants. Cette merveille de drapeaux pavoisant les fenêtres. Les barricades, les rafales de mitrailleuses, les femmes parées de tricolore, les cloches de toutes les églises enfin annonçant la libération de Paris.

Je ne jouai qu'un fort modeste rôle dans cette histoire : j'accompagnai l'équipe de Pierre Crénesse qui prit le contrôle de Radio-Paris, arraché aux collaborateurs. Pour le reste, je courus, comme beaucoup, applaudir de Gaulle. J'aperçus à peine son képi. J'embrassai quelques tankistes de la division Leclerc. Je me laissai embrasser par d'autres. Rien que de très banal. Je n'aperçus même pas les femmes que l'on avait tondues et souvent dénudées parce qu'elles avaient couché avec des Allemands, et que d'autres, des lâches peut-être, des femmes qui auraient bien voulu naguère en faire autant, injuriaient. Cela m'eût soulevé le cœur.

Depuis le premier jour du soulèvement parisien, Jenka

s'était réfugiée chez moi, apeurée. Son mari avait été fait prisonnier à la fin de 1943 sur le front russe : elle n'a jamais su ce qu'il était devenu. Sans doute englouti dans un camp sibérien, comme tant d'autres. Des années après la guerre, elle a épousé un Australien. Ensuite, j'ai perdu sa trace.

Mais en août 1944, elle était bien là. Chez moi. Une Allemande d'origine hongroise. Un danger en ces jours où tous étaient devenus hyperpatriotes et revanchards. Il fallut inventer une histoire pour le concierge de l'immeuble et ma petite bonne : en effet, si Jenka parlait très bien le français, elle avait gardé un fort accent. Je décidai qu'on la dirait flamande ayant fui la Belgique en 1940 jusqu'en Normandie où elle était restée, et la Normandie au début d'août 1944 pour chercher refuge chez moi, sa cousine. Cela se tenait : dans le Nord, nous avons presque tous des cousins belges.

Par chance, elle n'avait jamais mis les pieds dans mon appartement pendant les années d'occupation. Inconnue donc, de la concierge et des voisins. Nous nous étions revues, trois ou quatre fois, toujours chez elle. Elle s'était montrée beaucoup moins entreprenante, ayant peut-être mesuré la minceur de ses chances. La disparition de son mari, surtout, l'avait beaucoup affectée. Elle m'avait appelée presque aussitôt. Je la trouvai au lit, ce qui m'inquiéta. Tandis que je lui disais des paroles de compassion, elle s'empara de ma main, ce qui renforça mon inquiétude, coucha sa joue dedans. Je ne savais que faire. Elle paraissait si fragile, soudain. Elle finit par se redresser, se jeter à mon cou. Je la pris dans mes bras. Elle lissa mes cheveux, je lissai les siens. Cela s'arrêta là... Elle me parlait de son général, m'interrogeait sur le sort que les Russes, qu'elle craignait et détestait, réservaient à leurs prisonniers.

Je n'en savais rien de plus que ce que disait la propagande allemande, à laquelle je ne voulais pas croire, et qui était terrifiant. Plutôt vrai, hélas, on l'a su par la suite. Je me fis pourtant rassurante. Je mesurais le cocasse de la situation : je tenais dans mes bras, pour la consoler, une femme éplorée qui avait été des années plus tôt la maîtresse de mon mari, et qui avait tenté de me séduire. Décidément, le monde changeait. La situation et l'esprit des femmes aussi.

Lors de nos rencontres suivantes, elle n'avait cessé de me reparler de son général. Au passé, comme si elle se croyait déjà veuve. Elle l'avait vraiment aimé, me racontait leur rencontre et leurs amours, sans omettre beaucoup de détails : j'ai parfois remarqué qu'en la matière les femmes sont plus prolixes, moins prudes que la plupart des hommes.

Elle poursuivait, officiellement, ses activités dans l'organisation des loisirs des soldats de la Wehrmacht et les abandonna en juin 1944 au moment du débarquement allié : ils avaient autre chose à faire. J'ai souvent soupçonné qu'elle travaillait quelque peu dans le renseignement. C'était l'image que je m'étais faite d'elle à Budapest quinze ou vingt ans plus tôt. Et quand elle chercha refuge chez moi le jour où des barricades s'édifiaient dans Paris, je lui posai crûment la question : je ne tenais pas à être embarquée dans une sale histoire. Elle a nié, toujours nié. Je ne l'ai jamais crue tout à fait. Chaque être présente des zones d'ombre, une part de mystère. Celle de Jenka dépassait la moyenne.

La libération de Paris, décidément, allait me valoir bien des surprises.

Le 27 août, le lendemain du défilé triomphal du général de Gaulle sur les Champs-Élysées, ma bonne m'annonça qu'un officier américain venait de sonner à la porte. Jenka se précipita, apeurée, vers sa chambre, tout au fond de l'appartement. J'avais moins peur, bien sûr, mais je m'interrogeais. Qui ? Quoi ? Pourquoi ?

C'était, engoncé dans un battle-dress qui ne lui allait pas très bien, un ancien ami de mon ex-mari à Washington, John Connoly. Un très grand garçon, de la taille qu'ont aujourd'hui les joueurs de basket, qui défendait à cette époque dans la capitale américaine les intérêts de l'industrie du caoutchouc, tentait par exemple de faire monter les droits de douane pour freiner la concurrence étrangère : ce qu'on appelle un lobbyiste. Nous avions beaucoup sympathisé avec lui, Olivier et moi, d'abord parce qu'il se passionnait pour la vie culturelle, sociale, même politique, en France, chose rare dans la capitale américaine, puis parce qu'il était toujours disponible pour nous emmener découvrir les coins ignorés de la côte Est, et, enfin parce qu'il était lui : drôle, curieux de tout, très vite amical.

Quand nous avons quitté Washington, il ne nous a pas oubliés : à la fin de décembre, chaque année, arrivait une carte très fleurie, d'assez mauvais goût en vérité : « *Happy new year* » et « *Sincerely yours* ». Je ne sais s'il en a adressé encore à Olivier quand nous nous sommes séparés. Avec moi, il a continué. Olivier, il est vrai, assurait que John Connolly m'aimait désespérément.

Il disposait d'assez importantes relations dans la capitale américaine, et du savoir-faire pour échapper à la guerre. Mais non. Il avait voulu s'engager dans une unité combattante — « pour libérer la France », me dit-il ce jour-là en plaisantant, mais cette plaisanterie cachait peut-être, pudique, une part de vérité. Il s'était retrouvé lieutenant dans la 4e division d'infanterie. Par chance, celle-ci, depuis quatre jours, avait accompagné les blindés de Leclerc dans la marche vers Paris.

Il n'était pas venu les mains vides : whisky, cigarettes, chocolat, chewing-gum, lait concentré. Un pactole ! J'appelai Jenka et, prudente, je servis à John l'histoire de la cousine flamande. Il l'écouta à peine. Il voulait tout savoir de ce qu'avait été notre vie pendant les quatre années d'occupation. Je lui dis nos peines et nos inquiétudes. Jenka hochait la tête, parlait peu. Sauf, un temps, pour en rajouter sur la brutalité des gestapistes et de la SS. Je craignis un moment que le whisky, dont elle se servait de longues rasades, ne lui fasse commettre quelque erreur. Mais non. Elle supportait bien.

John revint le lendemain. Cette fois, les rôles furent

inversés : il souhaitait se raconter. Son unité avait percé le front allemand à Saint-Lô. Ensuite, la course vers Paris, les routes poussiéreuses, les fusillades et les corps-à-corps, les cadavres d'hommes et de vaches dans les champs, les baisers des filles dans les villages et les faubourgs fleuris de drapeaux, les nuits dans les granges ou les lits, les départs au petit matin, la poussière et la boue, la peur qui vous tétanise et soudain vous abandonne. Les batailles et les parades donc.

Il avait eu la chance, lui, de se trouver plusieurs jours avec Hemingway, correspondant de guerre, que j'avais failli rencontrer à Madrid. Il nous racontait, drôlement, comment celui-ci avait préféré l'infanterie aux blindés jugés trop malodorants et dégageant trop de poussière. Mais Hemingway ne marchait pas pour autant. Il s'était d'abord emparé d'une moto avec side-car puis d'une grosse Mercedes-Benz d'état-major, une décapotable dont l'installation électrique, bousillée, avait été remise en état. Aux abords de Rambouillet, il avait même pris le commandement d'une troupe de maquisards auxquels il avait fourni des armes et aussi les uniformes d'un détachement de blindés de reconnaissance que les Allemands avaient « bousillés » — John disait « bousillé » et je me demandais si c'était Hemingway, vieil habitué des bars et des bordels de Paris, qui lui avait appris l'argot.

Hemingway, je l'ai aperçu le lendemain, au Ritz où des officiers américains avaient pris leurs quartiers. Aussi mal habillé que John, la fermeture éclair de son blouson arrachée, il pestait contre les *Krauts* — les « Boches » pour les Américains — par habitude, et aussi contre le taux de change, cinquante francs pour un dollar, lequel en valait quatre fois plus selon lui. Ce qui rendait le coût de la vie exorbitant.

Je n'avais pas envie de le plaindre ce jour-là, pas plus qu'aucun des militaires présents. Bien sûr, ils avaient risqué leur peau pour un pays dont la plupart soupçonnaient à peine l'existence cinq ans plus tôt, et ils risqueraient encore mort et mutilation quand ils regagneraient le front. Mais leurs visages presque enfantins, roses, leurs joues rebondies, une certaine manière d'être, de plaisanter, donnaient à penser qu'ils n'étaient que des guerriers d'occasion, peu faits pour la tragédie, ignorant les cicatrices de nos cœurs, un peu déplacés dans l'Europe en sang et ruine.

Je sais que l'on pourra me juger injuste et que ces gamins tout juste sortis de leurs campus universitaires n'en avaient que plus de mérite. Ce fut pourtant mon sentiment ce jour-là. Peut-être inspiré par le spectacle donné par les Françaises qu'ils avaient racolées. Pas des prostituées ni, sauf exceptions très visibles, des demi-mondaines. Pas des ouvrières non plus, pour la simple raison, je pense, qu'elles ne connaissaient pas cinq mots d'américain. Mais des demoiselles des arrondissements bourgeois. Des filles de vingt ans que leurs familles prirent alors le pli d'envoyer aux « matinées dansantes » des clubs d'officiers, dans l'espoir de les voir ramener à la maison quelques provisions. Des filles qui quêtaient des cigarettes — les cartes de tabac étaient, depuis 1940, réservées aux hommes —, jouaient avec innocence les séductrices, se laissaient tripoter et caresser et dont beaucoup découvrirent à cette époque le sexe... et les préservatifs que ces jeunes officiers tenaient toujours en réserve.

J'ai souvent pensé, depuis, que ces quelques mois d'après-Libération avaient joué un rôle important dans l'évolution des mœurs de la bonne bourgeoisie parisienne. Quelques-unes de ces demoiselles trouvèrent là, sans doute, un mari. La plupart, non, car ces jeunes officiers ne restaient pas longtemps à Paris. Les filles passaient donc de l'un à l'autre. Après tant d'années sombres, c'était pour elles, si l'on peut dire, une autre libération, imprévue.

L'imprévu, pour moi, c'était John. Sa connaissance de notre langue l'avait fait détacher de sa division d'infanterie et rattacher au Civil Service, une institution créée par les Américains pour administrer la France après le départ des Allemands. Ce que de Gaulle, bien sûr, refusait, indigné. Les résistants aussi. Il n'empêche : les autorités militaires américaines, respectueuses des ordres de Washington, maintenaient des officiers et quelques hommes au Civil Service. Un service où, n'ayant rien à faire, ne pouvant pénétrer dans les ministères ni même dans les commissariats de quartier ou les perceptions d'arrondissement, ils s'ennuyaient ferme. La plupart en profitaient pour visiter Paris et se montrer assidus aux « matinées dansantes » dont je viens de parler. John, lui, venait chez moi presque chaque jour. Jenka finit par me dire qu'il était amoureux. Je crus qu'elle plaisantait. Je n'y pris pas garde. J'avais trop de soucis.

Depuis le début d'août, le téléphone avec la province étant coupé, la poste ne fonctionnant plus, ou si peu, je m'inquiétais beaucoup, je ne savais plus rien de mes enfants restés depuis 1940 à Cognac chez l'oncle où la nourriture ne manquait pas. A peine avais-je appris qu'André, dix-huit ans, avait été reçu au bac à la fin du printemps. Un examen assez facile à vrai dire car, dans un climat de grande débâcle, Vichy avait décidé de fermer, vite fait, écoles et universités. Dans le Nord, d'après Boidin, élèves et étudiants avaient été mis en vacances plus tôt encore.

Boidin, je ne l'avais pas vu depuis le début de juillet et je pensais qu'il ne tarderait pas à apparaître puisque Lille avait été libéré le 3 septembre. Mais je décidai de partir pour Cognac. Pas question de prendre le train : gares et voies ferrées bombardées, ponts sur la Loire détruits, la SNCF n'assurait que des transports partiels, interminables et épuisants. Juliette Bondues qui, pendant l'insurrection de Paris, avait joué les infirmières des barricades en compagnie d'Aurélie et de Violette, y avait connu un camionneur de Gentilly dont le lourd véhicule à gazogène reprenait du service et devait partir pour le Sud-Ouest chercher « le vin du ravitaillement » : on appelait ainsi une affreuse piquette, un rouge acide, fait de mélanges et de coupages impardonnables, qui vous brûlait le palais et tout l'appareil digestif par-dessus le marché. Il n'empêche : pendant les journées de la Libération, les Parisiens en avaient fait grande consommation, offert largement aussi à des Américains qui ont dû se persuader alors que le vin de France ne méritait guère les lauriers dont on le couronnait d'ordinaire. Bref, les réserves étaient au plus bas et les services du ravitaillement, conscients des reproches qu'ils encourraient s'ils étaient incapables de fournir la ration habituelle — plutôt généreuse... — attribuée aux adultes, s'efforçaient de créer des convois qui tenteraient de s'en procurer dans les régions viticoles les plus accessibles.

Juliette Bondues m'avait présenté ce camionneur — il s'appelait Gérard, elle l'épousa au lendemain de la guerre — et je m'apprêtais à me joindre à l'un de ces convois.

Quand John l'apprit, il me regarda avec des yeux étranges. Comme si j'étais folle. Il baragouina, mots américains et français mêlés — une phrase dont je retins seulement le nom de Picasso. Quand je lui demandai quel rapport le peintre avait avec mon projet de voyage, il se mit à rire. C'était simple : Picasso, dit-il, désarticulait ses personnages, décomposait leurs visages. Mon cerveau devait être dans le même état. John avait parfois de curieuses plaisanteries qui contribuaient à son charme. Mais Picasso fut toujours entre nous un sujet de discorde.

Je viens d'écrire « entre nous », ce qui laisse présager la suite. Je ne la prévoyais guère, alors. Après cette curieuse allusion à Picasso, John me proposa de m'emmener, lui, jusqu'à Cognac : il n'avait strictement rien à faire puisque les Français, pour une fois unanimes, s'opposaient toujours à ce que le Civil Service mette le nez dans leurs administrations ; il disposait d'une voiture, une de ces petites Jeep que nous avions appris à connaître et sur lesquelles tant de filles, dans les premiers jours, avaient embrassé tant de soldats ; ce n'était pas une voiture très confortable, certes, ouverte à tous vents et aux sièges presque aussi durs que leur tôle, mais nous étions en été et je pourrais y installer des coussins.

J'eus, trois secondes, envie de lui parler de Picasso tant cette éventualité m'apparaissait bizarre. Mais il n'y avait pas mieux, pas plus rapide. J'acceptai.

Il nous fallut deux jours pour arriver à Cognac : routes défoncées ou encombrées de lents et lourds convois militaires, villes en ruine, détours imposés par la destruction des ponts. La petite Jeep, qui se faufilait partout, n'avait rien, en revanche, d'une voiture de course. Nous avons couché le premier soir dans un hôtel réquisitionné, à Tours, pour les officiers américains. Le préposé aux chambres ne voulait nous en donner qu'une seule, ce qui lui valut, de la part de John, quelques injures que je n'ai pas toutes comprises : en argot new-yorkais, j'avais encore des progrès à faire.

Le lendemain, je retrouvai enfin la douceur charentaise, les eaux calmes, les rivages ombragés, les maisons blondes, les vignes rangées comme pour un défilé attendant d'être bientôt dépouillées de leurs grappes. Il semblait que la guerre n'était jamais passée par là. Les Allemands, pourtant, étaient encore très près : ils occupaient Royan et la pointe de Graves.

L'oncle et la tante semblèrent à peine surpris de me voir débarquer d'une Jeep en compagnie d'un officier américain. En ces périodes troublées, l'imprévisible était le plus probable. Simone, ma fille, me sauta au cou, me chargea de questions. Je ne voyais pas André. Je l'imaginais parti pêcher dans quelque ruisseau : c'était sa passion. Je les interrogeai, alors que nous n'étions même pas entrés dans la grande bâtisse. « Je te dirai, venez d'abord », grommela l'oncle. Ils semblaient embarrassés. Je craignis le pire, un accident, une fugue. J'insistai : il était souvent comme cela, l'oncle Lucien que j'aimais tant, il tournait autour du pot. Mais j'avais trop peur. La tante le comprit, le devança : « Il va bien, André, ne t'inquiète pas. Seulement, il s'est engagé. Il est avec les FFI sur le front de Royan. »

Je n'étais pas vraiment rassurée. Les FFI, les jeunes des Forces françaises de l'intérieur, je les avais vues à l'œuvre à Paris. Des amateurs. Intrépides, courageux, mais trop prêts à se faire tuer par insouciance, manque d'expérience, enthousiasme, fierté de libérer son pays, désir de vengeance. Mal armés, de surcroît. Mal commandés, en outre, par des chefs qui s'étaient attribué eux-mêmes des galons et se disputaient souvent entre eux. Nous en étions fiers, pourtant. Nous méprisions aussi les soldats de métier, les officiers dont les uniformes dormaient dans la naphtaline, que Vichy avait démobilisés et qui n'avaient pas cru bon de reprendre le combat, qui laissaient ce risque aux civils.

Mon petit, dans les FFI ! Nous étions entrés dans le grand salon, l'oncle s'empressait autour de John avec ses cognacs hors d'âge. Tout le monde parlait à la fois, chacun avait beaucoup à raconter, mais je ne pensais qu'à mon fils. Un peu fière, quand même. Je sentis soudain une main, chaude et rassurante, qui se posait sur la mienne, comme pour apaiser mon trouble. Ce n'était pas la première fois, loin s'en faut, qu'une main d'homme se posait sur la mienne. Mais, là, j'en fus confuse, rougis presque, gamine, la retirai, preste, lui adressai quand même, rapide, un sourire d'excuse, surpris le regard de la tante Isabelle. Elle avait vu.

Elle m'en parla un peu plus tard, dans la salle à manger, alors que nous préparions le dîner, les hommes et Simone étant partis faire la traditionnelle tournée du chais. A sa manière directe : « Il vous faut vraiment deux chambres ? », je rougis, comme une gamine, balbutiai : « Tu te trompes. C'est un ami. Pas plus. Il n'y a rien entre nous. » Je vis bien qu'elle ne me croyait pas, et tandis que nous disposions assiettes et verres me pris à penser que ce compagnonnage me plaisait, que je serais malheureuse si John devait quitter Paris, ce qui finirait par se produire, et que Jenka avait peut-être eu raison de le prétendre amoureux, ce que je n'avais pas pris au sérieux.

Je passai une mauvaise nuit. J'avais pourtant abusé du bordeaux et du cognac, espérant qu'ils m'aideraient à trouver le sommeil. Mais André. Mais John.

Dès l'aube, je retrouvai la tante Isabelle dans sa belle cuisine aux tommettes rouges. Je voulais courir voir André. Elle me comprenait, bien sûr, mais tenta de me dissuader : c'était la guerre, la vraie, assurait-elle, une femme ne pouvait visiter les combattants du front aussi aisément que Roxane allant embrasser Christian dans le *Cyrano de Bergerac* d'Edmond Rostand. J'objectai qu'en compagnie d'un officier américain je passerais plus aisément. Je ne compris pas aussitôt que c'était ce qui la chiffonnait. « Ton fils ne va pas bien, souffla-t-elle. S'il s'est engagé, c'est par patriotisme sans doute, dans cette sorte de fièvre qui a saisi tout le monde à la Libération. Mais il y a aussi une histoire de fille. Il était amoureux d'une gamine, à peine sortie du bac, comme lui. En plein mois de juin, l'examen tout juste passé, ses parents ont annoncé son prochain mariage avec un notaire. Dont elle était enceinte, paraît-il. Tandis que ton fils, plutôt le genre platonique. Elle s'était fichue de lui. Il a pleuré trois jours au moins, allongé sur son lit. Mangeant à peine. Quand il parlait, c'était sur le ton : les femmes, toutes des salopes, pas une pour relever la moyenne, des tricheuses, et ainsi de suite. Moi, je laissais passer, ton oncle aussi. Simone lui a répondu un jour qu'il ne fallait pas confondre, que si cette fille était une garce, ça ne voulait pas dire... Elle n'a pas pu terminer. Elle a pris une de ces gifles à vous jeter à terre. Bon, tu imagines. »

J'imaginais. Je culpabilisais un peu, comme on dit aujourd'hui : à l'époque, on n'utilisait jamais ce mot ; je ne sais pas si ce sont les psys de tout acabit, qui nous l'ont mis dans la tête, ou si nous sommes tous devenus masochistes, mais c'est ainsi. Fin de parenthèse. Donc, je culpabilisais un peu, tout en me disant que mes gosses ne pouvaient pas être mieux que là, avec ce couple si affectueux et intelligent, tellement déçu de ne pas avoir eu d'enfants. Mais, justement, cette histoire me donnait une raison supplémentaire de retrouver mon fils. La tante Isabelle hésitait, finit par m'expliquer que s'il me voyait avec John, un an après la mort de Ramon, un peu plus peut-être mais quand même, il en tirerait des conclusions.

J'eus envie de rire, je l'avoue : aussi astucieuse et ouverte qu'elle fût, elle appartenait à une autre époque ! Je pensais aux jeunes bourgeoises de Paris qui couchaient avec les Américains pour des chocolats, du lait concentré et des cigarettes. Comme tous les habitants de la capitale, je me disais que la province restait égale à elle-même, toujours en retard d'un train, que la guerre pouvait bien passer par là, les mentalités ne changeaient pas pour autant. Des préjugés très parisiens, je le sais. Mais on ne vit pas à Paris impunément.

J'étais agacée aussi par ce qu'elle semblait soupçonner de mes relations avec John. Je lui répétais que rien, il n'y avait rien. De l'amitié, point final. Je voyais bien qu'elle ne me croyait pas. Pas tout à fait, plutôt. Je finis par me demander si elles n'avaient pas raison, Jenka et elle. Mais l'urgent était de régler ce problème de visite au front de Royan. S'y rendre avec John, c'était passer plus aisément, disposer surtout d'une Jeep bourrée de jerricans d'essence. La voiture de l'oncle, une traction avant, était sur cales depuis 1942. La remettre en état de marche ne serait pas fait en deux heures. La rumeur, en outre, prétendait que le carburant de l'armée américaine ne convenait pas aux moteurs français.

L'oncle, survenu pendant que nous dégustions le café en poudre apporté par John — une découverte pour nous —, proposa une solution de compromis. C'était son genre, le compromis, pour les petits arrangements, pas pour les principes. Il nous accompagnerait, voilà. A mon âge, je n'avais pas besoin de chaperon, mais j'acceptai. Je me demandai comment il se comporterait avec John pour tromper mon fils. Cela promettait d'être intéressant et drôle.

La tante semblait plus réticente. Je n'en compris pas aussitôt la raison.

Nous partîmes à la fin de la matinée. Nous avions

peiné à convaincre Simone qu'elle ne pouvait pas nous accompagner : à son âge, on ne la laisserait jamais passer.

Cet argument n'était guère fondé : on laissait passer tout le monde, ou presque. J'avais dans l'esprit les images que l'on nous avait données de la guerre de 1914 : deux lignes de tranchées se faisant face, séparées par des barbelés et un *no man's land* percé de trous d'obus. Là, pas de tranchées, ou pas encore. La compagnie d'André tenait un village, les Allemands un autre. Plus loin, des blockhaus bétonnés ceinturaient la ville. Ce qui retenait les FFI, mal armés, sans artillerie, d'attaquer.

Ces FFI : l'armée de Valmy. Crottés, vêtus d'uniformes dépareillés, la plupart sans casque, se nourrissant à coups de réquisitions mal supportées par les paysans, mais toujours décidés à emmerder les boches comme ils disaient. « J'ai honte pour l'armée américaine ; si elle avait voulu, ce serait déjà réglé », disait John dont les paquets de cigarettes, largement distribués, nous avaient permis d'arriver jusque-là. Un capitaine français, qui s'était apparemment promu lui-même, crut un instant que notre Américain était en tournée d'inspection, pour préparer l'intervention d'une ou deux divisions de son pays. Il fallut le détromper : Américains et Anglais en ce mois de septembre couraient encore vers l'Allemagne, la priorité des priorités, aussi vite qu'ils le pouvaient. Déçu, cet officier nous tourna le dos. Il nous autorisa pourtant à emmener André déjeuner dans une auberge assez lointaine.

Sous prétexte de montrer à John deux ou trois églises à l'architecture originale, l'oncle me laissa seule avec mon fils. Celui-ci faisait assez boy-scout, en short et chemise kaki, n'eut été une Stengun, une mitraillette dont les alliés avaient, lors des parachutages, assez largement pourvu la Résistance, mais dont la possession était assez rare pour provoquer des jaloux parmi les gamins qui devaient se contenter de vieilles pétoires.

Bien que je lui aie tendu plusieurs perches, il ne me parla guère de ses amours malheureuses, se montra très volubile, en revanche, pour me raconter sa guerre. Car il ne fallait pas croire : nous étions arrivés par une journée calme, mais les Allemands se montraient parfois offensifs. Tirs d'artillerie ou de mortiers. Un matin même, trois de leurs voitures blindées avaient surgi dans le village, après avoir eu raison du petit poste de garde. Ils balançaient un peu partout leurs fameuses grenades à manche, leurs mitrailleuses tiraient sur tout ce qui bougeait. Plusieurs morts. J'eus le cœur serré à l'image de ces corps de vingt ans empilés, ces avenirs décapités. La crainte aussi, pour lui. Mais il m'assura, fiérot, que l'on avait, depuis, renforcé les postes de garde. Il me raconta aussi, rigolard, que l'un de ses copains, réveillé par la pétarade, avait tellement gueulé, après l'éclatement d'une grenade très près de leur baraque, qu'il l'avait cru touché. Mais non. L'autre avait simplement pissé dans son pantalon. Il pissait souvent quand les tirs commençaient, que le danger se précisait, disait-il : ainsi, une fois en patrouille où ils s'étaient trouvés nez à nez avec des boches, une autre fois dans un champ de mines, et ensuite ça allait. Il n'était pas le seul, assurait mon fils. Et lui ? Lui, non. Quand même, la peur, parfois, il pouvait bien l'avouer.

Nous en avons reparlé à déjeuner. Vous me direz que ce n'était pas un sujet de conversation convenable, mais je me trouvais là, dévorant une omelette en compagnie de deux soldats et d'un ancien combattant. Lequel, l'oncle Lucien, donc, expliqua qu'il avait aussi connu cela sur le front des Flandres : à l'arrivée de nouvelles recrues, un de ces jeunes lui avait fait la même confidence. Ils en avaient ri ensemble : « Je lui ai raconté que c'était fréquent. Un jour, j'étais écrasé au sol, sous les obus, la terre était presque chaude, bizarre, et ça semblait couler le long de ma jambe. J'ai cru que c'était du sang, que j'étais touché. Mais non, c'était ça. »

John expliqua qu'à la formation des officiers, avant le débarquement en France et les premiers combats, des anciens qui avaient combattu dans le Pacifique leur avaient donné quelques tuyaux du genre : n'ayez pas peur de la peur, tout le monde a peur de la peur ; dites-vous qu'une bonne partie du tintamarre que vous entendez est celui que fait notre armée et qu'il y a bien plus de soldats évacués pour maladie ou accident que de victimes de guerre. Or, parmi ces conseils figurait celui-ci : si vous êtes dans un trou ou une tranchée face à l'ennemi, n'y faites pas vos besoins ; si vous ne pouvez pas sortir, mettez de la boue sur votre petite pelle, faites dessus et jetez le tout dehors.

André riait, fit quand même remarquer que ses camarades et lui étaient autant dépourvus de petites pelles d'infanterie que d'armes modernes. Sauf quelques-uns, avec leurs Stengun qui avaient malheureusement tendance à se déporter vers le haut et la gauche quand on tirait de trop longues rafales. J'écoutais avec étonnement mais sans déplaisir ces conversations de guerriers, pensais que toute une part de la vie des hommes nous échappait, à nous les femmes, même si j'en avais vu quelques-unes, en Espagne puis à Paris sur les barricades, s'armer pour prendre part aux combats. Tandis qu'ils s'étaient lancés dans un long débat sur les calibres et les culasses, mon esprit s'est échappé : j'aurais souhaité savoir aussi comment les hommes parlaient des femmes, entre eux. Je dois l'avouer : je craignais le pire, le plus scabreux.

Mais mon regard revint sur André. Mon esprit aussi. Il semblait très détendu, la mitraillette pendant au dos de sa chaise. Il était devenu un homme. Il ne semblait même pas surpris de la présence de John : il est vrai que celui-ci et l'oncle se donnaient de grandes tapes dans le dos et s'apostrophaient comme s'ils s'étaient toujours connus. André semblait surtout préoccupé de raconter ses — petits — combats, faisait même un peu le malin, encouragé par les deux autres qui lui renvoyaient la balle, si j'ose dire, trop contents de cette occasion d'évoquer leurs propres aventures. Je me sentais exclue, fière de mon fils aussi. La fille de Cognac dont Isabelle ne m'avait même pas dit le prénom semblait bien oubliée, effacée par la guerre.

Je le quittai, un peu soulagée. John avait donné à mon

fils un revolver, trouvé sur un prisonnier allemand, qui traînait dans son sac. L'oncle Lucien lui promettait de revenir bientôt. Le retour fut presque joyeux, en dépit de l'appréhension qui me pinçait le cœur : j'avais un fils au combat, une situation toute nouvelle pour moi, dans un face-à-face inégal en outre. Quand je l'avouai à l'oncle Lucien, il me répondit, plaisantant, que ce n'était pas la crainte seule qui m'occupait l'esprit, plutôt le sentiment d'être passée dans une autre génération, celle des parents d'adultes. Il n'avait pas tout à fait tort. John, qui conduisait, n'avait peut-être pas bien entendu mais il se montrait toujours direct, voire brutal dans l'expression, et cria pour couvrir le bruit du moteur que j'étais à ses yeux une jeune fille, pas changée du tout depuis Washington ; d'ailleurs, il fallait voir comment le capitaine des « FFaïe » — il disait FFaïe, il n'a jamais prononcé tout à fait bien les I — m'avait regardée. L'oncle, aussitôt, en rajouta. Je crus rougir. Comme une jeune fille, précisément.

Nous repartîmes le lendemain. Au petit matin, alors que la tante et moi étions seules, de nouveau, dans la longue cuisine, elle me confia que l'oncle Lucien était fatigué. Comme je m'étonnais, l'ayant trouvé la veille dans une forme parfaite, elle m'expliqua qu'il souffrait depuis des mois de troubles respiratoires, qu'il avait d'abord attribués à une trop forte consommation de tabac (échangé en Dordogne contre du cognac), avant d'aller consulter à Angoulême, puis à Bordeaux. Où on lui avait fait des radios et parlé d'inflammation des bronches. « Tu n'a pas remarqué comme il tousse ? C'est vrai qu'il sort parfois, quand nous ne sommes pas seuls, afin de ne pas gêner. » Il ne connaissait pas la nature exacte de son mal. Le pronostic était mauvais.

IX

Il avait plu depuis le matin. Ce n'était pas un temps pour circuler dans une Jeep couverte d'une simple capote, guère protégée sur les côtés. Nous étions engoncés dans nos imperméables. Je n'avais pas le cœur à parler. Seulement à souffrir.

Je revoyais l'oncle, la veille, les traits un peu tirés peut-être mais je n'y avais pas prêté attention, dans une si belle forme pour placer une anecdote, une de ces histoires bizarres qui pouvaient donner meilleure couleur à la guerre. C'est vrai qu'il s'était retiré à deux ou trois reprises, pendant le repas, qu'il avait toussé aussi, à l'aller et au retour. Je lui avais répété qu'il fumait trop. Presque en plaisantant : à quoi bon ? Ses amours avec le tabac remontaient aux temps si anciens où il allait, presque gamin, à l'âge d'André justement, traquer la morue du côté de l'Islande et rencontrer ces espadons qu'il avait transformés, pour mes rêves d'enfant, en personnages légendaires.

Le pronostic était mauvais. Cette phrase d'Isabelle me battait les tempes, ne m'avait pas surprise, pourtant : on n'avait pas découvert à cette époque les liens entre nicotine et cancer du poumon mais l'expérience nous avait appris que celui-ci pardonnait rarement.

Je faisais mes comptes : Aline déportée, Guida fabriquant dans un haras humain un rejeton pour la race supérieure, ses parents exilés, Paul Bonpain prisonnier,

Ramon dans le gris caveau d'un cimetière creusois, et maintenant l'oncle Lucien, représentant d'une génération en voie de disparition. S'il pouvait au moins voir la victoire...

Bizarrement, je ne m'inquiétais pas trop pour André. J'avais eu l'impression — fausse car l'hiver sur le front de Royan allait être rude et l'attaque dont il avait parlé montrait les Allemands toujours dangereux — qu'il participait à une sorte de grand jeu.

Le chagrin, l'inquiétude pour l'oncle m'occupaient tout entière. En la quittant, le matin, j'avais promis à la tante Isabelle de revenir dès que possible. J'essayerais aussi de lui envoyer ma sœur Delphine. Aller de Lille à Cognac n'était certes pas facile et tout le monde ne pouvait s'offrir, en guise de chauffeur, un lieutenant de l'US Army, mais, quoi, elle pourrait bien faire un effort. A moins que... Je l'avais peu vue depuis la guerre ; Clément Boidin, une fois ou l'autre, avait fait allusion devant moi à sa vie sentimentale agitée. Je n'en savais guère plus. Je projetai donc de me rendre à Lille.

Nous nous étions arrêtés à Poitiers pour déjeuner. Mal. John espérait être le soir à Blois. Cela semble facile aujourd'hui. Il fallait, alors, éviter des ornières, subir dans les villes des ralentissements aux raisons obscures, doubler sur les routes de longs convois de camions dont chacun m'adressait des giclées d'eau boueuse. Je n'osais pas sortir un miroir de mon sac à main. Je me supposais semblable à ces coureurs du Tour de France que les magazines sportifs d'avant-guerre représentaient tout crottés à l'arrivée d'une pluvieuse étape de montagne.

Un camion qui s'était déporté vers la gauche obligea John à en faire autant. Une petite embardée me projeta sur lui. Il avait redressé la voiture que j'y étais encore. Je me reprochai de le gêner, repris bientôt ma place. Mais j'avais trouvé, je le constatai aussitôt, j'avais assez d'expérience, plaisir et sécurité sur cette épaule.

Le soir, dans la triste et blanche salle à manger à peine éclairée d'un hôtel de Blois, je lui expliquai, pour l'oncle.

Je le sentis attentif, puis atteint. Il eût pu me faire de longs discours compatissants. Ou tenter de mentir, comme on le fait généralement, en me racontant qu'il avait connu, dans son entourage, plusieurs cas de bonshommes atteints de cancers du poumon, de la rate ou que sais-je encore, que l'on avait réussi à prolonger et qui avaient mené une vie presque normale des années durant. Mais non. Je n'eus pas droit à ce numéro, facile pour lui puisque je n'y serais pas allée voir et que nous étions tous convaincus que les Américains, en ce domaine comme en d'autres, nous précédaient de très loin.

Il dit, bien sûr, sa sympathie, posa sa main sur la mienne, ce dont je ne m'aperçus même pas aussitôt, toute à ma peine, me demanda enfin quand j'allais relancer mon journal. Je sursautai. Il m'était arrivé d'y penser, par à-coups brefs, pendant les jours de la Libération. Puis les soucis familiaux avaient pris le dessus. Cette fois je me laissai entraîner, sans doute heureuse, sans en avoir une claire conscience, de cette diversion. Il me projetait soudain vers l'avenir, m'expliquait que j'avais une place à reprendre sans tarder. Je m'aperçus qu'il était assez bien informé de ce qu'avait été *La Vie en rose*. Je l'interrogeais sur l'évolution des magazines féminins américains depuis la guerre. Il m'expliquait que celle-ci, capturant les hommes, avait ouvert de nouvelles voies aux femmes dans le business, les administrations, l'armée elle-même, partout. Que, de ce fait, leurs centres d'intérêt s'étaient diversifiés, multipliés et que la presse s'était adaptée. Elle parlait encore cuisine, mode, enfants, vedettes. Mais aussi professions, vie sociale, guerre. Surtout peut-être, leurs vedettes n'étaient plus seulement des stars de Hollywood ou des chanteuses de Broadway, mais des chirurgiennes, des psychologues, des aviatrices, des romancières, des politiciennes, des dirigeantes d'organisations de toutes sortes.

Je lui parlais des Françaises : la guerre précédente avait tué ou blessé leurs fiancés ou leurs maris, celle-ci en avait éloigné un bon nombre, prisonniers ou embarqués de force pour le travail en Allemagne. Elles étaient devenues, de force, chefs de famille.

Il me parlait de l'après-guerre. Ce qu'il venait de voir dans la France libérée laissait présager une course au bonheur, un peu folle, dont la morale souffrirait peut-être. Les gens voudraient vivre mieux, autrement.

Il n'était pas journaliste. Mais, après tout, je n'avais moi-même pratiqué le métier qu'un peu plus de trois ans. Cela m'épargna de jouer les averties et les professionnelles ancrées dans leurs certitudes, de faire état de mon expérience pour objecter à ses remarques et ses conseils. Nous avons discuté, longtemps. Jusqu'au moment où le maître d'hôtel, un vieux bonhomme un peu cassé et plutôt rigolo, est venu traîner et traîner encore autour de notre table : la salle, depuis belle lurette, s'était vidée.

Nous avions réservé deux chambres, comme à l'aller. Nous nous sommes retrouvés dans la sienne. On dira que, comme prélude amoureux, nous aurions pu trouver mieux, ou plus romantique. Je ne crois pas : j'ai le sentiment que nous avions commencé à bâtir quelque chose ensemble. Pas mal, non ?

Cette nuit-là, je fus comme une flamme. Heureuse aussi de la joie que, j'en suis certaine, je lui donnais, et qui eût suffi à la mienne.

La pluie, le lendemain, avait cessé. J'allais écrire : comme si le temps s'était mis à l'unisson de nos cœurs. Aujourd'hui, je juge ce sentiment un peu mièvre, voire ridicule : ce siècle nous a rendus cyniques, blasés. Mais c'est ce que j'éprouvais alors. Lui aussi je pense. Nous échangions des sourires. Revenaient parfois, pourtant, poignantes, mes inquiétudes, pour l'oncle, Aline, tous les miens éparpillés que j'aurais voulu rassembler pour leur dire un bonheur nouveau, fragile peut-être.

La guerre nous attendait au tournant. On ne lui échappe pas si aisément. Le lendemain de notre retour à Paris, John dut m'annoncer qu'il devait partir retrouver son régiment d'infanterie, quelque part en Belgique, pas trop loin de l'Allemagne même : ses chefs ayant enfin admis que les Français ne supporteraient jamais le Civil Service, commençaient à renvoyer ses membres dans leurs unités d'origine.

Ce fut un moment difficile. Un de plus. Nous nous sommes juré fidélité. Il m'a fait promettre, aussi, de me consacrer désormais au journal : « Puisque je ne serai pas toujours à occuper ton temps. »

Je m'y suis mise. Il existait alors dans le monde de la presse un grouillis d'amateurs, d'affairistes, de vrais professionnels qui s'étaient tapis quatre années durant et faisaient à nouveau surface en se prétendant résistants, de vrais résistants qui ne connaissaient rien au métier mais tenaient à diffuser leurs idéaux et leurs rêves, de politiciens enfin. Tous ces gens se disputaient les bureaux, les imprimeries et le personnel des journaux de l'Occupation, les rares tonnes de papier disponibles et les autorisations de paraître. Car il fallait montrer patte blanche et, à ce jeu difficile, les habiles l'emportaient souvent sur les purs et les compétents.

Je me battis. Clément Boidin, réapparu à Paris, m'aida. Il s'irritait du désordre persistant, de la méfiance des nouvelles autorités envers le patronat jugé coupable, en gros, de trop d'attentisme, de fidélité envers Pétain, d'absence de sens social — « Quand je pense, disait-il, qu'à Lille-Roubaix-Tourcoing nous avons inventé en pleine guerre l'allocation-logement » —, voire de collaboration avec les Allemands. Mais, époux d'une résistante déportée, il s'ouvrit vite des portes, noua de nouvelles relations, ranima les anciennes : d'un régime à l'autre, les fonctionnaires n'avaient pas changé.

Je me souviens d'un repas, en septembre, auquel j'avais convié, profitant de sa présence, Julia Bondues, ses filles et même la belle Violette qui s'était entichée d'un soldat de la division Leclerc, un garçon originaire de Nouvelle-Calédonie, blessé lors des combats de la Libération. Elles n'avaient pas toutes le moral au plus haut : celle-ci parce qu'il avait fallu amputer son amoureux qu'elle allait voir chaque jour à l'hôpital, Aurélie parce que si la guerre devait se prolonger — la progression des Alliés vers l'Est se ralentissait —, elle ne recevrait plus de nouvelles de Paul, Juliette parce que son fiancé des barricades, parti pour approvisionner Paris en vin, n'était pas revenu. Et ainsi de suite. Les joies de la Libération se heurtaient déjà au mur des réalités.

Grâce aux provisions laissées par John, je voulus faire découvrir à ces femmes le whisky auquel elles trouvèrent un goût de médicament. Bien inspirés, au retour, nous avions heureusement chargé la Jeep de cognac. Il ne suffit pas à ensoleiller le climat. Boidin qui se faisait un sang noir pour Aline mais ne voulait pas l'avouer s'était découvert un ennemi de taille : le parti communiste qui lui faisait mille ennuis alors qu'il peinait à faire tourner les usines ; plusieurs d'entre elles ne travaillaient qu'une semaine sur deux et vingt-quatre heures sur quarante ; comble des combles, l'industrie linière elle-même qui avait bien marché depuis quatre ans manquait d'approvisionnement faute de trains et de voies ferrées. Aurélie qui avait vitupéré les communistes en 1939 après la signature du pacte Hitler-Staline leur avait trouvé quelques attraits à mesure qu'ils s'engageaient dans la Résistance. Elle s'opposa à Boidin. Ce fut, le cognac aidant, l'un de ces débats qui marquent la vie d'une famille. Jenka, que j'avais prudemment tenue à l'écart, en perçut les échos jusque dans sa chambre. Julia Bondues, toujours sage, conclut qu'il était heureux que l'on puisse avoir de telles discussions, s'exprimer sans crainte. Songeait-elle à Guida avec qui nous avions dû multiplier silences et non-dits ? Quoi qu'il en soit, elle disait vrai. La liberté avait du goût. Rude mais bienvenu.

Grâce à Boidin, j'obtins le lendemain l'autorisation de reparaître. Un fonctionnaire dont j'aurais aimé connaître l'attitude sous le régime de Vichy a quelque peu chipoté, sous prétexte que j'avais publié encore cinq numéros après l'armistice. Du coup, j'ai changé le titre du journal. *La Vie en rose* est devenue *Rose*. Je ne pense pas que mon père, qui tenait tellement à l'ancien titre, se soit retourné dans sa tombe pour autant.

J'ai reconstitué mon équipe. Certains étaient morts, d'autres disparus. Quelques-unes préféraient travailler dans les quotidiens. On s'apprêtait à donner le droit de vote aux femmes mais la presse féminine, jugée trop futile, n'avait pas les faveurs du temps. J'engageai quelques jeunes journalistes délurées, pas trop expérimentées mais qui avaient de l'allure et de l'allant, semblaient avides d'apprendre. Deux d'entre elles pourtant nous quittèrent bientôt : elles avaient rêvé d'une vie de cocktails et de soirées mondaines, ignoraient qu'il fallait aussi savoir écrire — très vite parfois. J'utilisais aussi la « cousine flamande », Jenka, qui osait désormais sortir dans Paris et manifestait un vrai talent d'observation des scènes de la vie quotidienne.

Nous avions décidé d'être prêtes pour janvier et de consacrer une bonne partie de la revue aux rôles des femmes dans la guerre. Les sujets de reportage ne manquaient pas : depuis les Rochambelles, auxiliaires des Forces françaises libres, les résistantes, les déportées, les ouvrières, les paysannes restées seules à tenir la ferme, jusqu'aux femmes de prisonniers, et j'en passe.

Ce trimestre, le dernier de 1944, fut si occupé que j'en oubliais presque de m'impatienter. Pourtant, les Alliés semblaient bloqués au bord de l'Allemagne, nous avions davantage de raisons de nous inquiéter d'Aline que le froid et la faim devaient épuiser, mais ne recevions plus aucune nouvelle de Paul Bonpain et, sur le front oublié de Royan, André avait dû abandonner sa tenue de boy-scout, apprendre l'ennui, parfois mortel dans tous les sens du terme, d'une guerre immobile.

J'allais souvent me remonter le moral chez Aurélie et Julia Bondues. Leurs affaires reprenaient. Mais la mode avait brusquement changé. Finies les extravagances et le clinquant des dernières années. Retour à la simplicité. Avec beaucoup de plumes pourtant, les oiseaux et la volaille ayant moins souffert que les tissus. Ces dames n'en manquaient pas : l'ami mutilé de la belle Violette avait fait la connaissance à l'hôpital d'un fils de volailler du Perche. Ainsi en va-t-il souvent en temps de pénurie : il fait bon connaître quelqu'un qui connaît quelqu'un qui connaît quelqu'un.

Quelques jours après Noël, j'eus la surprise de voir débarquer John. Il m'apportait des bas comme je n'en avais jamais vu encore, entendu vaguement parler seulement, des bas qui ne filaient pas — quelle aubaine — parce qu'ils étaient faits de nylon, un fil artificiel créé juste avant la guerre : les auxiliaires féminines de l'armée américaine en portaient mais refusaient de s'en séparer. John, il est vrai, ne manquait pas de charme : je n'osai pas lui demander de quel talent il avait dû faire preuve pour s'en procurer ! Je pense qu'en réalité il avait sorti de son portefeuille un paquet de dollars.

Ce n'était pas l'important. L'essentiel fut sa présence qui éclaira nos jours et nos nuits. Il me parla mariage. J'en fus bouleversée. Je l'aimais. Mais je ne me voyais pas quittant la France pour les États-Unis quand il serait démobilisé : j'étais trop passionnée par mon travail, le journal dont le premier numéro, presque prêt, sortirait quelques jours plus tard. Je repoussai la décision jusqu'à la fin de la guerre, que nous pensions assez proche désormais.

John sortait éprouvé d'une rude bataille : les Allemands, que l'on avait crus à bout de souffle, avaient surpris tout le monde, les états-majors pour commencer, en lançant à travers les Ardennes plusieurs divisions blindées, des parachutistes et des dizaines de milliers de fantassins. Le grand jeu, si l'on peut parler de jeu. Les repousser avait été une rude affaire. Mon Américain n'avait jamais vu la guerre d'aussi près. Il était hanté par l'image d'un soldat éclatant littéralement sous ses yeux : ce gosse de vingt ans portait sur le ventre une mine qui avait explosé quand une balle l'avait touchée. Je ne pus m'empêcher de penser à mon fils quand John me raconta cette horreur, je lui en voulus même, avant de comprendre qu'il lui fallait raconter pour se libérer. Ce n'était encore qu'un début.

Je fus bien surprise, en effet, époustouflée par une autre histoire qu'il me conta. Je n'en ai jamais parlé à Aline, qu'elle concernait pourtant au premier chef.

John et ses GI, ce jour de décembre où les Américains avaient repris l'offensive, avançaient dans une forêt hostile, glacée par un vent froid qui faisait frissonner les cimes des arbres. Une petite neige crissait sous leurs pas. Quelques-uns avaient dérapé dans la poudreuse. Les hommes de tête, des éclaireurs m'avait expliqué John, s'arrêtèrent soudain, aux aguets, immobiles. Les autres les imitent, attendent. John hésite, décide d'aller voir lui-même ce qui a provoqué cette halte, rejoint, courbé, sa petite avant-garde qui s'est dissimulée derrière les arbres. Il comprend vite. Vers l'avant, à deux cents mètres, peut-être un peu moins, un groupe de camions allemands occupe une clairière d'où sort un chemin forestier. Quelques hommes en vert-de-gris s'agitent, inconscients du danger, sans doute perdus. Dans ses jumelles, John croit même voir l'un d'eux consulter une carte. Il décide de les encercler, sépare sa petite troupe en trois tronçons : quelques hommes à gauche, d'autres à droite, le reste au centre, avec lui. « Classique », comme il m'a dit. Je croyais entendre une histoire de campement d'Indiens attaqués par des cow-boys. Je me demandais où il voulait en venir.

Donc, les hommes commencent à exécuter la manœuvre. Les Allemands n'ont toujours rien vu. Mais l'un d'eux se sépare du groupe, s'accroupit près d'un arbre. Au moment, bien sûr, où un Américain, sur la droite, glisse sur la neige glacée. L'autre l'entend, crie, est bientôt touché par une balle. Alerte pour tout le monde. On tiraille. Des Allemands tentent de mettre en marche leurs camions. Mais l'un d'entre eux s'embrase. Boule de feu. Explosion, suivie d'une autre et d'une autre encore. John a vite compris : ces camions transportaient des jerricans d'essence, peut-être pris aux Alliés, d'ailleurs, au début de l'offensive. Des hommes s'écartent, torches vivantes qui se roulent aussitôt à terre. Le combat cesse enfin.

Les Américains ont perdu un soldat qui s'est approché trop tôt des camions. Les Allemands plusieurs, et des blessés. Par radio, John donne l'alerte, signale sa position, demande des brancardiers et des renforts. Car il craint que la fusillade, les explosions n'attirent vers lui d'autres Allemands. Ses hommes s'allongent derrière les arbres et les buissons, sur la défensive. Lui s'intéresse aux blessés, brûlés surtout, les interroge, anxieux de savoir où se trouvent leurs compatriotes. Personne, dans sa petite troupe, ne parle l'allemand. Mais il entend l'un des prisonniers, traîné trop brutalement peut-être à l'abri d'un arbre déchiqueté, crier « Merde ! ». Un Français sous l'uniforme allemand ? John ne se pose pas de questions. Ce n'est pas le moment. Il veut seulement en poser. L'autre ne sait rien, ou joue l'ignorant. Mais ils resteront ensemble quelques heures.

« Personne ne venait, me raconta John. Ma radio ne marchait plus. J'avais un petit poste qui ne portait pas loin, surtout en forêt, et un plus gros porté par un soldat comme un sac à dos, qui s'est mis à grésiller. J'ai envoyé deux messagers. Je ne les ai pas vus revenir : l'un a été tué, l'autre s'est perdu dans les arbres. On entendait tirer de temps en temps, à gauche, à droite, devant, derrière. Pas grand-chose. Juste assez pour se méfier. En plus, nous avions pas mal marché depuis le petit matin, les hommes étaient fatigués : il me semblait prudent d'attendre. J'ai eu le temps de parler avec cet Allemand qui n'en était pas un vrai. Figure-toi qu'il était d'origine française. Un ancien combattant de l'autre guerre, blessé dès le début des combats, en 1914. Les Français l'avaient laissé pour mort, disait-il, mais les Allemands l'avaient sauvé. Sauf pour une chose : il est resté amnésique. A la fin, il est resté en Bavière où il était prisonnier parce qu'il avait trouvé une gentille petite femme et que les autres Français prisonniers lui faisaient des misères. C'était ce qu'il disait : des misères. Tu comprends ce que ça veut dire, toi ? »

Je lui expliquai. Je faisais semblant d'écouter avec intérêt. J'avais appris de longue date, je le répète, que tous ces guerriers, amateurs ou professionnels, ont besoin de se raconter et raconter encore tout en ajoutant que personne ne peut comprendre ce qu'ils ont vécu.

Je devins un peu plus attentive quand John ajouta que ce brûlé était originaire du Nord. « De chez toi. » Moi : « Je croyais qu'il était amnésique ? » John : « Oui, mais il avait retrouvé un peu de mémoire, peu à peu. Il m'a expliqué que sa fille, il n'avait qu'une seule fille, qui appartenait à la Jeunesse hitlérienne, avait suivi dans cette organisation des cours de secourisme. Ces gens-là se préparaient à la guerre. Même les filles apprenaient un peu les armes ; mais, bien sûr, on voyait aussi en elles de futures infirmières, ou aides-infirmières, je ne sais pas. Donc celle-là, il m'a dit son prénom, je crois, mais je ne m'en souviens pas, je n'y ai pas fait attention peut-être, avait suivi un cours sur l'amnésie. On leur avait enseigné que, pour soigner des soldats ayant perdu la mémoire à la suite d'un choc, d'une explosion, il fallait utiliser un système d'association d'idées. Les amnésiques n'oublient pas vraiment tout, alors on part d'un souvenir qui leur reste pour en ramener un autre à la mémoire. Cela ne réussit pas toujours mais cette jeune hitlérienne a décidé d'essayer avec son père, comme ça, pour voir. »

Moi, plutôt pour faire plaisir à John que par intérêt véritable, vaguement ironique même : « Et alors, une illumination subite lui a rendu tout son passé ? D'abord, qu'est-ce qu'il faisait là ce soldat, à son âge ? » John : « Tu sais, parmi ceux que nous avons eus en face de nous, dans les Ardennes, il y avait encore de vrais soldats, des durs, mais aussi beaucoup d'adolescents, presque des enfants, et des hommes âgés qui n'auraient jamais dû se trouver sur le front. Lui, Oscar... » Là, j'ai sursauté. Oscar : le prénom de mon beau-frère, disparu à Dinant en 1914. Un nordiste, en outre. Mais, bon : des Oscar, dans la région, dans d'autres aussi sans doute, il n'en manquait pas. John n'avait rien remarqué, poursuivait en racontant que cet Oscar était entré dans la Wehrmacht à la fin de 1942, après les saignées subies par celle-ci en Russie : « Il a commencé par garder des prisonniers dans un camp, comme il parlait le français, c'était utile. Mais il était moins hitlérien depuis le bombardement de Hambourg en 1943. »

Oscar hitlérien, l'Oscar que j'avais connu adolescente et dont je ne gardais qu'un vague souvenir, moi, bien que je ne sois pas amnésique, cela me paraissait impossible : je ne le voyais pas crier « Heil Hitler ! » en tendant les bras. C'était à coup sûr un autre Oscar dont John avait recueilli les confidences. Son histoire valait la peine, quand même. Surtout s'il avait renié Hitler. J'imaginais un article possible.

J'incitai donc John à poursuivre : pourquoi le bombardement de Hambourg ? « Parce qu'il avait appris, je ne sais comment, que son führer avait refusé de se rendre dans la ville dévastée. C'était l'un de nos premiers grands bombardements, je crois. Hitler, d'après cet Oscar, n'avait pas voulu voir les ruines et les morts. Donc, Oscar n'avait pas apprécié. Ce n'était peut-être pas un hitlérien très convaincu. »

Je n'en avais cure. Je revins à la boîte aux souvenirs : « Alors, sa fille est parvenue à le guérir, ton ancien combattant ? » John : « Je ne sais pas tout à fait. Je ne crois pas. Il a eu le temps de me dire qu'il s'était souvenu des usines, des usines de textile comme il y en avait aussi à Munich. Mais à Munich, lui, il n'habitait pas. Il était aux environs, dans une ferme. Un paysan, quoi. Pas loin de la ville quand même. Il s'est souvenu aussi qu'il s'était marié. Oui, il avait été marié, en France, avant la guerre. Ses brûlures le faisaient souffrir mais cela, l'idée qu'il avait été marié, ça le faisait rire. Un drôle de rire. Il était un peu bizarre, ce type, un peu — comment dites-vous ? — pas fou : givré, fêlé. Sa blessure peut-être. Ah oui : il m'a dit aussi autre chose. Quand il a commencé à entendre parler par la radio allemande de votre de Gaulle, il était sûr de l'avoir connu. »

De Gaulle ! Oscar Vanhoutte, mon beau-frère, était dans sa compagnie, en Belgique, en 1914. Cela commençait à faire beaucoup. Cette fois, je m'agitai, le pressai de questions. Il n'en savait malheureusement guère plus : « Tu sais, on n'était pas là pour faire la conversation. Je le poussais à parler parce que j'avais l'impression de le retenir vivant ainsi. Mais il s'affaiblissait. Et puis, je devais m'occuper de mes hommes. Les Allemands, les autres, pouvaient nous tomber dessus. Tu imagines : lui, cet Oscar, il était allongé et moi, accroupi, en train d'observer la forêt avec mes jumelles. Ma grosse radio qui ne marchait toujours pas. J'avais envoyé un autre agent de transmission. On ne pouvait pas rester comme cela, sans liaison ni à droite, ni à gauche. J'ai fini par bouger un peu pour voir où en étaient mes hommes et leurs prisonniers brûlés ou blessés qui nous encombraient, je l'avoue. J'ose à peine le dire mais dans ces situations-là on se demande si on ne ferait pas mieux de les abandonner, les laisser sur le terrain et continuer d'avancer. »

Voilà. C'était là qu'il voulait arriver. C'était de ce poids, du remords d'avoir eu cette pensée-là, cette tentation d'abandonner brûlés et blessés, qu'il avait voulu se décharger. C'était ce qui importait pour lui. Pas Oscar, qui n'avait été qu'un détour. Comment aurait-il pu supposer ?

Mais je voulais en savoir plus. Je repris mes questions, je l'interrogeai sur la fin de cette histoire. Une fin dont il ne se remettait pas : « J'étais tout à fait au bout de la ligne, avec le dernier de la file que mes GI avaient formée, quand les premiers obus sont tombés. Un vacarme ! Les sifflements, les arbres qui craquent, les branches qui nous tombent dessus, la terre, des éclats ou des bouts de bois qui volent. Tu ne peux pas imaginer. Tu es paralysé, le corps glacé par la peur. Tu ne penses à rien. Tu attends. Puis le silence. Quelques râles. Quand j'ai redressé la tête, le premier que j'ai vu était un petit gars de l'Oklahoma, avec un peu de sang indien dans les veines, je crois. Il était assis à terre comme s'il ne craignait plus rien et ses larmes traçaient deux lignes roses sur ses joues tannées et tachées de graisse : la tête de son meilleur copain venait d'éclater, près de lui. Moi, je m'adressais des reproches : je me disais que tous ces garçons ne seraient pas morts peut-être si je les avait fait avancer de quelques mètres. Ou reculer. »

Voilà. C'était aussi cela qu'il voulait me dire. C'était là aussi qu'il voulait arriver.

Je n'avais rien à dire. Écouter. Être là. Me serrer contre lui.

Le soir, nous avons un peu bu, tous les deux. Par chance, Jenka s'était éclipsée : elle commençait à fréquenter beaucoup les clubs d'officiers.

Nous avons un peu bu et, quand nous nous sommes couchés, nous sommes restés longtemps étendus côte à côte, main dans la main, avant que le sommeil nous prenne.

Le lendemain matin, enfin, j'ai osé poser la question qui me brûlait :

— Et cet Allemand, enfin ce Français qui se nomme Oscar ?

— On n'a même pas retrouvé son corps. Des morceaux.

X

Après quelques jours, nous avons lié connaissance, formé ensemble un petit groupe d'anxieux, d'impatients, d'espérants pourtant. Nous nous retrouvions chaque matin devant l'hôtel Lutetia par où passaient depuis avril la plupart des déportés de retour d'Allemagne. Des milliers de Françaises et de Français avaient commencé au printemps de 1945, à mesure que la progression des Alliés libérait les camps, à débarquer au Bourget, à la gare de l'Est ou à celle d'Orsay où l'on a, depuis, ouvert un musée. On avait d'abord réquisitionné les grands cinémas, le Gaumont-Palace de la place Clichy et le Rex sur les grands boulevards. Puis les femmes de la Résistance avaient obtenu d'occuper le Lutetia pour accueillir leurs camarades déportés.

Nous formions une petite foule, jour et nuit, à guetter l'arrivée des camions et des autobus qui les amenaient de l'aéroport ou des gares. Les plus malins parmi nous avaient réussi à coller dans les couloirs de l'hôtel des photos de l'absent ou de l'absente, ainsi que des messages. Nous nous faisions régulièrement refouler sur les trottoirs du boulevard Raspail ou de la rue de Sèvres. J'attendais Aline. D'autres des David, Élie, Joseph, André, Tania, Mauricette.

La première avec qui j'ai partagé espoirs et craintes était une jeune Claudine, une brune potelée. Elle tenait dans les bras, enveloppé dans des linges, un bébé crépu qui ne s'éveillait que pour sucer le sein de sa mère et s'endormait aussitôt, ses petits poings serrés. « Je veux qu'il voie d'abord son fils », disait Claudine. « Il », c'était son Pierre, un métallo qu'elle avait épousé en juin de l'année précédente et qui, ayant tout juste eu le temps de lui faire un enfant, avait été jeté, en août, à la veille de la Libération de Paris, dans les derniers convois de déportés.

Nous avons remarqué ensuite un vieux monsieur un peu crachotant, un frileux portant encore pardessus et écharpe, qui finit par nous avouer son nom, Levy, comme s'il était encore inquiet d'être juif, peut-être honteux d'avoir échappé aux rafles, tout simplement parce qu'il était parti s'approvisionner à la campagne bourguignonne, où il comptait quelques amis, le jour où les policiers s'étaient présentés chez lui et n'avaient trouvé que sa femme. Il avait donc fait demi-tour, rapporté son kilo de beurre et ses pommes de terre chez les mêmes amis. Il s'était terré chez eux jusqu'à la Libération.

Un autre jour, Olga s'est mêlée à nous. Une grande bringue au visage presque caché par une longue frange et d'immenses boucles d'oreilles cliquetantes. Elle attendait son « homme » comme elle disait, qui avait eu le tort de « flamber au poker avec des macs de la Gestapo française », lesquels, pour se débarrasser de leurs dettes, n'avaient rien imaginé de mieux que de le mettre au trou, d'où il s'était retrouvé embarqué pour l'Allemagne. La politique, car pour elle il ne s'agissait que de politique, et pas au meilleur sens du terme, elle n'en avait rien à faire. Mais son homme, elle l'aimait. Elle nous distrayait de notre angoisse, brisait de mille histoires nos impatiences.

De notre petit groupe, Olga fut la première rassurée : son ami descendit un matin d'un camion. Il faisait tache parmi ces miséreux aux visages creux et à la tête basse, dont beaucoup se traînaient. Presque rigolard, les joues pleines, il l'embrassa à pleine bouche dès qu'elle eut fendu la foule pour le retrouver et s'éclipsa aussitôt avec elle, échappant aux formalités de rapatriement. J'imaginai qu'au camp, il avait dû inventer des moyens de s'organiser. « S'organiser » était un terme que les premiers libérés nous avaient appris et qui recouvrait tous les petits trafics, les systèmes D, le marché noir utilisé par les détenus pour survivre ou se ménager de minces espaces de liberté.

Aurélie, qui m'accompagnait le matin chaque fois qu'elle le pouvait, nous fit aussi connaître une de ses clientes, une Juive du Sentier à qui elle avait, dans les premiers mois de la guerre, vendu des chapeaux. Celle-ci se nommait Ruth, les cheveux déjà blancs bien qu'elle eût à peine vingt-trois ans, et se demandait encore pourquoi elle n'avait pas été déportée en 1943 avec toute sa famille. Le jeune soldat allemand — cette fois, les Allemands s'étaient chargés de l'opération eux-mêmes — qui était resté le dernier dans l'appartement et devait l'emmener l'avait regardée un moment, un interminable moment, avant de s'approcher, de lui caresser la joue d'un doigt, puis de tourner le dos, brusque, et de claquer la porte.

Ces semaines ne finissaient pas. Des hommes et des femmes descendaient chaque jour des camions et des bus, mais nous ne les connaissions guère. Nous partagions parfois un moment de bonheur, mêlé de jalousie, quand une voisine inconnue s'écriait « Antoine », « Gaston » ou « Éliane » et se précipitait en fendant la foule. La petite Claudine eut enfin cette joie et je la vois encore, hurlant de bonheur, portant son bébé très haut, à bout de bras, comme une offrande, en courant vers un grand rouquin qui, Dieu merci, n'avait pas l'air trop mal en point.

Le flot des arrivées commençait déjà à se tarir. La guerre en Europe s'était terminée, donnant lieu à des vagues de fêtes semblables à celles de la Libération, moins folles pourtant : quelques illusions s'étaient déjà envolées. Les plus heureux étaient les Américains et les Anglais pour qui s'annonçait le retour au pays. Je m'interrogeais sur mon avenir avec John. J'attendais toujours Aline. Delphine, plusieurs jours, m'accompagna. Nous attendions tous Aline. Surtout peut-être l'oncle Lucien dont Isabelle m'avait dit lors de mon dernier passage, en avril — Royan venait d'être libéré, avec l'appui de la division Leclerc, et mon fils jouait les vainqueurs —, qu'il ne survivait que pour la revoir.

Notre petit groupe peu à peu s'est défait. L'un ou l'autre manquait un matin au rendez-vous du Lutetia. J'avais pu, au fil des jours, connaître certaines des femmes, d'anciennes résistantes pour la plupart, qui s'étaient portées volontaires pour accueillir dans l'hôtel les déportées. Elles ne savaient rien. Personne n'avait reconnu Aline sur la photo que j'avais affichée dans le hall et qui commençait à jaunir.

Ce fut Clément Boidin qui eut, comme il se doit, le premier de ses nouvelles. Une carte, transmise par la Croix-Rouge, qui venait de Suède. Aline en Suède ? Nous n'avons pas compris. Nous avons songé à une évasion. La vérité était plus étonnante encore : des survivantes de Ravensbrück — quelques centaines si j'ai bien compris alors que plus de cent mille femmes sont passées par ce camp où on les exterminait par la faim, le travail, les coups et la chambre à gaz — avaient fait l'objet d'un curieux marché passé par le chef de la SS, Himmler, qui rêva quelques jours, une folie de plus, de succéder à Hitler avec l'appui des Américains. Il avait donc cherché l'aide d'Eisenhower, commandant en chef des armées alliées, par l'intermédiaire d'un Suédois, le comte Bernadotte. Lequel obtint en échange la libération de quatre cents détenues, des squelettes pour la plupart, que dix-sept autocars blancs, puis un train, emmenèrent en Suède via le Danemark.

Aline était du lot. Mais les Suédois entendaient remettre sur pied, dans un hôpital, à Göteborg, toutes ces femmes blessées, mutilées, épuisées. Elle ne revint qu'en août. Entre-temps, Clément Boidin s'était débrouillé pour aller la retrouver quelques jours — une équipée qui passait par l'Angleterre et la Norvège et supposait beaucoup d'argent. Entre-temps aussi était rentré

Paul Bonpain, libéré par les Russes. Le premier qu'il ait rencontré lui avait chipé sa montre et il les décrivait comme des hommes brutaux, très rustres, ce que nous ne parvenions pas à croire : depuis Stalingrad, ils étaient pour nous des héros. Il était passé par Cracovie dans une caserne où régnait la pire pagaille et où cantonnaient, avec des centaines de rats, des milliers d'hommes de toutes origines. Ensuite : la Roumanie, puis Odessa où il avait enfin trouvé place, en juin, dans un cargo britannique qui l'avait lâché à Gênes, mal en point, très revenu de ses illusions sur l'URSS. Je l'ai trouvé déprimé. Mais je ne m'inquiétais guère : Aurélie avait du moral pour deux.

Entre-temps enfin, John était revenu à Paris. Voilà, la guerre était finie. Sa demande tenait toujours et même plus que jamais. C'était « Quand allons-nous nous marier ? », comme allait le chanter, des semaines plus tard, un chanteur très en vogue après la guerre, Georges Ulmer. Dans la chanson, un cow-boy du Texas, un chasseur de primes à la gâchette rapide, se voyait répondre par sa gentille cow-girl : « Nous ferons ça dimanche prochain, peut-être même demain » à condition que le papa soit d'accord, ce qui ne paraissait pas évident. Je n'avais pas moi, hélas, de père à consulter. Surtout, je ne voyais pas clair.

J'aimais John, c'était certain, et j'avais découvert que, contrairement à mes rêves de jeune fille, on pouvait aimer plusieurs personnes à la suite. Je voulais vivre avec lui : j'avais assez souffert — et craint — tandis qu'il était sur le front, dans les Ardennes puis en Allemagne. Mais je m'imaginais mal le suivant aux États-Unis. Je tenais trop, aussi, à mon journal dont les premiers numéros avaient été assez difficiles à vendre mais qui commençait enfin à décoller, Clément Boidin ayant mis, une fois encore, l'argent qu'il fallait — moi aussi puisque nous étions tous associés dans les entreprises de Père — pour financer une campagne de publicité d'autant plus remarquée que peu d'entreprises en lançaient dans cette période de pénurie.

Surtout, je ne voulais plus quitter mes enfants. André, je pensais bien ne le garder que peu de temps : l'armée ne le démobiliserait pas aussitôt ; il en sortirait presque à l'âge de vingt ans. Je ne l'imaginais pas venant se blottir contre sa maman comme un gamin frileux. Simone, c'était une autre affaire. Je l'avais récupérée à Pâques, Isabelle ayant assez de soucis et d'occupations avec son mari. Ce n'était plus une adolescente, pas tout à fait une jeune fille. L'âge où l'on est soucieuse de plaire aux garçons, où l'on est agacée par les regards après avoir fait tout le possible pour les attirer, où l'on se trouve mal fichue et mal comprise, où l'on garde des secrets, futiles ou importants, sauf pour sa meilleure amie, la fameuse meilleure amie des filles. Simone, précisément, qui avait laissé la sienne du côté de Cognac, s'intégrait mal à son lycée parisien. Je ne tenais pas à la secouer davantage. J'en étais venue à me reprocher de ne pas l'avoir gardée près de moi à Paris pendant toute la guerre, bien qu'elle ait été heureuse entre Isabelle et l'oncle Lucien.

Je ne fis pas mystère à John de mes hésitations et de leurs raisons. Première surprise : il m'annonça qu'il viendrait vivre à Paris ; il disposait de relations suffisantes à Washington pour se faire nommer dans une des multiples organisations que son pays allait implanter désormais en Europe. « Sois sans crainte, me dit-il, nous sommes des impérialistes déguisés. Avec cette guerre, grâce à cette guerre si tu veux, nous avons mis les pieds sur tous les continents. Ce n'est pas pour rentrer dans notre coquille aujourd'hui. D'autant que notre industrie, ne pouvant plus fabriquer tant d'armes, aura d'autres choses à vous vendre. » J'objectai, à demi rassurée, que nous, Français, n'aurions pas assez de dollars pour acquérir lesdites « choses ». A quoi il rétorqua : « Nous vous en donnerons. Cela fera marcher nos machines. » Je ne comprenais pas très bien. Je devais m'apercevoir quelques mois plus tard qu'il avait vu clair.

La deuxième surprise vint de Simone. Je l'avais emmenée un soir de la fin mai, un de ces jours où je désespérais de revoir Aline, assister à la projection des *Enfants du paradis* où Jean-Louis Barrault et Arletty, alors en résidence surveillée en raison de ses relations d'ordre très privé avec les occupants, faisaient un triomphe. A la sortie de ce long film, ma fille était évidemment amoureuse de Jean-Louis Barrault, pauvre Baptiste lunaire qui s'était épuisé à poursuivre la belle Garance dans la foule en liesse d'un Carnaval comme on n'en fait plus. Nous avons parlé de l'amour jusque tard dans la nuit. J'appris qu'il existait quelque part du côté des Invalides un certain René qui devait disparaître bien vite de notre horizon. Simone ce soir-là se demandait encore si elle l'aimait et s'il l'aimait, se posait la question qui nous a toutes, je crois, hantées à cet âge : quand est-on sûre d'aimer ? J'étais étonnée, heureuse aussi, qu'elle m'en parle comme à sa meilleure amie.

Il était près de deux heures du matin, je me souviens parfaitement de cette soirée. Nous nous étions fait du thé — pas le Dang Yong Dong Baï dont raffolaient mes parents au début du siècle ! — dans lequel nous trempions de mauvais biscuits de soldat, qui auraient fait la fortune des dentistes si on ne les mouillait pas très longtemps. Je nageais un peu pour lui parler de l'amour : comme cela, en théorie. J'étais allée chercher des exemples en littérature, du côté de Stendhal et de Racine, mais j'avais vite compris que je faisais fausse route : ces auteurs étaient bons pour le cours de français et la prof de français n'était pas bonne, elle, ne s'intéressait qu'au style, guère au sentiment. Simone avait aussi vu à Cognac Danielle Darrieux dans *Premier Rendez-Vous* mais elle jugeait ce film « cucul », une condamnation sans appel. Prit-elle pitié de sa mère empêtrée ? Elle me dit soudain, un peu ironique me sembla-t-il, qu'elle avait un bel exemple d'amour sous les yeux : John et moi. Pour ajouter : « Tu devrais te marier. »

C'est à ce moment que mon regard s'est arrêté sur la pendule car, tremblante comme une gamine, je n'osais pas faire face à Simone. Je puis donc dire qu'il était deux heures moins dix. J'étais époustouflée : John, encore au combat en Allemagne, n'était venu que deux fois à l'appartement ; j'avais pris des précautions, réservé pour lui une chambre dans un hôtel voisin, et voilà que... Cela se voyait donc ? Je soupçonnai aussitôt Jenka, mais elle disparaissait très souvent. Donc, cela se voyait. Je me sentis fière de ma fille, assez fine mouche pour disposer d'yeux à forte capacité, aux mille facettes. Dépourvue de complexes en outre : ce « tu devrais te marier » était sorti sans la moindre hésitation.

Je crus devoir lui parler de son père, dont nous n'avions guère de nouvelles : la Hongrie était occupée depuis des mois par les Russes, et le Quai d'Orsay, que j'avais interrogé, était incapable de donner la moindre précision sur le sort de quelques Français de Budapest. Simone limita sa réponse à un geste de la main, de ceux que l'on ébauche pour chasser un insecte gênant. J'en fus peinée, ne pus m'empêcher de lui faire la leçon — « C'est ton père tout de même » — avant de penser qu'à son âge et dans des circonstances analogues une telle remarque m'aurait agacée. J'aurais même été capable de rétorquer « Et alors ? » mais la tante Isabelle avait bien éduqué ma fille.

Je devais apprendre plus tard que Jenka lui en avait raconté long, sur Olivier.

J'avais donc le consentement de ma fille. Celui de mon fils m'importait moins : cet oiseau-là avait déjà quitté le nid.

Mais j'attendais Aline.

Elle avait repris des forces et des couleurs à Göteborg. J'avais vu, à l'hôtel Lutetia, tant d'hommes et de femmes épuisés, aux visages de linceul, squelettes couverts de haillons, que je la trouvai presque fringante quand je la vis débarquer au Bourget dans une petite robe bleue à boutons dorés donnée par les Suédois.

Je connus ensuite, par bribes, un détail par-ci, un petit récit par-là, l'horreur de ce qu'elle avait vécu et qui dépassait ce que les journaux avaient raconté jusqu'alors :

l'exténuant travail, les interminables appels la nuit dans la neige, les cadavre entassés dans une salle d'eau et livrés aux rats, la sélection pour la chambre à gaz, la violence des détenues de droit commun, souvent allemandes, mêlées aux politiques et prêtes à tout pour leur arracher le moindre morceau de pain, les bastonnades qui le plus souvent tuaient. Nous avions aussitôt emmené Aline chez l'oncle Lucien. Il mourut huit jours plus tard, l'avait à peine reconnue d'abord, avant de se redresser, comme fier d'avoir tenu jusque-là.

Elle parlait peu, semblait appartenir encore à un autre monde, inaccessible. Nous osions à peine la toucher, l'interroger. Le soir des obsèques de l'oncle Lucien, pourtant, alors que nous étions réunis dans son grand salon — c'était Boidin, cette fois, qui faisait goûter les cognacs — elle a commencé à raconter, comme pour elle-même, les yeux perdus. Elle évoquait les femmes de la SS, très jeunes pour la plupart, les *Aufseherinen*, qui les gardaient. Des gamines devenues tortionnaires, sadiques. Personne n'osait l'interrompre. Aurélie, qui me faisait face, semblait près de pleurer. Je ne l'avais jamais vue ainsi. J'en fus — comment dire ? — rassurée. Oui, rassurée parce qu'il m'arrivait de penser que la vie, sa vie, l'avait trop endurcie.

Soudain, Aline a parlé d'une de ces jeunes femmes SS, à qui elle devait, pensait-elle, d'avoir survécu. Elle ignorait son identité, l'avait perdue de vue quelques jours avant le départ du convoi pour la Suède. Une grande fille solide, qui aimait bastonner et qui, passant dans les rangs des déportées un soir d'appel interminable, l'avait longuement regardée. Aline avait fait front, sans baisser les yeux. Elle l'avait remarqué : celles qui courbaient la tête, laissaient percer leur peur, avaient plus de chances de recevoir des coups, parfois jusqu'à ce que mort s'ensuive, se désignaient elles-mêmes comme victimes.

La grande fille — appelons la X — était revenue trois ou quatre fois, au cours des appels, multiples, tourner autour d'Aline. Qui s'interrogeait, s'en inquiétait, eût aimé se fondre dans la masse anonyme de ces femmes destinées à la mort. Un soir enfin, X avait pénétré dans le block où les femmes s'entassaient sur trois étages de planches étroites. « Toi, viens ! » Elle parlait donc français. Aline l'avait suivie jusqu'à la porte, après un signe d'adieu à ses voisines. Bonjour la mort ? Non. L'autre lui dit seulement que, le lendemain, elle travaillerait au Revier, l'hôpital du camp, la renvoya vers ses compagnes, jeta quelques mots à la chef du block, une Polonaise enfermée là depuis longtemps, disparut.

Au Revier, Aline fut, si l'on peut dire, car c'est un bien grand mot dans ce cas, femme de ménage. Pas question de nettoyer vraiment ces salles où se mêlaient sang, crasse et pus. Seulement éviter le pire. Résister à la folie qu'inspirait le spectacle des plaies jamais soignées, des corps défaits, et des tris opérés par les médecins surtout soucieux d'envoyer des femmes à la chambre à gaz, ou d'en choisir pour leurs expériences.

Travailler au Revier était pourtant un privilège. X le souligna à Aline quand elle vint la voir, impeccable dans son chemisier empesé, très chic même, parfumée, tache de propreté dans un cloaque. « Tu sors ! » A la porte, la surprise : « Je te connais. Tu as bien changé, mais tu ressembles à la photo. J'avais une amie, à Munich, qui se nomme Guida. Sa mère est française. Il y avait beaucoup de photos de toi, dans leur maison. Ils sont partis, un jour : des ennemis du peuple et du Führer. Mais Guida est revenue. Tu es sa tante, n'est-ce pas ? » Aline, d'abord stupéfaite, a opiné et comme elle demandait des nouvelles de Guida, X a haussé les épaules — elle ne savait pas ou ne voulait pas dire — avant de la renvoyer vers la crasse et les cris du Revier.

Une autre fois, la jeune SS a confié à Aline que Guida aimait beaucoup ses tantes. Une information qui l'a surprise et nous aussi, à Cognac, ce soir où elle nous racontait cette étonnante histoire. C'est pour cette raison, disait X, qu'elle voulait éviter à Aline le pire. « En souvenir de Guida. Et pour mon père aussi. »

Son père, elle l'avait expliqué bien plus tard, était d'origine française. Blessé au début de l'autre guerre, en 1914. Fait prisonnier. Amnésique. Il avait choisi l'Allemagne où il s'était marié. Elle avait tenté, quand elle vivait encore avec ses parents, de réveiller sa mémoire. Sans grand succès. Il se souvenait seulement de grandes usines. D'une femme aussi qu'il avait peut-être épousée et d'une bataille où il avait failli mourir. Pas plus. Mais il était si gentil. Un Français, pourtant. « C'est pour lui, qui se bat dans la Wehrmacht et pour Guida que je t'ai fait affecter là. Pas pour toi. » Là-dessus, X avait craché à terre. Aline n'avait pas bronché, était retournée vers les mourants.

Moi, l'écoutant, j'étais prête à broncher. L'histoire que m'avait racontée John, la mort de cet Oscar, et celle qu'Aline venait de nous dire s'emboîtaient l'une dans l'autre, comme les deux pièces d'un puzzle.

Un débat s'était engagé, mené par Aurélie qui s'interrogeait sur le mal qui gît au cœur de chaque personne, capable pourtant, comme cette tortionnaire SS, d'un sentiment de pitié, de reconnaissance, d'amour peut-être. J'écoutais à peine, je n'y participais pas. J'échafaudais des hypothèses : la plus vraisemblable était qu'il s'agissait bien d'Oscar Vanhoutte, laissé pour mort par ses camarades en 1914, à Dinant, et vraiment mort à la fin de 1944 lors de la bataille des Ardennes. Mais alors, Aline avait été bigame, des années durant. Si c'était vrai...

Je dormis très mal. Apparemment, Aline n'avait rien deviné, ne s'était guère interrogée : elle ne détenait qu'une pièce d'un puzzle, pas la plus claire puisque cette X ne lui avait pas, semblait-il, livré le prénom de son père. A moins qu'elle ne lui en ait dit davantage, que ma sœur ait tout compris, tout deviné, mais décidé de garder pour elle cette pesante révélation. Elle en était capable. Mais, dans ce cas, pourquoi nous eût-elle raconté cette histoire ? Si elle soupçonnait que le père de la femme SS était son premier mari, Oscar Vanhoutte, un mari qui, pour elle, vivait peut-être encore, si elle avait flairé quoi que ce soit et ne voulait pas nous en faire part, elle ne nous eût rien dit.

Je doutais aussi : mon imagination me jouait peut-être des tours. Après la coïncidence qui m'avait fait rencontrer en Espagne l'amoureux d'Aurélie, je bâtissais trop aisément des histoires, j'opérais des rapprochements qui n'avaient pas lieu d'être. Rien ne prouvait que cet Oscar dont John avait recueilli les confidences, le père de cette X, et Vanhoutte qui avait été mon beau-frère fussent un seul et même homme.

Au petit matin, je décidai de me taire. Si Aline en savait plus et voulait garder le secret, je devais respecter son choix.

Je n'en ai pas su beaucoup plus à cette époque. John, qui se trouvait à Berlin au moment des obsèques de l'oncle Lucien et que j'ai mis dans la confidence à son retour, a fait enquêter, chercher cette X. En vain. Il ne s'en étonnait guère : « Personne, me disait-il, ne peut imaginer le désordre qui règne aujourd'hui en Allemagne, les millions de gens de toutes les nations qui se mêlent dans ce pays. Sans compter que les nazis, comme cette femme SS, ont fui, changé de nom et de papiers, ou sont morts. »

Il ne parvint pas, non plus, à retrouver Guida. Les archives du Lebensborn ne s'ouvraient pas aisément, avaient été en partie détruites.

Blandine et Hans, qui avaient perdu leur fille depuis longtemps en vérité, et à qui nous avons raconté un jour, sans donner plus de détails, l'histoire d'Aline au Revier, nous ont seulement dit que cette X était, à coup sûr, une jeune dirigeante des jeunesses hitlériennes qui les avait humiliés et dénoncés, et se prénommait Martha.

XI

La révolution ! Ma rédaction bourdonnait de rumeurs depuis la fin de 1946. Christian Dior, le couturier dans le vent, allait donner à la femme, assurait-on, une nouvelle silhouette. On allait voir ce qu'on allait voir. En attendant, on se gelait, faute de charbon. Seuls les prix flambaient : ils grimpaient de 10 % par mois et, pour combattre l'inflation, le gouvernement n'avait rien trouvé de mieux que de bloquer les salaires. La ration de pain baissait. Ne parlons pas du chocolat et du beurre.

Mais, bon, on sentait que le vent tournait. Au début de l'automne, mon fils André sorti de l'armée et qui traînait dans Paris, incertain de son avenir, m'avait entraînée dans une cave de Saint-Germain-des-Prés, rue des Carmes, où un jeune clarinettiste nommé Claude Luter, entouré d'une petite équipe dégourdie, jouait chaque soir du jazz. Une petite foule s'écrasait là, dans une âcre odeur de sueur et de fumée. Des garçons à la chemise ouverte jusqu'au nombril, ou simplement en maillot à rayures, faisaient tourner les filles dont les jupes s'élevaient comme des montgolfières pour montrer fesses et culottes. Ou bien leurs cavaliers les projetaient au plafond comme des bouchons de champagne. Je pensais au charleston des années vingt et me disais qu'allaient commencer les autres années folles, celles d'une autre apprès-guerre.

Je n'avais ni tout à fait tort ni vraiment raison : ce n'était pas la fête pour tout le monde. Ça ne l'est jamais,

mais nous battions alors quelques records en matière d'inégalités. La misère, un peu partout, salissait la vie, et 1947 allait voir se succéder d'immenses grèves. Paul Bonpain, qui avait trouvé du travail chez Renault, me racontait sur la vie ouvrière de très sombres histoires.

Quand même, tout bougeait. Clément Boidin m'avait signalé qu'il n'existait plus un seul chômeur à Roubaix et que les usines devaient faire venir chaque jour de la région minière, par le train, des centaines d'ouvrières, pauvres filles mal payées, qui se levaient à point d'heure. Le charbon manquait plus que la main-d'œuvre. Boidin, comme toujours, en avait après le gouvernement, coupable à ses yeux de maintenir des droits de douane trop élevés qui rendaient très onéreuses les nouvelles machines importées d'Angleterre pour moderniser ses usines.

Je pus quand même lui annoncer une bonne nouvelle en février 1947 : la révolution annoncée chez Dior consistait — entre autres — à allonger la jupe, très ample, jusqu'à trente centimètres du sol, et cette silhouette dite « corolle », qu'une journaliste américaine allait baptiser *New-Look*, entraînerait des consommations de tissus considérables. Jusqu'à quinze mètres par jupe ! Boidin se frottait les mains : puisque l'on manquait encore de laine et surtout de coton, il faudrait utiliser les textiles artificiels sur lesquels il avait été le seul de sa région à miser dès l'avant-guerre. Il avait de l'avance. Père, qui n'avait pas cru d'abord à l'avenir des usines de Roanne, eût été obligé de le féliciter.

Aline aussi avait pris de l'avance. Presque dès son retour. Je me souviens d'un soir de l'été 1945, deux ou trois jours après les obsèques de l'oncle Lucien. Nous étions tous sur la terrasse, moroses. Une altercation — brève mais vive — venait de mettre aux prises Clément et son fils Henri, toujours décidé à se faire jésuite. Pendant la guerre, afin de ne pas ajouter aux chagrins et difficultés de ses parents, pas très enthousiasmés par cette perspective, il avait attendu, entamé des études de philo, avant de se cacher pour échapper au travail forcé en Allemagne ; il eût pu aller au maquis, mais n'avait pas l'esprit très combatif me semble-t-il. Bref, la guerre finie, il entendait se débarrasser au plus vite du service militaire et satisfaire enfin son désir. Son père, une fois de plus, lui demandait de réfléchir. A quoi il répondait avec quelque raison qu'il avait eu tout le temps de le faire.

Le ton avait monté. Aline, toujours fine mouche et désormais doyenne de l'assemblée, avait fait dévier la conversation. Voilà, expliqua-t-elle, elle voulait reprendre et développer, mais alors ce qui s'appelle développer, faire évoluer même, l'affaire de confection qu'elle avait commencé de créer en 1937. Une affaire à laquelle elle avait beaucoup réfléchi à Ravensbrück — « Ravensbrück ? » s'était étonnée Isabelle. « Oui, je m'étais dit qu'un grand projet m'aiderait à survivre » — et ensuite en Suède, à l'hôpital de Göteborg.

J'ouvre ici une parenthèse : cette allusion à un projet qui l'aiderait à résister aux tueurs de Ravensbrück m'avait impressionnée. Le désir de retrouver son mari, ses enfants, nous tous enfin, sa famille, ne suffisait-il pas ? Je lui posai la question, une autre fois, alors que nous étions seules. Ce qui la surprit : « Là-bas, tu comprends, j'avais besoin de toutes mes forces. Toutes. Alors, il faut tout ajouter. Une raison de vivre encore, puis une autre, puis une autre. Comme des briques que l'on pose et que l'on cimente l'une à l'autre pour dresser un mur devant la mort. On les cimente parce qu'elles sont liées : ce projet, je ne pouvais le réaliser qu'en compagnie de Clément, tu vois ? »

Je voyais. Je me disais aussi que c'était bien d'Aline, une telle volonté de préparer l'avenir de l'entreprise. J'ai appris plus tard que Marcel Dassault, l'avionneur, s'était mis, après son arrestation par les Allemands, à dresser les plans des appareils qu'il construirait après la guerre. Je ne veux pas comparer Marcel Dassault et Aline. Pourtant...

Revenons à son projet. A la veille de la guerre, il ne s'agissait, dans son esprit, que d'une affaire de confection, comme il en existait déjà beaucoup. Mais à Ravensbrück — à Ravensbrück, cela me surprend toujours ! — elle s'était prise à penser que, désormais, toutes les femmes voudraient ressembler plus ou moins aux modèles des grands couturiers, puisqu'elles les voyaient au cinéma, régulièrement dans les « Actualités », le petit film qui accompagnait le documentaire, et aussi dans *Match*, *La Vie en rose* et d'autres magazines. Ces femmes auraient davantage de moyens : le Front populaire avait donné le départ d'une amélioration du niveau de vie, la radio de Londres, de plus en plus écoutée, la promettait aussi afin de pousser les gens à la résistance. Bien sûr, toutes ces promesses ne seraient pas tenues du jour au lendemain. Mais quelques-unes suffiraient à créer le mouvement.

Il fallait donc passer de la vieille confection, où l'on travaillait en série sans trop se soucier des mesures personnelles de l'individu, à un système beaucoup plus ouvert, offrant un large choix de tailles et de tissus, le prêt-à-porter. Les femmes ne voudraient plus être comme un troupeau, toutes vêtues de robes, de manteaux ou de tailleurs à peu près semblables. Il faudrait leur offrir la robe de leurs rêves, à leurs mesures ; il suffirait, pour ce dernier point, d'embaucher dans chaque magasin une ou deux retoucheuses, les anciennes petites couturières d'autrefois qu'un tel système allait évidemment mettre en difficulté.

Quand Aline a lancé cette idée, Aurélie a sursauté. Je l'attendais. J'étais certaine qu'elle prendrait la défense des malheureuses petites couturières. Alors, Aline : « Tu crois qu'elles étaient si heureuses, les couturières, dans les quartiers ? De pauvres femmes qui s'esquintaient les yeux en travaillant tard le soir, pour trois sous, sur des machines à coudre antiques que l'on fait marcher en pédalant et où il y a toujours un fil qui se casse. » Je me demandais d'où elle tirait tout cela. Je crus qu'elle l'avait lu dans un roman, un journal, un rapport, je ne sais quoi. Mais non, encore Ravensbrück : elle avait connu là-bas une de ces femmes, sa voisine de lit — si on peut appeler lit une planche de 65 centimètres où il fallait s'entasser à trois parfois —, qui avait fait ce métier, en décrivait toutes les misères. Mais Aline, qui n'avait pas encore terminé sa démonstration, apostrophait cette fois Julia Bondues : « Vous-même, si vous avez abandonné la confection et préféré l'usine — Aurélie, tu ne vas pas me dire maintenant que c'était drôle l'usine —, c'est bien que vous en aviez assez de ce travail épuisant à domicile. »

Je regardais Boidin, visage caché derrière l'un de ces très ventrus verres à cognac qui permettent à la liqueur d'exhaler tout son arôme. Il n'avait pu s'empêcher de grimacer tandis qu'Aline évoquait les tristes noirceurs de l'usine. Je m'aperçus qu'Aurélie l'avait remarqué comme moi. Elle souriait, un peu moqueuse.

Aline donc, n'avait pas terminé sa démonstration. « Avec mon système, dit-elle, nous allons démocratiser la mode. » « Mon » système : c'était bien d'elle aussi, cette façon de s'approprier une idée, de lui mettre sa marque. Et « démocratiser » : elle avait saisi au vol un mot à succès, dont elle savait qu'il plairait à Aurélie. « Voilà, on va se rapprocher de la haute couture, pour tout le monde, et donner du travail à bien des femmes, un travail bien plus intéressant que la surveillance d'une machine dans une usine. Il faudra une modéliste pour créer le vêtement, une patronnière pour en faire le patron, une coupeuse pour le tailler, une ouvrière pour le coudre, une monteuse pour assembler tout cela, une finisseuse, et puis quelqu'un pour tout vérifier. »

Aurélie, cette fois, craqua. Je la sentis même admirative, bien qu'elle ait toujours marqué une certaine réserve à l'égard d'Aline. Souvenez-vous de cette phrase, après leur première rencontre : « Je ne veux pas perdre ma liberté. » Cette fois, je la crus près d'applaudir. Boidin, pendant ce temps, avait pris le relais, expliquait qu'il ignorait encore s'il fallait créer sa propre chaîne de magasins à travers la France pour vendre ces vêtements — cela, c'était l'idée d'André Millet, le brillant jeune homme qui lui avait conseillé de créer des usines au Brésil — ou diffuser le prêt-à-porter dans les boutiques existantes, celles qui en étaient toujours à la confection traditionnelle.

Je vis bien qu'Aurélie n'écoutait plus. Elle discutait de je ne sais quoi avec son mari. Ils finirent par s'écarter, discrets, partirent pour le jardin. Ces deux-là allaient me donner par la suite quelques soucis.

Je termine d'abord ce rappel en arrière. J'en étais au lancement du *new-look* par Christian Dior en 1947. Aline sauta sur l'occasion dès la présentation de cette collection révolutionnaire. Elle avait constaté que bien des femmes, faute de pouvoir s'offrir du jour au lendemain une nouvelle garde-robe, s'efforçaient d'allonger leurs jupes par tous les moyens, surtout en ajoutant une bande de tissu de la couleur qui convenait aux vêtements qu'elles possédaient déjà. Le mouvement était donc lancé. Ses chaînes de fabrication, à elle, étaient prêtes. Elle les fit fonctionner à plein régime. Dès le printemps, les boutiques que Boidin et elle avaient constituées en réseau pouvaient offrir à leurs clientes des modèles new-look qui s'arrachèrent.

Les affaires de chapeaux, en revanche, marchaient beaucoup moins bien. Me voici revenue avec Aurélie. Le retour de Paul avait été difficile. Faites le compte : ils commencent à se fréquenter comme on disait alors (aujourd'hui on préfère « sortir ») en 1936. Elle n'a pas tout à fait vingt ans. Lui, quelques mois de moins. Il part pour l'Espagne, revient, pour repartir bien vite à l'armée. Ils se marient en 1939. La guerre. Il est mobilisé, fait prisonnier en 1940. Donc, neuf années se sont écoulées avant qu'ils commencent à vivre ensemble. Ils ont eu le temps de changer. Elle a pris de l'aplomb, de l'assurance. Lui s'est renfermé. L'humiliation d'être fait prisonnier d'abord, bien que son régiment, dans l'Est, se soit plutôt bien battu. Ensuite, la vie des stalags, dont il parla peu, encore moins qu'Aline de Ravensbrück. Peut-être aussi ses désillusions politiques, je ne sais pas : ce garçon était parfois avare de confidences.

Bien entendu, les retrouvailles ont été joyeuses, passionnées. J'en ai eu seulement quelques échos — il importait de les laisser entre eux — mais ces échos suffisaient. Une naissance s'annonça bien vite. Une petite fille Bonpain apparut. Blandine fut ainsi la première des quatre filles Surmont-Rousset à devenir grand-mère (elle l'était peut-être déjà, je ne pouvais le savoir alors, si Guida avait « offert un enfant au Führer »). Une nouvelle génération commençait. Ce qui ne nous rajeunissait pas.

Bien des gens pensent que la naissance d'un enfant peut améliorer les rapports d'un couple en difficulté. Ils se trompent, j'ai pu le vérifier maintes fois. Père attendri, Paul restait « l'étranger du retour », comme l'écrivit alors, à propos d'une situation semblable, un romancier anglais.

Qui connaissait Aurélie savait bien pourtant qu'elle ne le tolérerait pas très longtemps, qu'elle livrerait bataille pour le reconquérir.

Elle lui avait d'abord trouvé du travail chez Renault, je l'ai dit, grâce à André Millet, ce brillant sujet qui avait prospecté l'Amérique latine pour Boidin, avant de le quitter sous l'Occupation : il avait été engagé par Louis Renault afin de prospecter les terres à bauxite, dans le Var et ailleurs ; le constructeur d'automobiles rêvait de lancer, après la guerre, des voitures légères, tout aluminium ; cela ne se fit pas, l'acier offrait quand même des garanties de sécurité plus sérieuses. André Millet n'avait pas coupé toutes relations avec nous pour autant : il était devenu l'amant de Delphine, ce que nous n'avons pas compris aussitôt. Louis Renault, emprisonné et vite décédé à la Libération, l'affaire des terres à bauxite abandonnée, Millet avait repris du service chez Boidin. Mais gardait assez d'entrées chez Renault, où l'on commençait à construire la très célèbre 4 CV, pour y faire embaucher Paul.

Aux yeux d'Aurélie, il ne s'agissait que d'une transition. Elle rêvait que son homme, comme elle disait, ait sa petite affaire à lui, devienne son propre patron. Elle m'expliqua un jour qu'elle voulait ainsi le mettre à égalité avec elle : il supportait mal d'être un salarié, dépendant de toute une hiérarchie, alors que sa femme et sa belle-sœur dirigeaient leur affaire de chapeaux, concluaient des marchés, traitaient avec des banquiers, et ainsi de suite. C'était bien vu : les hommes sont toujours mus par le désir de nous être supérieurs, du moins de le paraître ; ils tolèrent à la rigueur de se trouver à égalité ; mais de sembler inférieurs, jamais. Il suffit de les entendre parler du sexe pour en être assuré : ce sont eux, à les en croire, qui donnent le plaisir. Cela dit, quand Aurélie m'exposa son projet, sa stratégie, je ne pus m'empêcher de penser qu'elle était vraiment une Surmont-Rousset.

Ce dont elle rêvait pour Paul, c'était d'un garage. D'où le passage chez Renault. Elle en trouva un assez vite, dans un chef-lieu de canton des Deux-Sèvres, grâce à Isabelle qui, depuis la mort de l'oncle Lucien, se promenait beaucoup dans sa région. C'était, en vérité, une petite affaire, avec un seul ouvrier et un apprenti de quatorze ans tout juste bon à servir l'essence et réparer les chambres à air. Mais justement, cela leur convenait tout à fait. Aurélie et Paul avaient décidé une fois pour toutes de ne jamais rien demander à la famille, surtout pas d'argent ! Elle ne pouvait pas tirer grand-chose de l'affaire des chapeaux, laissée à sa sœur et à Julia. D'autant que celle-ci tournait au ralenti : les femmes préféraient aller cheveux au vent, sauf circonstances exceptionnelles. Boidin leur avait conseillé de se lancer dans le maillot de bain, puisque les congés payés allaient envoyer les Français sur les plages par familles entières, mais la nouvelle mode, celle des tout petits deux-pièces appelés bikinis qui ne cachaient pas grand-chose, faisait tiquer Julia, encore un peu prude.

Ainsi débuta l'aventure du garage. Et, surtout, la reconquête de Paul par Aurélie. Qui vit d'abord se confirmer l'un de ses soupçons : il buvait plus que de raison. Quand il rentrait, tard, de chez Renault, prenant prétexte d'une réunion syndicale, d'un arrêt imprévu du métro à la suite d'une défaillance électrique (alors fréquente, c'est vrai), elle ne s'y trompait guère : le trouble du regard, le goût anisé de la bouche, la démarche un peu raide de ceux qui cherchent à se contrôler, sont des signes que bien des femmes connaissent. Elle lui en avait parlé, bien sûr. Il niait, bien sûr aussi, s'était même parfois emporté, avait plusieurs fois tenté de se modérer, dit ses regrets, présenté des excuses. Puis recommencé.

Au garage, c'était une autre affaire puisqu'ils se trouvaient pratiquement toujours ensemble. Elle repéra vite le petit coin, sous un établi, où il cachait sa bouteille, s'interrogea sur la meilleur manière de réagir, décida d'accrocher chaque jour à ladite bouteille une petite lettre d'amour. Le premier jour, il fit mine de n'avoir rien remarqué. Le deuxième non plus. Le troisième, la bouteille avait changé de place, disparu. Deux jours plus tard, elle la retrouva dans un coin où s'accumulaient de vieux pneus, et recommença. Alors, il tomba dans ses bras, repentant. Cela se termina au lit, passionnément j'imagine. Ils décidèrent au petit matin que Paul viendrait boire, quand il le souhaiterait, dans le petit appartement situé derrière l'atelier. Les yeux se firent dès lors plus clairs, la démarche plus naturelle, la bouche moins anisée.

Ils profitèrent, à cette époque, d'un coup de chance. Paul avait entendu parler d'un drôle d'engin nouveau, une bicyclette qui marchait toute seule grâce à un petit moteur. Il se dit, astucieux, que cet insecte noir, le Vélosolex, conviendrait bien à sa clientèle de ruraux. Il en obtint la concession et liquida très vite les premiers modèles. Un premier succès qui le réhabilita peut-être à ses yeux, le rendit plus confiant.

Survint l'affaire du monument aux morts. Une histoire presque incroyable.

Ils avaient pris l'habitude, le dimanche après-midi, garage fermé, d'emmener leur bébé, leur première fille, dans la campagne alentour, à bord d'une petite voiture d'occasion. Ils changeaient parfois d'itinéraire, s'arrêtèrent un jour sur la place d'un village presque désert, silencieux. Paul se planta devant le monument aux morts. C'était une sorte de passion chez lui, m'expliqua Aurélie plus tard, tant était forte sa haine de la guerre. Il comptait les noms, se tournait vers elle pour lui faire noter combien ils étaient nombreux — « Tu te rends compte, un si petit village ! » — ou souligner qu'il y avait là, gravés dans la pierre cinq Dupont ou quatre Maisonneuve, « tous de la même famille sans doute, imagine l'état des parents, quel drame ! ».

Ce dimanche-là, alors qu'il lisait, attentif, nom après nom et qu'elle était aux prises avec le bébé en pleurs, un vieux bonhomme s'approcha. Une allure de paysan, appuyé sur une lourde canne. « Vous cherchez quelqu'un ? »

Paul, presque agacé par cette intrusion, répondit que, non, ils s'étaient arrêtés pour se dégourdir les jambes, voilà, c'était tout. Quand même, ajouta-t-il, c'était impressionnant tant de morts dans un village de... combien d'habitants déjà ? L'homme donna un chiffre, opina : « C'est vrai. Ça fait diablement beaucoup. Et encore : il en manque un. » Cette dernière phrase sur le ton mystérieux et aguicheur de qui brûle d'en dire davantage.

Paul joua le jeu aussitôt. Ils entendirent le nom de Louis Julien, l'enfant d'une fille de ferme d'origine incertaine qui avait, à la fin de l'autre siècle, fauté, comme on disait, avec un forain, lors d'une fête au chef-lieu de canton. Père envolé, mère morte en accouchant, le bébé se serait retrouvé seul au monde s'il n'avait été pris en charge par une femme un peu folle, une « étrangère » (entendez : pas du pays), une ancienne religieuse, disait-on, qui avait quitté le couvent pour d'obscures raisons. La femme et l'enfant avaient vécu, plutôt mal, dans une masure à l'écart du village. Le gamin s'était révélé piètre écolier, en dépit des efforts d'une institutrice compatissante. Après quoi il avait vivoté seul, sa protectrice emportée par une crise cardiaque : l'abus de l'alcool, qu'il ne détestait pas non plus. Il se « plaçait », était soupçonné de divers larcins, disparaissait parfois. Bref, comme allait le chanter plus tard Georges Brassens, au village il avait mauvaise réputation. La guerre, celle de 1914, lui donna l'occasion d'en sortir : il s'engagea, il avait à peine dix-huit ans.

Il mourut à Verdun, en 1916. Mais quand, des années plus tard, la commune, comme toutes les autres, se préoccupa d'honorer ses morts par une stèle de pierre surmontée d'un buste de Marianne, on l'oublia d'abord. Le monument n'était pas inauguré, les noms pas tous gravés, quand le secrétaire de mairie, instituteur par ailleurs, se souvint du jeune Louis Julien, « mort pour la France » comme tant d'autres. Il était temps encore. Largement. Le maire et ses conseillers s'étaient regardés, surpris, comme dérangés par cette suggestion à leurs yeux saugrenue. Le boulanger avait été le premier à oser hausser les épaules : « Celui-là, il était pas d'ici tout à fait, un mauvais bougre en plus. » Les autres avaient fait chorus, soulagés, soulignant qu'il s'agissait, faute supplémentaire, d'un enfant naturel. Tout pour déplaire, à leurs yeux. « Moi, disait pourtant le vieil homme, j'l'aimais bien l'Louis. A deux quequ'fois, on allait voir les filles, à Bressuire, où y avait une maison pour ça. » Il riait vaguement, pas trop désolé, semblait-il, de l'oubli dans lequel était tombé son ancien compagnon de virées, plutôt fiérot, comme un vieux coq déplumé, d'évoquer ses visites au bordel de Bressuire, satisfait d'avoir trompé, l'espace de quelques minutes, l'ennui dominical.

Il n'imaginait pas la suite. Moi, à ce point du récit d'Aurélie, je commençai à la deviner.

D'abord leurs questions indignées : personne, depuis, n'avait pensé à réparer ? Après tout il y avait encore de la place sur la stèle puisqu'on avait réussi à y caser les trois morts de la guerre suivante. Et le 11 novembre, personne n'était gêné, au moment du dépôt de la gerbe, en songeant qu'on avait volontairement omis un nom ? Il était bien domicilié dans le village, ce Louis quelque chose, oui. Oui ? Oui. Alors ? Et ce qu'on lui reprochait c'était surtout d'être un enfant naturel ? On pouvait le dire comme cela. Étranger en plus, pas d'une famille du village. Mais il y avait toujours vécu, jusqu'à la guerre ? Depuis sa naissance jusqu'à la guerre, et la marche vers la mort, d'accord ? Oui, c'était la vérité. Et l'on était au XXe siècle ? Pour sûr.

Ils avaient houspillé le bonhomme avant de claquer les portes de leur voiture. Départ en trombe. Je les vois très bien se répétant l'un à l'autre toutes leurs raisons d'être étonnés et de se révolter, Aurélie reprenant pourtant Paul, par instants : « Fais quand même attention. Tu vas trop vite. Pense au bébé. »

La semaine suivante, Paul profita d'un déplacement dans la région, chez un éleveur qui voulait se débarrasser d'une Celtaquatre à l'agonie, pour rendre visite au maire du petit village. Lequel fut éberlué. Commença par lui demander s'il avait quelque lien de parenté avec ce Louis Julien. Non. Alors de quoi se mêlait-il ? Paul, plutôt calme à en croire Aurélie mais elle ne l'accompagnait pas, lui expliqua le sens de la devise républicaine, lui demanda d'imaginer ce que penserait d'une telle mesure d'exclusion le général de Gaulle dont l'image trônait près du buste de Marianne, obtint enfin la promesse vague d'une consultation du conseil municipal.

Ils retournèrent deux ou trois fois voir le maire. Il les évitait. Ou répondait que le conseil ne s'était pas réuni, qu'il n'avait pas eu le temps — ordre du jour trop chargé — de s'intéresser à cette question diverse. Il finit par leur dire que, oui, on en avait parlé, et que tous étaient tombés des nues, y compris la femme qui appartenait au conseil, puisque, maintenant, le conseil était ouvert aux femmes et que l'on en avait élu une pour paraître moderne : on n'allait pas faire une histoire pour si peu, les villageois l'avaient d'ailleurs presque tous oublié, ce Louis Julien, ou n'en avaient même pas entendu parler. Le maire crut même bon de citer l'Évangile : « Il faut laisser les morts enterrer les morts. »

Ce n'était pas l'avis d'Aurélie et de Paul. Ce combat,

leur combat, peut être jugé futile. Mais ils ne badinaient jamais avec les principes. Ils avaient aussi à l'esprit, bien entendu, les conditions de la naissance d'Aurélie. D'être unis dans cette bataille, petite bataille certes, les rapprochait. Ils le sentaient sans doute obscurément, voulaient en tirer parti.

Un soir, laissant leur bébé à une voisine, ils allèrent dans ce village peindre au minium le nom de Louis Julien sur le monument. C'était le début de l'été. La nuit n'était pas encore tombée. Ils ne se cachaient pas. Deux ou trois fenêtres s'ouvrirent. Des têtes apparurent. Personne n'intervint.

Le lendemain, Paul alla voir le maire. « Le minium sur le monument, c'est nous. » L'autre le regardait comme un demi-fou, ou un fou total, je ne sais, et se borna à lui demander s'il était prêt à payer la facture de nettoyage de la pierre. D'accord. A condition que la commune fasse graver le nom de Louis Julien sur la stèle. Paul et Aurélie étaient même disposés à payer cette facture-là aussi. Entendant cela, le maire, excédé, lui conseilla d'en parler au sous-préfet et le poussa vers la porte.

Deux jours plus tard, Aurélie, qui servait l'essence, vit arriver les gendarmes. Ils n'avaient que menaces à la bouche : dégradation de monuments publics, ça pouvait mener loin. L'un d'eux portait des barrettes de décorations. Elle lui demanda s'il savait ce que signifiait mourir pour la France. Il fut près d'éclater : blessé lors du débarquement de Provence, en août 1944, il avait failli figurer dans ce lot, le lot des morts pour la France, était resté trois mois à l'hôpital. « Alors, madame, je n'ai pas de leçons à recevoir. » Elle eut le front de répliquer que, précisément, s'il y était passé, elle se fût battue pour que son nom figurât en bonne place sur le monument de son village, c'était normal, non ? Un droit, un honneur. L'autre gendarme, jusque-là silencieux, fit valoir qu'elle avait sans doute raison mais que c'était l'affaire du conseil municipal, lequel considérait que le jeune Louis Julien n'était pas du pays. A quoi elle crut bon d'ajouter que ce poilu était aussi un enfant naturel, ce qui avait joué un rôle déterminant dans la décision des villageois des années vingt. Elle mentit même un peu, outrée, prétendant qu'elle avait eu à souffrir de vexations dans sa prime jeunesse puisque, enfant naturelle, elle l'était aussi. J'aurais voulu la voir, un peu décoiffée je pense, le tuyau d'essence à la main, aux prises avec ces deux gendarmes. Belle à coup sûr. Dans le genre Antigone. Il est ainsi des spectacles que l'on regrette toujours d'avoir raté.

La semaine suivante, le maire leur envoya la facture du nettoyage par un artisan du canton, spécialisé dans les monuments funéraires. Il y avait joint une lettre plutôt aimable précisant que, renseignements pris auprès des anciens de la commune, ce Louis Julien était vraiment un chenapan. Ils ne répondirent pas immédiatement : ils cherchaient la photo d'un monument aux morts de la Légion étrangère et, bien sûr, se dirent que la tante qui dirigeait un journal à Paris, moi, se trouvait bien placée pour leur en dénicher un.

C'est ainsi que j'entrai dans cette histoire. La photo trouvée, ils l'adressèrent au maire en précisant que, parmi ces morts, se trouvaient sans doute des hommes plus chenapans que Louis Julien. Ajoutant qu'ils étaient toujours disposés à payer de leurs deniers la gravure du nom de celui-ci sur la stèle. La facture de nettoyage, elle, pouvait attendre. D'ailleurs, ils ne s'en cachaient pas, ils se proposaient de recommencer.

Ce qu'ils firent, un soir de cet été-là, sans davantage se cacher que la première fois. Sans provoquer, non plus, de réactions immédiates. Mais ils avaient, sur mes conseils, intéressé à l'affaire un journaliste du lieu. Le premier auquel ils s'étaient adressés les avait envoyés promener, plutôt rigolard. Un autre, les ayant écoutés, eut une formule : « C'est le deuxième soldat inconnu, votre Louis Julien ! » Du coup, fier de cette trouvaille, il publia un article.

L'affaire prenait des proportions. Ils reçurent quelques témoignages de sympathie. Une nouvelle visite des gendarmes aussi : le maire, assuraient-ils, avait décidé, cette fois, de porter plainte. A quoi ils répondirent, instruits par l'expérience, qu'ils étaient disposés à alerter aussi la presse nationale, *France-Soir* par exemple, friande de ces querelles villageoises.

Avant qu'ils ne l'aient fait, les murs de leur garage furent barbouillés : on n'avait pas encore inventé les tags, mais le minium existait de longue date et s'achetait aisément. Ils découvrirent, un matin, quelques inscriptions du style « Respectez nos morts », ce qui pouvait sembler bizarre puisqu'ils ne souhaitaient que cela. Pour tous les morts. Alors, le journal local publia deux photos : le monument et le garage.

L'affaire, émaillée de divers incidents pittoresques et de l'intervention d'un quotidien parisien, traîna encore quelques semaines. Des militants politiques étaient venus leur proposer de créer un comité de soutien. Ils refusèrent, prudents : les élections municipales approchaient. Prudent lui aussi, le maire du village mit les pouces, fit graver un matin, sans avoir prévenu quiconque, le nom de Louis Julien sur la stèle. De bonnes âmes s'empressèrent de les avertir. Le journal local voulut les photographier devant le monument. Mais ils ne souhaitaient pas triompher. Ils ne surestimaient pas l'importance de cette victoire. Pourtant, cette affaire avait fait connaître le garage, contribué à accroître leur clientèle.

Surtout, elle les avait soudés davantage. J'ai pensé alors qu'ils s'étaient retrouvés unis comme à l'époque où ils participaient au comité de grève, contre mon père. Les enjeux étaient moins lourds. Il n'empêche... L'amour se construit et se reconstruit chaque jour. Plus aisément quand on agit ensemble.

XII

Ce matin-là, comme beaucoup d'autres, j'écoutais à peine la radio et ne prêtais qu'une oreille distraite aux chansons et aux bulletins d'information. Le speaker du « Journal parlé », comme on disait encore, ne pourrait que redire les effets inquiétants de la dévaluation du mois précédent ou souligner la grogne croissante des forestiers des Landes où un énorme incendie, l'été, avait fait des dizaines de morts et détruit plus de 100 000 hectares de pins. Il s'extasierait peut-être, une fois de plus, sur les exploits de la SNCF qui venait de faire rouler une locomotive à 160 à l'heure. Rien que du réchauffé. Tout cela, je le savais. Je l'oublierais vite. Si je l'ai gardé en mémoire, c'est en raison de ce qui va suivre. Le drame. Mon drame.

Ce matin-là, donc, le 28 octobre 1949, la radio annonça qu'une catastrophe aérienne venait de se produire aux Açores. Les passagers du vol Paris-New York étaient tous morts, carbonisés. Parmi eux, indiquait-on, Marcel Cerdan, champion du monde de boxe depuis l'année précédente, et la violoniste Ginette Neveu.

Je crois avoir hurlé si fort que tout l'immeuble l'a entendu. Presque aussitôt le téléphone sonna. Aline. Elle savait qu'à bord de ce Constellation — c'était le nom de cet appareil — se trouvait aussi John. Mon John.

Je ne l'avais pas accompagné, la veille, à l'aéroport. Ses allées et venues entre Paris et New York étaient tellement routinières. Je n'ai jamais beaucoup apprécié, en outre, ce genre de rites : la course en taxi vers l'aéroport où l'on a tant de choses à se répéter que l'on se borne à des banalités, les attentes qui paraissent interminables au guichet d'enregistrement, à la douane (alors très active) puis au contrôle de police, la silhouette qui s'éloigne et le petit geste de la main, dérisoire, au moment où le cœur déborde des mille mots que l'on eût voulu dire, que l'on a oubliés, évités, et qui se pressent soudain, deviennent autant d'urgences, d'indispensables nécessités, de regrets.

Bref, je n'aime pas les adieux.

Ce matin-là, je m'en suis voulu. Désespérée.

Il m'est arrivé depuis de penser que l'on devrait considérer chaque séparation comme un arrachement, se comporter comme s'il était définitif. Impossible, bien sûr.

Nous avions fini par nous marier, l'année précédente.

Pauvre John, je l'avais fait attendre. Il ne s'était pas lassé. Je lui faisais valoir que le mariage ne changerait rien à nos relations, puisqu'à chacun de ses séjours à Paris — nombreux : il appartenait à la délégation américaine à l'Unesco — il prenait pension chez moi. Notre vie en couple était connue de tous nos amis, et sans doute de bien d'autres. Nous étions invités et nous recevions ensemble. Le cercle de famille l'avait même accueilli, non sans réticences du côté d'Aline et, plus surprenant pour moi, d'Aurélie. Mes enfants l'acceptaient. Que changerait un mariage alors que nous ne vivions à deux qu'à mi-temps, que nous ne savions pas comment faire mieux, puisqu'il ne souhaitait pas quitter son pays, moi encore moins la France ?

Je l'avais accompagné, l'année précédente, pour un long périple. D'abord, New York, retrouvé avec bonheur. Un brin de jalousie aussi. Une ville-monde, sans logique en dépit de l'alignement de ses rues, supportant toutes les folies des constructeurs et de ses habitants pour demeurer elle-même, le miroir des temps modernes, la ville par excellence, toujours inattendue. La jalousie, pour moi, l'envie, tenait à ce que ce pays n'avait pas été traversé par la guerre, n'en portait ni plaies ni cicatrices, ce qui se respirait à mille détails. New York éclatait de richesse, d'une joie de vivre que l'on pouvait dire factice peut-être, mais ce serait tricher vraiment. C'était la vie même. Nous étions, nous, en Europe, à peine convalescents.

J'éprouvai plus encore ce sentiment quand John m'emmena chez lui, au Kentucky, pays des chevaux courant dans l'herbe bleue... et du bourbon. Une autre planète. La guerre ? Quelle guerre ? Les jeunes hommes y étaient allés certes, les Noirs surtout. Mais bon, la page était tournée, au prix de quelques morts. Des plaines, interminables, calmes, silencieuses, à peine peuplées. Des villes, petites, qui n'en étaient pas vraiment.

Nous avons logé dans un hôtel de Louisville. Il hésitait à me présenter à sa famille. Une sœur, qui m'accepta assez vite. Des parents âgés, très religieux à en juger par les images pieuses qui décoraient la maison. Gentils, juste ce qu'il faut. Ils ne connaissaient pas un mot de français, bien sûr. Je fis celle qui pratique un américain hésitant, comme si je n'avais pas passé des années à Washington. Ainsi évitâmes-nous les sujets délicats. De toute évidence, ils ne comprenaient pas ce que je venais faire là, en compagnie de leur fils. Je savais, moi, que ce voyage était pour lui un partage. Il prenait un plaisir simple, émouvant, à me montrer les lieux de son enfance, un arbre qu'il avait planté mais qui le laissait indifférent, un autre, très ancien, qu'il aimait, deux ou trois boutiques et un immense garage où il allait rôder, gamin, pour admirer les voitures, lesquelles présentaient désormais des carrosseries aux couleurs confiture et aux chromes rutilants.

L'étape suivante fut Hollywood : il fallait bien justifier, pour mon journal, cette longue absence. Nous avions là-bas une correspondante, une vieille Américaine à lunettes et coiffure en pièce montée, qui nous traîna de studios en parties et de salons en restaurants à la mode. Je n'aimai guère ce lieu et ces gens. J'écrivis, sur place, mon article. Puis je me hâtai de l'oublier.

Au retour, je me rendis enfin aux raisons de John. Il

objectait aux miennes qu'un mariage signifierait aux yeux de tous que nous étions décidés à vivre longtemps ensemble. Nous n'allions pas fonder une vraie famille, bien sûr : je n'avais plus l'âge d'être à nouveau maman, plutôt grand-mère ! Mais nous serions un vrai couple, affiché comme tel, dans la durée et non dans l'éphémère. C'est ce que je pensais, ce que j'ai voulu jusqu'à ce matin du 28 octobre 1949. Quand j'ai hurlé à la mort, le croira qui voudra, j'ai pensé aussi à Ramon. Je les unissais dans ma peine, Ramon et John. John et Ramon. J'aime à réécrire leurs noms, ensemble. Ils se seraient bien accordés, je crois.

Mariage décidé, nous avions donc annoncé à toute la famille notre volonté de les réunir pour une vraie fête. L'idée était aussi de tirer autant qu'il se pouvait un trait sur le passé, la guerre, les deuils, les chagrins. Aline aurait souhaité une cérémonie religieuse. Impossible : j'étais divorcée. Je me disais que si mon premier mari, Olivier de Lontrade, dont nous n'avions toujours pas de nouvelles, qui traînait peut-être quelque part en Sibérie dans un de ces camps dont on commençait à parler beaucoup au grand dam des communistes et de nombre d'intellectuels, si Olivier, donc, était mort, comme on pouvait le penser aussi, l'Église n'aurait vu aucun inconvénient à un mariage en grand tralala. Mais là, non. Le fils d'Aline, Henri, qui avait fini par entrer chez les jésuites, dénicha quand même un religieux de sa compagnie, un petit père à lorgnons et grise moustache, qui vint nous voir plusieurs soirs et improvisa une cérémonie très intime, en soulignant bien que ce n'était pas le vrai sacrement. Aline pourrait respirer. Les parents de John également. Mais je ne sais pas ce qu'il leur a écrit. Ils ne sont pas venus. Sa sœur non plus.

Ceux qui ont traversé l'Atlantique, en revanche, ce sont Blandine et Hans accompagnés de leur fille Erika. Leur premier voyage en Europe depuis la guerre. Les retrouvailles avec Aurélie, la découverte par Blandine de sa petite-fille. Je n'y ai pas assisté : la fête devait être célébrée chez la tante Isabelle, Blandine et Hans n'avaient fait qu'une brève escale à Paris, pressés d'aller rejoindre les Bonpain dans leur garage des Deux-Sèvres. A ce que m'a raconté plus tard Erika, et à ce que j'imagine, il y eut pas mal d'émotions bien que Blandine, comme Aurélie, ne fût pas du genre larmoyant : un visage que les peines détruisaient, certes, mais des larmes, presque jamais. Je crus comprendre que la jeune Erika — presque une femme, belle, toute dorée de soleil, et qui faisait tout le possible, seins en figures de proue, pour attirer les regards masculins — avait éprouvé quelque jalousie lorsque Aurélie et sa mère s'isolaient en de longs conciliabules : depuis ce jour de 1940 où ils avaient pris le bateau à Anvers, elle était devenue la fille unique, ce qui n'allait pas sans problèmes, comme je m'en apercevrais bientôt. Elle semblait en tout cas avoir oublié Guida. Pas Hans et Blandine que j'avais tenus au courant, depuis trois ans, de l'insuccès de mes recherches. Ils avaient, je le crus à tort, accompli leur travail de deuil, comme les psys nous ont appris à dire. Guida semblait morte à leurs yeux. Ils n'en avaient pas perdu pour autant le souvenir. Il leur arrivait pourtant de se demander comment ils avaient pu, sans en prendre conscience, laisser le poison hitlérien envahir son esprit.

Nous avons donc fait une grande fête, comme les gens du Nord savent en organiser. Le jardin de la tante Isabelle, où nous avions installé de longues tables et un parquet pour danser, étalait un tapis de fleurs, qui résistaient, vaillantes, aux premières brûlures du soleil. Je m'étais vêtue de blanc, comme une jeune mariée, mais en tailleur.

Je regardais tous les miens avec bonheur. Aurélie avait amené Julia Bondues, que la vie avait beaucoup usée, qui allait mourir quelque semaines plus tard — cœur trop fatigué — mais qui montrait bonne figure encore. Mon fils et Paul Bonpain, à la même table, avaient commencé d'échanger des souvenirs de guerre, se mirent soudain à chanter des chansons de soldats. Femmes et filles se récrièrent : pourquoi faire bande à part ? L'assemblée devint chorale. Les chansons de l'époque, que tous connaissaient, un peu, beaucoup, s'intitulaient « La mer », « Fleur de Paris », « Ploum, ploum, tralala », et « Le petit vin blanc » bien sûr.

John s'amusait beaucoup d'une certaine mode américaine qui sévissait alors dans la chansonnette : « Les plaines du Far West », « Battling Joe » ou « Je vends des hot-dogs à Madison et à Central Park », un des premiers succès d'Yves Montand. J'observais Clément Boidin chantant « La polka des barbus » et je me demandais où ce survolté suroccupé avait bien pu entendre cela. Je m'interrogeais aussi sur la tête de ses ouvriers et employés s'ils le voyaient s'égosiller ainsi. Seuls Blandine, Hans, Erika restaient à l'écart. Ils ignoraient mélodies et paroles : l'exil. Je fis chanter Erika, qui connaissait quelques rumbas et se débrouillait, ma foi, assez bien.

Le bonheur. On pouvait appeler cela le bonheur. A condition de fermer les yeux.

André, mon fils, avait beaucoup applaudi Erika, sa voisine de table. Je remarquai qu'il se penchait à tout propos et avec beaucoup d'intérêt vers elle : chansons terminées, elle avait dégrafé son corsage pour résister à la chaleur. Je n'y prêtai d'abord qu'une mince attention amusée : j'avais assez à faire avec la famille, les amis, quelques voisins, mon John aussi, plus heureux qu'un tout jeune marié.

La tante Isabelle m'avait un jour rapporté, plaisantant, que mon garçon, remis de sa grande peine d'amour, s'était acquis dans la région, à l'époque du siège de Royan, une réputation de coureur de jupons, sympathique toutefois. Je m'en étais à peine étonnée, songeant qu'il avait au moins hérité ce trait de son père (on ne parlait guère de « gènes » à l'époque), espérant que le mariage le rangerait. Qu'il se plût, un jour de fête, à admirer les seins de sa cousine ne me parut guère si scandaleux. Peut-être parce que j'en avais vu assez dans les « parties » des officiers américains et des jeunes bourgeoises parisiennes au lendemain de la Libération.

Ce petit coup de béguin eut une suite, imprévue. Après les desserts et l'inévitable, bienheureux cognac, la famille et les invités s'étaient dispersés, tandis que s'installait le petit orchestre qui allait faire danser tout ce joli monde. Les uns s'égaillaient dans le jardin, d'autres couraient à travers les vignes, ce qu'Isabelle n'appréciait pas vraiment. Mais elle n'allait pas se gendarmer un tel jour. Je me mis en tête de ramener un peu d'ordre, aussi joyeusement que possible. John était engagé dans je ne sais quel débat avec Clément Boidin, Paul Bonpain et deux ou trois cousins. Je courus à travers vignes et petits bosquets, m'éloignai un peu et sursautai en découvrant, dans un coin d'ombre, André et sa cousine Erika, serrés l'un contre l'autre, qui semblaient s'apprécier beaucoup. Il ne lui volait pas des baisers, elle lui en offrait, nombreux et, semblait-il, prolongés, avec une générosité évidente. Je reculai d'abord, discrète, m'arrêtai, indécise.

Je n'eus pas à m'interroger longtemps. Survint Blandine, rouge d'avoir couru, cheveux en bataille, qui les sépara, vive, presque violente. André la regardait, me regardait, stupéfait. Je le devinai presque furieux, frustré en tout cas d'un vrai plaisir. Je ne sais pas ce qu'il eût fait si je n'avais pas été à ses côtés. Blandine avait déjà emmené sa fille ; je l'entendais protester. Erika se taisait, tourna la tête vers moi comme pour chercher du secours. J'avoue que je ne savais que faire ; je me bornai à adresser quelques reproches, rapides, à mon fils, lui expliquant qu'il eût dû se montrer moins entreprenant, que ce n'était pas le jour, et qu'il fallait comprendre. Le petit orchestre avait commencé de jouer. On entendait crier « la mariée ! la mariée ! ». Ils attendaient que John et moi dansions les premiers, selon l'usage. Je me hâtai de regagner la petite piste de danse installée entre les tables. John m'attendait. Nous avons commencé à valser. Les plus jeunes nous regardaient. Ils n'en étaient pas encore au rock mais ne savaient pas trop comment faire. Ils nous ont gentiment applaudis. Je me sentais bien dans ces bras. J'essayais d'oublier. J'y parvins presque. Pas tout à fait.

Un boogie-woogie, qui déchaînait la jeune génération, m'a donné ensuite l'occasion de retrouver, dans un salon isolé, Blandine qui se reposait. Quand j'avais dit à mon fils, devant elle, qu'il fallait comprendre, c'était une phrase lancée en l'air, comme ça, parce que je ne trouvais pas mieux. S'il m'en avait demandé le sens, je n'aurais trouvé aucune réponse solide. Comprendre quoi ? Je ne savais pas. J'ai cru deviner ensuite, en entendant Blandine, embarrassée, qui parfois s'excusait presque, parfois accusait André d'être un coureur, et moi par la même occasion de l'avoir mal éduqué. Dans ces cas-là, il faut surtout écouter : je l'avais appris dans mon journal où les querelles étaient fréquentes, chacun ou chacune voulant, par vanité, occuper plus d'espace dans les pages et se trouvant de bonnes raisons. J'écoutai donc.

Je compris vite que Blandine, s'étant retrouvée des années durant avec une seule fille, alors qu'elle en avait eu trois, l'avait protégée, surveillée à l'excès : toute la tendresse, tout l'amour qu'elle portait ne pouvait s'exprimer qu'envers Erika. L'étouffait peût-être. D'autant qu'elle se reprochait de n'avoir pas assez surveillé ou accompagné Guida, de lui avoir laissé trop de liberté. Du coup, elle ne lâchait jamais la bride à la cadette et celle-ci, croyant se libérer, multipliait les provocations. Surtout en jouant la coquette, la séductrice. Je ne sais pas si l'ambiance, les habitudes, les mœurs du Brésil jouaient dans cette affaire un rôle. Je fis valoir à Blandine qu'Erika, toute cadette qu'elle soit, était désormais majeure. Elle crut que, parlant ainsi, je défendais mon fils. Bref, le malentendu complet. Nous n'avons pu poursuivre : un galant cousin qui voulait danser avec la mariée fit irruption dans le salon, m'entraîna. La fête continuait.

Je connus ce soir-là d'autres surprises. D'abord, en découvrant — c'était le jour, ou plutôt le soir — ma sœur Delphine qui sortait des toilettes en compagnie d'un jeune producteur de cognac, ami de la tante Isabelle. Elle passait volontiers de l'un à l'autre, Delphine. Elle était séparée de son mari. Elle devait m'annoncer son divorce quelque temps plus tard.

Quand même, en les voyant, je m'étais interrogée. Les mœurs, décidément, changeaient ? Pas si sûr. Je me souvenais de ce que m'avaient laissé entendre les bonnes, pendant la guerre, l'autre, la première : comment mon père avait découvert le premier mari d'Aline, Oscar Vanhoutte, aux prises caressantes, le jour même de son mariage, avec la jeune Allemande qui nous gardait, nous, les enfants. Pas de quoi se vanter. Mais à cette époque, on jetait sur tous ces écarts, ces frasques, ces libertés, un voile pudique. Pure hypocrisie, détestable hypocrisie ? Peut-être. Elle aidait à vivre, aussi. Sauver les apparences contribuait-il à sauver, en partie, la réalité, aider à maintenir la vie de couple ? Je n'ai pas la volonté de faire la leçon, puisque Olivier et moi... Je sais bien que l'idéal est le pur amour, visible, transparent. Mais, comme beaucoup aujourd'hui, je ne distingue pas très clairement le chemin. Je peux quand même dire que le pur amour, je l'ai connu avec Ramon, puis John. Ces deux-là, je ne les ai pas trompés. Je ne m'en targue pas comme d'une gloire ou d'une vertu : je n'en avais nulle envie. Je les aimais. Voilà.

L'autre surprise, ce soir-là, me vint de la tante Isabelle. Comme chacun le sait, dans ces fêtes familiales, on se trouve parfois tous réunis, puis dispersés en petits groupes, ou isolés. On se pose, on repart, on échange deux mots avec celui-ci, on discute longtemps avec celle-là, d'autres encore. Isabelle, donc, que j'avais rejointe, pour l'aider, dans sa réserve de liqueurs, me demanda si André m'avait fait part de ses projets. Je pensai d'abord à Erika, chassai vite cette idée. Alors, quoi ? Tout simplement, si j'ose dire, il s'était entendu avec la tante pour reprendre l'affaire de cognac. Rien que cela. Elle : ravie, car elle ne se voyait pas très longtemps seule à la tête du domaine. Je la comprenais. J'étais heureuse qu'André s'installe enfin. J'appréciais peu, pourtant, qu'il ne m'en ait pas parlé d'abord. Moi, sa mère.

Parenthèse : le lendemain, alors que nous étions seuls, j'ai fait part de cette déception, de ce désagréable pincement au cœur, à Julia Bondues dont j'ai toujours apprécié la sagesse. Elle m'a fait remarquer, de sa voix douce, devenue presque inaudible dans les derniers mois de sa vie, qu'il en allait souvent ainsi avec nos enfants, qu'il fallait leur permettre de garder pour eux certains projets, les laisser prendre leur envol, aussi pénible cela fût-il. Elle n'avait pas tort. Je pensai alors à Blandine et à son attitude envers Erika. Fin de la parenthèse.

Ce soir-là, justement, tandis que je dansais, passant de l'un à l'autre, souriante, enjouée, me revenait souvent, obsédant, le souci de Blandine. Elle ne se remettrait jamais du départ de Guida, elle ne se remettrait pas davantage, bien qu'elle l'ait retrouvée, d'avoir si longtemps perdu Aurélie. Elle garderait toujours ces blessures au cœur. J'avais l'impression que son Hans n'était pas de taille à l'aider vraiment. Je n'en sais rien, à vrai dire. Et si l'un de leurs petits-enfants ou arrière-petits-enfants lit un jour ce texte, qu'il sache bien que je ne juge personne, surtout ceux que la guerre et la vie ont blessés. Je me pose simplement des questions. Auxquelles je n'apporterai jamais de réponse.

Je me posais aussi, ce soir-là, par instants, entre rumbas, paso-doble et sambas (qui venaient d'être connus en France) d'autres questions sur le bonheur. C'était la fête, ça riait, ça plaisantait, ça souriait, ça buvait, sans excès mais quand même... et pourtant bien des soucis habitaient la plupart de ceux qui s'amusaient ainsi, heureux de s'être retrouvés, de partager notre joie. La joie de John, éclatante, la mienne aussi bien sûr. Le bonheur n'est jamais parfait, le bonheur, c'est un chemin que l'on se trace toujours, comme un sillon, en avançant malgré tout.

Voilà que je joue la philosophe. Pour dire le vrai, j'ai bientôt cessé de me poser des questions. Nous avions décidé, John et moi, de nous éclipser sans attendre la fin de la fête, comme des jeunes mariés. Des amis de la tante

Isabelle nous avaient abandonné leur maison, presque un château, un peu plus loin. Nous y fûmes vite.

Les mains de John couraient sur moi comme des ailes. Je devins flamme. Comme les fois précédentes ? Plus encore, je crois. Notre chair nous aimait, tout commençait.

Voilà ce que j'ai revécu de nouveau, ce matin d'octobre 1949, quand la radio a annoncé que le vol Paris-New York d'Air France s'était écrasé aux Açores.

Ensuite, presque dans le même temps, l'effroi. Je me suis fait peur, je me suis sentie coupable. Comme si j'étais le mauvais sort, le signe de mort des hommes qui s'attachaient à moi. Olivier ? Disparu. Vivant peut-être, en quelque exil douloureux ? Mais Ramon. Mais John.

Aline, Aurélie presque aussitôt accourues, Delphine aussi dont le divorce serait bientôt prononcé, m'entouraient.

Elles s'organisaient pour ne me laisser aucun instant de solitude. Je me sentis vite prisonnière de leur sollicitude, enfermée dans leurs attentions. Je me fis distante, brusque. Elles crurent d'abord n'en point faire assez, m'entourèrent davantage. J'étouffais presque. Aurélie, fine mouche, le devina la première, prétexta des soucis que lui donnaient ses enfants (elle avait accouché d'une deuxième fille) pour s'écarter. Je lui en fus reconnaissante. Delphine suivit le mouvement : elle filait maintenant, sans discrétion excessive, le parfait amour avec André Millet.

Restait Aline, trop sœur aînée, trop persuadée de ses devoirs de — presque — chef de famille pour me laisser ainsi. Elle accourait toujours entre deux trains, gérant au mieux son affaire de prêt-à-porter, assistant Boidin qui développait la production de textiles artificiels (auxquels la plupart de ses confrères du Nord refusaient encore de croire), surveillant ses fils, omniprésente, pourtant, à mes côtés. Je l'interrogeai, mine de rien, sur la gestion de son emploi du temps, tentai de lui faire comprendre que je pouvais vivre seule, m'offris même quelques voyages assez lointains. En vain. Dès que je descendais de bateau, ou d'avion, elle était là. J'en étais émue, touchée. Je l'aimais tellement. Elle le méritait tant. Mais voilà.

L'imprévu, pourtant, lui fit changer d'attitude. Elle avait pris un matin, à Lille, le train à je ne sais quelle heure, celle du laitier comme on ne dit plus, très tôt donc, et débarqua chez moi alors que je partageais le petit déjeuner avec un garçon dont j'ai presque oublié le visage aujourd'hui. Il m'avait rencontrée, des semaines plus tôt, dans un bar où je traînais, un soir. Je venais de quitter mon équipe, survoltée — on termine chaque numéro d'un magazine dans l'urgence —, et je craignais d'affronter, chez moi, la solitude. Il était sympathique, un géant, cadre supérieur dans une banque. Il a fini la nuit chez moi. Nous nous sommes revus, de temps à autre — chez moi, chez lui —, des mois durant. Je crois qu'il m'aimait. Moi, pas vraiment. Je le trouvais gentil. Je me reprochais de le tromper sur mes sentiments, de tromper aussi Ramon et John. Mais bon. Je ne savais pas ce qui me poussait vers lui. La peur de la solitude ? Pas seulement. Le désarroi plutôt, dont je ne m'expliquais pas la raison.

Avant lui, j'avais eu une autre liaison, assez longue elle aussi, avec un diplomate colombien. Un autre solitaire. Sportif. Qui ne me passionnait guère, à vrai dire. Après notre séparation, je m'étais demandé quel intérêt j'avais pu lui trouver. Éprouver sur lui mon pouvoir de séduction ? Me rassurer, me démontrer et faire savoir que je n'étais pas finie, la cinquantaine venue, un âge qui effrayait tant de femmes alors. Une explication trop simple. Partielle en tout cas.

C'est Aurélie, la futée, qui m'a mise sur la voie.

Elle débarquait souvent à Paris. En partie pour les affaires de leur garage : Paul Bonpain et elle avaient fondé une sorte de coopérative avec leurs ouvriers, ce qui leur valait des ennuis avec tout le monde, les autres chefs d'entreprises, les syndicats et le fisc comme il se doit. Elle aidait aussi sa sœur, qui avait définitivement abandonné les chapeaux pour les maillots de bain, les tenues de sport et ces pantalons moulants s'arrêtant à mi-mollet que l'on appelait des « corsaires ». Juliette avait ouvert une boutique rue de Rennes, pas très loin de Saint-Germain-des-Prés. Mes journalistes de *Rose* lui faisaient, discrètement, un peu de publicité, la renseignaient sur les évolutions possibles. « La boutique de Juliette » — c'était son enseigne — était désormais connue de quelques femmes dans le vent.

J'avais, dès le départ, avant même la mort de John, offert à Aurélie de loger chez moi quand elle débarquait ainsi. Elle refusait obstinément : toujours cette volonté d'indépendance, que je jugeais parfois ridicule, ou ce respect de l'intimité des autres, cette pudeur, que je comprenais mieux. Elle acceptait toutefois de me retrouver à dîner. Nous avions pour ces rencontres changé nos habitudes — la guerre —, quitté les bistrots de Montparnasse pour la rive droite, le Petit Riche, une maison déjà vieille qui offrait, si l'on peut dire, de délicieuses andouillettes (Aurélie les adorait) que l'on pouvait accompagner d'un incomparable bourgueil (là, c'était plutôt moi). Un de ces soirs, l'effet du bourgueil peut-être, je me suis laissée aller à la confidence, évoqué le Colombien, puis l'autre, le directeur du personnel de la banque, deux solides, surtout le premier, très sportif, en avance sur la mode du marathon, passionné de course à pied, donc, que j'allais encourager, le dimanche, quand il trottait avec une équipe de mordus, du côté de Rambouillet. Avec une crainte aiguë, lancinante : voir arriver ses compagnons de course, affolés, pour m'expliquer que son cœur avait flanché, qu'il était tombé soudain, la bave au lèvres, le sang, je ne sais quoi. La peur qu'il meure, alors que je n'étais pas folle de lui, seulement amicale.

Aurélie, ce soir-là, n'a rien dit. Mais quelques semaines plus tard, alors que je lui expliquais que ce marathonien m'avait plaquée — oui, moi, plaquée —, elle m'a raconté l'histoire d'une jeune femme de sa courée, à Roubaix, devenue rapidement veuve après son mariage : un accident du travail comme il y en avait tant. Un an plus tard, nouveau mariage. Nouveau veuvage : la tuberculose.

« Alors, dit Aurélie, nous avons tous craint le pire. Elle se laissait aller, ne mangeait plus. Pourtant, l'une lui portait sa soupe, une autre du saucisson ou un bout de tarte, des choses comme cela. Rien à faire. Un jour, je l'ai confessée. Une drôle de confession. » Là, Aurélie a eu un de ses rires que j'aimais, une cascade, interminable mais dont on souhaitait qu'elle ne s'arrêtât point. J'ai d'ailleurs cru qu'elle n'en finirait pas. Je m'en réjouissais plutôt : sa jeune veuve ne m'intéressait guère. Sauf quand j'ai entendu la suite.

Si Aurélie riait c'est que, pour confesser l'autre, elle l'avait réchauffée à coup de genièvre. Et enfin comprise : « Elle s'accusait. Elle se sentait responsable de ces deux décès. C'est moi, disait-elle, qui leur amène le malheur. Je suis une porte-poisse. Plus tard, un veuf qui avait deux gamins, l'a demandée. Elle était attirée, ça se voyait. Mais elle est venue voir ma mère, Julia : si je le marie, disait-elle, il va mourir et je vais rester avec ces deux gosses. Ils sont bien gentils. Mais quand même... » Aurélie a ri de nouveau. Puis expliqué que ce ménage, qu'elles n'avaient plus revu depuis leur départ de la courée, mais qui lui adressait régulièrement des vœux, n'avait guère de problèmes.

Elle n'a rien ajouté. Le soir, songeant à cette histoire, je me suis dit qu'Aurélie ne l'avait pas racontée comme ça, par hasard. Qu'elle y avait enrobé un message. Que je me prenais moi aussi, sans le savoir, pour une « porte-poisse ». Et que je collectionnais les hommes — collection est peut-être un grand mot : deux ou trois seulement — solides, costauds pour me rassurer, me démontrer que, non, je n'étais pas fatale, à ma manière, qu'ils restaient bien vivants. Bref, j'étais un peu dérangée. J'avais, il est vrai, quelques excuses. Tristes mais solides.

A ce moment, je rencontrais régulièrement le garçon qu'Aline a découvert un matin chez moi, en peignoir de bain, partageant mon petit déjeuner. De ce jour, Aline s'est sentie moins obligée de me protéger. Toujours présente mais, de nouveau, discrète. De ce jour aussi, je me suis sentie libérée. Un peu humiliée d'abord, bêtement : comment moi, Céline Surmont-Rousset, directrice d'un journal très lancé, je ne différais guère de cette pauvre ouvrière d'une courée de Roubaix ! Mais libérée de cette obsession quelque peu morbide, oui. Rétablie en quelque sorte. J'avais fait un curieux travail de deuil.

C'est à ce moment que Simone, ma fille, est rentrée des États-Unis où elle avait suivi des études de journalisme et accumulé des petits jobs : grands magasins, maisons de mode, revues diverses. Elle ne rêvait que de m'accompagner au journal. Ce qui m'ennuyait un peu : la patronne et sa fille dans la même affaire, cela ne me plaisait guère. J'imaginais tous les ennuis et les malentendus que pouvait provoquer une telle situation. Je ne pus résister : cette fille, ma fille, était une tornade, une force, une vraie Surmont-Rousset. Elle débordait d'idées, me démontra bien vite que *Rose* n'était guère différent de *La Vie en rose*, que l'on avait changé le titre du journal, mais non le contenu. Ou si peu. Une pâle copie, en somme. Il fallait tout remettre à plat, comme elle disait. Je l'écoutais en songeant à la jeune Élodie, cette petite bonne qui avait donné à mon père l'idée de ce magazine féminin et que nous avions perdue de vue pendant la guerre : en 1940, elle avait suivi sa famille qui évacuait vers le Midi. Une bonne. Et mon père qui, pourtant... avait su l'écouter. Alors, pourquoi ne pas entendre ma fille ? Les temps changeaient.

Je l'engageai. Plus exactement, je la suivis. Cela dit, elle ne s'attarda pas longtemps au journal. Ces années-là, je le répète, les temps changeaient. Beaucoup.

XIII

Nous étions en plein débat avec les chefs de service de la rédaction, quand ma secrétaire a passé la tête : « Votre sœur au téléphone ».

Laquelle ? « Madame Delphine… euh. » Cet « euh » était le signe d'une certaine hésitation sur le nom de Delphine. Compréhensible : depuis son divorce, Delphine adaptait son nom aux circonstances et à son humeur : tantôt Surmont-Rousset, tantôt celui de son ex-mari comme elle en avait le droit. A vrai dire, nous nous fréquentions peu.

— Dites-lui que je rappellerai.

— C'est-à-dire : votre sœur insiste. Elle répète que c'est urgent.

L'expérience m'en avait beaucoup appris sur les « urgences » de Delphine. D'ordinaire, elles pouvaient attendre. Je renvoyai ma secrétaire. J'étais trop amusée par les discussions de mes journalistes sur l'évolution de la mode : au milieu des années cinquante, celle-ci bougeait beaucoup. La ligne « Haricot », toute droite, qui écrasait les seins pour en faire des œufs au plat, avait succédé à la ligne « Tulipe » qui leur offrait généreusement tout l'espace désiré et comprimait, en revanche, la taille. Mais le grand combat se livrait autour du genou, la partie « la plus laide » du corps féminin à en croire Coco Chanel ; l'ancien champion de la longue jupe, Dior, arrêtait désormais celle-ci juste au-dessus du mollet ;

Jacques Fath, lui, fixait la frontière à trente-sept centimètres du sol, pas un de plus ni de moins. Un de ces débats futiles mais passionnés qui prouvaient au moins le retour de la paix et d'un certain bien-être, en dépit de la guerre d'Algérie.

Ma secrétaire revint à la charge dans l'instant : « Urgentissime. » C'était le mot employé par Delphine. Il me surprit. Je ne lui connaissais pas ce vocabulaire. Intriguée, je finis par planter là mon équipe.

Ce que j'appris de Delphine aurait pu attendre une heure, voire deux, mais elle était ainsi, ma cadette : incapable de patienter jamais pour satisfaire ses désirs ou énoncer ses volontés, fussent-ils frivoles.

Celle-là ne l'était guère : elle demandait — par téléphone ! — le partage de notre héritage. Autrement dit : l'éclatement des entreprises, la fin de l'empire Surmont-Rousset. Sauf si Aline, Blandine et moi la dédommagions, décidions de lui payer sa part.

Jusque-là, tout avait été mis en commun, même les usines acquises par Clément Boidin pendant la Première Guerre, que notre père avait peu à peu achetées en tout ou partie. Soucieux, avant sa mort, de maintenir l'unité du groupe, il avait créé un système de commandite par actions. Disons, pour simplifier, que le capital appartiendrait à ses quatre filles, nous, réunies en société commanditaire, tandis que la quasi-totalité des entreprises — les usines textiles, la Lainor, le journal et j'en passe — serait gérée par une société commanditée dirigée par Clément Boidin. Delphine souhaitait donc sortir de la société commanditaire, revendre ses actions. A qui ? Au premier venu ? Aux concurrents ? Pour faire quel usage de cet argent ? En avait-elle le droit, d'abord ?

Je tombai des nues. Je lui demandai de sauter dans un train, puisqu'elle habitait encore Lille, et de venir s'expliquer dès que possible. Elle obtempéra d'autant plus vite qu'elle était arrivée la veille à Paris. Urgentissime était donc le mot adéquat. Je crus deviner sans peine qui le lui avait soufflé, l'inspirateur de l'opération : André

Millet, bien sûr, son amant de longue date, trompé à l'occasion, l'adjoint de Boidin aussi, qui devait piaffer, aspirer à régner en maître, seul, quelque part. Delphine n'avait pas osé s'en ouvrir à Aline ; Blandine était loin. Il ne restait plus que moi pour entendre ses raisons et transmettre le message. Je n'appréciais guère.

Je fondis, pourtant, quand elle entra dans mon bureau. La cinquantaine atteinte, elle avait gardé, sans les artifices dont la chirurgie fait désormais usage, cette allure de toute jeune fille, presque enfant, qui devait séduire tous les hommes, naturellement disposés à se montrer protecteurs et supérieurs. Les joues d'un rose, ce jour-là, qui tenait moins aux fards qu'à la crainte, une timidité peut-être, ou l'excitation, et qui ajoutait à son charme.

J'avais décidé de me montrer sévère. Je ne résistai guère. D'autant que, duffle-coat lancé à la volée sur un fauteuil, elle avait entrepris de me conter une histoire, vraie ou légendaire, qui, paraît-il, enchantait le tout-Lille. La chocolaterie Delespaul-Havez, je connaissais ? Bien sûr. Je me souvenais même d'une publicité, ancienne, qui représentait une quinzaine d'enfants assis au long d'une immense table, bouche ouverte ou bol levé pour récupérer le délicieux chocolat qui coulait de chacune des lettres de la marque. Et alors quoi ? Eh bien, cette usine avait inventé sans le vouloir un nouveau caramel, le Carambar. Une machine détraquée aurait donné naissance à un bonbon de longueur inhabituelle. Qui, à peine mis en vente, avait connu le succès. Une bonne occasion pour cette maison d'écouler ses surplus de cacao. Et de faire le bonheur de plusieurs générations.

Delphine sortit de son sac une poignée de ces bâtonnets, m'en offrit, entreprit d'en sucer un. Comme une enfant. Elle avait, dit-elle, cessé de fumer. Il lui fallait des compensations.

Je souriais, à demi vaincue, ayant presque oublié mes griefs de l'instant d'avant. Ne sachant guère si cette entrée en matière était spontanée, naturelle, ou d'habile tactique. Elle était ainsi faite, Delphine : on ignorait toujours, avec elle, sur quel terrain et suivant quelles règles elle entamait la partie. Si amusante, détendue, tendre avec cela, qu'on ne pouvait lui en vouloir.

Je tentai pourtant de me ressaisir, lui demandant tout de go, brusque, ce qu'elle comptait faire de son capital.

Elle eut un petit sourire qui se voulait complice :

— Ne joue pas la violente, Céline ; ça ne te va pas.

— Réponds-moi. Je t'ai posé une question.

— Cela me regarde.

Là, on ne plaisantait plus. Fini de ruser. Le combat. Comme un poignard dans le cœur : pour la première fois entre nous quatre, il serait question d'argent, de gros sous. N'en point parler jusque-là avait été facile en un sens : nous n'en avions jamais manqué. Il venait des usines, de la Lainor, du journal, emplir nos bourses et grossir nos comptes en banque. Les hommes de la famille d'abord, Aline et moi ensuite, se chargeaient de le gagner, le gérer et le répartir. Nous ne faisions pas mine de le mépriser ; les mêmes qui s'opposent sans cesse à l'argent, se lancent contre lui dans de longues tirades, sont ceux qui ne songent qu'à lui. Nous l'avons oublié, nous. Nous ne pensions qu'à produire et vendre, faire tourner les machines et marcher les affaires. Ce qui était déjà beaucoup. Jamais ces histoires de capital, en tout cas, n'avaient suscité de débats entre nous quatre, A, B, C, D. Et voilà que la petite dernière, D, nous y entraînait.

Elle suçait un Carambar, petite bouche rouge en cul de poule, silencieuse. Je songeais au premier débat sur le capital auquel j'avais assisté, au lendemain de la Première Guerre, quand mon père soupçonnait Boidin d'avoir acheté, avec l'argent des Surmont-Rousset, des usines à son nom. Je n'y avais pas compris grand-chose. Seulement qu'ils se contenaient pour éviter de s'étriper. Étions-nous condamnées, nous les A, B, C, D, à en arriver là ?

J'eus froid soudain.

Ce silence, aussi, qu'il fallait rompre.

— Il en a parlé à Boidin ? A Clément ?

— Qui, « il » ?

— Millet. Car il est dans le coup, j'en suis certaine. Et il voit Boidin à peu près tous les jours, que je sache.

— Pourquoi ?

— Quoi : pourquoi ?

— Pourquoi en parlerait-il à Clément Boidin ? Ce n'est pas son affaire. C'est de mon argent qu'il s'agit, de ma part de capital.

— André Millet est quand même au courant, oui ou non ?

Elle cria presque son « oui ».

Puis, aussitôt :

— On se dit tout, figure-toi. Parce que je vais l'épouser. Bientôt.

Tout se tenait.

— L'épouser ? Tu me parlais toujours de liberté.

Je songeai à ses aventures, à d'autres hommes qu'elle avait eus, comme elle disait. Je n'osai pas lui en parler.

— C'est lui qui te l'a demandé ?

— C'est moi.

— Et tu trouves que... ?

— Il faut bien.

Je pensais qu'elle dirait : il faut bien faire une fin. Ou quelque chose de ce genre. J'eus presque pitié, soudain. Elle ne voulait pas terminer ses jours comme ces femmes seules et riches, ces oisives que l'on voit traîner de palaces en voyages organisés (les croisières n'étaient pas très courues, encore) et qui finissent par s'offrir à prix d'or des jeunes hommes qui les méprisent. J'étais seule, moi aussi. Mais mariée à mon journal. Elle n'avait connu, elle, que les salons de thé, les maisons de couture, les expositions où l'on regarde moins les tableaux que les toilettes des visiteuses, les bavardages et les saisons à Ostende ou Knockke-le-Zoute.

Une colère me saisit alors, aussi soudaine que la pitié l'instant d'avant :

— Comme par hasard, tu revendiques ta part de capital au moment même où tu vas épouser André Millet. Tu crois que je ne comprends pas ? Que ton calcul, votre calcul, n'est pas aussi évident que le nez au milieu de la figure ?

J'avais crié, ce qui n'est pas mon style habituel.

L'argent : la dispute.

Elle suçait un autre Carambar que j'aurais voulu lui arracher et jeter. J'étais un peu effondrée. Stupéfaite. La jeune femme légère et sans souci que je connaissais m'agaçait parfois, m'attendrissait et m'amusait aussi. Mais une autre Delphine apparaissait, avide d'argent, que je n'avais jamais soupçonnée. Il est vrai que nous nous voyions rarement : elle avait un jour refusé de collaborer à *Rose* en apportant des idées ou rapportant des potins ; du coup, je la tenais quelque peu à l'écart. Je me le reprochais désormais. Un peu tard.

Je passai ainsi d'un sentiment à l'autre. Mille idées en tête. Aline. Elle, au moins, saurait trouver les mots pour convaincre.

Delphine avait peut-être compris. Elle jeta son caramel dans un cendrier. Me sourit. Irrésistible à nouveau. A faire fondre. Je fus presque rassurée.

— Je ne voulais pas te faire de peine, ma grande. Mais il faut être réaliste. Ce que l'on a conservé jusqu'ici, ce système de société qui nous liait, cela pouvait tenir parce que nous n'étions que quatre. Moi, je n'ai pas d'enfants. Mais Aline en a, tu en as, Blandine aussi. Presque tous majeurs. Un jour ou l'autre, le plus tard possible j'espère, nous disparaîtrons. Ou bien l'un ou l'autre aura besoin de capitaux pour développer sa propre affaire. Tiens, ton fils André, il est encore salarié de la tante Isabelle pour le cognac Lafeuille, mais quand elle partira... il faut songer à l'avenir. C'est aussi notre devoir.

Delphine qui me parlait de devoir ! Je ne dis pas qu'elle se conduisait si mal, mais ce mot n'appartenait pas à son vocabulaire. Cette préoccupation de l'avenir semblait toute neuve aussi. Quelqu'un lui avait soufflé son texte. André Millet. Ils n'avaient pas tort, peut-être. Mais je pensais — c'est bête — à la fin de l'empire de

Charlemagne, aux batailles entre ses petits-fils pour se partager les restes : il y avait un Lothaire, un Pépin, un Louis, un quatrième enfin dont je cherchais en vain le nom, je m'accrochais à cette recherche tandis que Delphine me parlait, je ne l'écoutais plus, il fallait que je retrouve ce nom que les religieuses m'avaient seriné, c'était curieux comme on recommençait chaque année, alors, à apprendre l'histoire de Charlemagne. Charles, il se nommait Charles, le quatrième : j'ai dû, pour l'écrire ici, aller consulter un dictionnaire, mais ce matin-là, devant Delphine, je ne l'ai pas trouvé, je ne voulais pas le trouver peut-être, afin de m'accrocher à cette recherche, de m'évader dans cette histoire ancienne.

On n'échappait pas aussi aisément à Delphine.

— Tu m'écoutes ?

— Bien sûr.

Je n'allais quand même pas lui avouer que je me perdais parmi les héritiers de Charlemagne.

— Non. Je l'ai bien vu. Alors, je te répète que ce n'est pas André Millet qui m'a suggéré cette idée.

— C'est toi toute seule ? Tu voudrais lui apporter ton argent en dot ? Tu as besoin d'une dot pour...

A peine ces mots échappés, je les ai regrettés. Elle s'était levée. Prête à me gifler peut-être. Ou à partir. Elle a tourné autour du fauteuil où elle avait jeté son duffle-coat, le manteau à la mode chez les femmes, qui voulaient de plus en plus, alors, ressembler aux hommes, avec un temps de retard qui serait bientôt comblé. Je m'étends un peu ici, parce qu'elle a regardé quelque temps ce duffle-coat. L'enfiler ou non ? Non.

C'est moi qui l'ai retenue.

— Assieds-toi.

Elle a obéi aussitôt. Soulagée. M'a regardée. A eu un petit rire. Qui est devenu un grand rire quand je m'y suis mise aussi. Soulagée comme elle. Nous jugeant bêtes, stupides, tout ce que l'on voudra. Mais ne pouvant cesser de rire. Comme lorsque nous étions gosses, dans la grande maison, à Lille. Les deux petites.

Un peu plus tard, nous nous sommes fait face. Un peu honteuses. Je sentais trembler mes mains. J'ai agrippé les bras de mon fauteuil pour qu'elle ne s'en aperçoive pas. J'étais résignée désormais. J'avais compris qu'elle ne céderait pas. Je tentais d'imaginer les réactions d'Aline et de Clément. J'ai pensé aussi — une seconde — qu'un arrangement général simplifierait peut-être les problèmes d'André : il avait très tôt compris que la percée en France du whisky, présenté comme une excellente boisson pour le cœur, allait faire fléchir la consommation de cognac et décidé en conséquence d'en importer pour le vendre lui-même ; un développement qui l'avait mis dans les mains de ses banquiers.

Delphine a sorti de son sac deux nouveaux Carambar, est venue m'en offrir un. Cette fois, j'ai accepté.

Mais je suis repartie à la charge.

— Vous vous mariez bientôt, Millet et toi ?

— Dans trois semaines. Mais pas de fête. Nous passons à la mairie, point final. Si tu veux être mon témoin...

— Tu devrais demander à Clément...

— Pour qu'il s'imagine un peu plus sur le trône de Père, qu'il joue au patriarche ?

Une méchanceté. Un peu justifiée, c'est vrai.

Je ne répondis pas. Le Carambar présentait cet avantage : en s'appliquant à le sucer, les doigts poisseux, on gagnait quelques instants.

J'étais surprise de ce que je découvrais chez Delphine : nous l'avions laissée s'éloigner chaque jour davantage, accumuler des rancœurs, des griefs peut-être. Elle restait proche pourtant puisque nous avions pu rire ensemble, à deux doigts de la rupture.

— D'accord.

— D'accord pour quoi ?

— Pour te servir de témoin.

Elle hocha la tête. Je ne sus pas ce que signifiait ce geste.

Il fallait encore avancer. J'étais lasse. J'entendais, dans la pièce voisine, ma secrétaire qui s'escrimait avec des téléphones insistants, devait répondre sur tous les tons que j'étais en réunion, qu'elle ne pouvait pas me déranger. Intelligente, cette Christiane.

Je me répétais qu'il fallait avancer encore.

— Tu vas en informer Aline ?

Elle a un peu baissé la tête. Ou c'est moi qui l'ai cru.

— J'ai pensé que tu pourrais peut-être...

Voilà. Elle n'osait pas affronter Aline. C'est pourquoi elle n'était pas partie tout à l'heure. L'unique raison qui l'avait fait rester : elle avait besoin de moi. Pourtant, non : nous avions, tout à l'heure, partagé ce rire, complices, redevenues les deux petites qu'Aline et Blandine tenaient à l'écart quand celle-ci attendait Aurélie. Quand même, je n'allais pas lui faciliter la tâche.

— Que je pourrais peut-être ?...

— Tu m'as bien comprise.

Je voulais qu'elle le dise. Lui imposer au moins cela. Mais elle suçait son Carambar avec application. Malheureuse ?

C'est moi qui ai craqué. J'ai lâché un petit « oui ». Puis, comme pour lui en faire payer le prix :

— Tu ne vas pas me dire qu'il n'y a pas de lien entre ton futur mariage et ta demande de partage ?

— Ce n'est pas ce que tu crois.

— Je ne crois rien.

Je mentais bien sûr. J'étais persuadée qu'André Millet avait ficelé toute l'affaire.

— C'est moi.

— Toi, quoi ?

— Avec André, tu sais, il y a eu des hauts et des bas, mais ça dure depuis longtemps. Quand j'ai divorcé, il m'a aussitôt proposé le mariage. Je n'ai pas voulu. A quoi bon ? Nous prenions nos vacances ensemble. Ou plutôt : je l'accompagnais quand il prenait ses vacances. Nous étions assez souvent invités ensemble, quoique dans certaines familles du Nord... y compris la nôtre puisque...

Elle s'interrompit, reprit son Carambar.

— Puisque ?

— Quand tu t'es mariée avec John, j'étais seule, si tu veux bien te souvenir. Tu ne l'avais pas invité.

— Tu n'étais même pas divorcée.

Je fouillai ma mémoire, cherchant si Millet, cette année-là, n'avait pas été remplacé par quelqu'un d'autre. Ce qui m'aurait bien arrangée, là, peut-être. Mais à quoi bon ? Je me tus : je n'avais pas trouvé. J'avais oublié l'épisode du producteur de cognac. Trop fugitif.

— Il a tellement insisté, pour notre mariage, André. Et puis, voici peu de temps, un mois peut-être, il m'a annoncé qu'il voulait quitter Clément. Il échafaudait un projet depuis un ou deux ans. Il voulait, il veut toujours, monter une affaire commerciale, une chaîne de magasins pour vendre des appareils ménagers. Tu le sais bien, toi, avec ton journal, que ça marche parce que ça change la vie des femmes. En quelques années, nous avons vu débarquer les machines à laver Bendix, les chauffe-biberons, les moulins à café électriques, tous les frigos, Electrolux, Frimatic, Frigéco, Frigéavia, les Cocotte-Minute, Caroline, Seb, et puis la télévision aussi. Chaque ménage en voudra bientôt. Et pourra en acheter avec le crédit.

— Il veut vendre tout cela dans les mêmes magasins ? Mais il lui faudra de véritables hangars !

— Justement. Il veut installer des hangars à la sortie des villes — pas de grands décors, ni de lourds bâtiments —, comme cela, il pourra vendre à prix réduits. Il a tout dans la tête. Il a même constaté que toutes les marques de frigos utilisaient la même mécanique, un système qui s'appelle Tecumseh...

— Tu es au courant de tout cela ? Tecumseh ?

— J'en entends tellement parler.

Je faillis lui dire que ce n'était pas, entre amant et maîtresse, un dialogue très romantique. Mais elle était déjà plus loin, expliquait qu'il voulait acheter ces groupes, Tecumseh, pour les habiller à sa manière, créer sa propre ligne de frigos.

— C'est pourquoi il t'a demandé l'argent ?

Elle jeta le dernier morceau de Carambar. Furieuse.

— Mais tu ne comprends donc pas ? L'argent, il peut en avoir. Il a déjà trouvé des associés et des banquiers pour l'aider. C'est moi qui veux m'associer avec lui, voilà. Il a d'abord refusé : parce qu'il prévoyait justement des réactions comme la tienne. J'ai insisté, tu ne peux pas savoir. Tu ne me crois pas. Je vois bien que tu ne me crois pas.

C'était vrai. Je ne la croyais pas. J'ai tenté une dernière contre-attaque :

— Il va abandonner le textile ? Les affaires marchent bien, pourtant. Regarde : le prêt-à-porter, la mode, il y a chaque jour de nouvelles marques, de nouveaux couturiers. Au journal...

— Au journal, ce que tu vois, c'est le vêtement. Ça, ça marche. Mais les filatures, les tissages, c'est une autre affaire : avant la guerre déjà, tu devrais le savoir, il avait dit, André, que des pays d'Asie ou d'Amérique latine allaient bientôt nous concurrencer. Boidin lui-même lui avait donné raison. La preuve : Blandine et Hans... Là-dessus, les choses sont allées moins vite que prévu. Mais ça viendra. Ils ne s'en rendent pas bien compte dans le Nord, les industriels. Même Boidin. Pourtant, il vient de se faire claquer la porte au nez en Indochine : les communistes du Nord-Vietnam ne veulent plus acheter nos tissus, on en fabrique de moins chers dans toute l'Asie ; et en Afrique, il ne s'amuse pas. André lui met assez le nez sur tout cela. Mais Clément ne veut rien entendre, ne veut pas voir.

Elle avait raison, je le savais. Ou plutôt, il avait raison. Mais elle avait bien assimilé la leçon. Je découvrais une Delphine inconnue, neuve. Avec un brin de satisfaction quand même : notre père aurait aimé la voir parler affaires, comme cela, même s'il n'eût pas apprécié ce faire-part de deuils pour filatures et tissages.

Je faillis lui demander un Carambar. Non. J'appelai ma secrétaire : un grand café, très fort, d'urgence. Urgentissime, comme elle avait dit.

XIV

La surprise : Clément Boidin ne prit pas trop mal, à l'origine, cette affaire. Mieux qu'Aline, qui la jugeait comme le début de la décomposition familiale.

Clément manifestait une sorte de fatalisme : ainsi allait le cours des choses, cela devait arriver. Mais de dynamisme aussi : pour lui, la vie était un mouvement perpétuel, il fallait toujours bouger, il se targuait d'avoir su le faire avec les textiles artificiels, la Lainor qui, transformée en Vandor, vendait maintenant les objets les plus divers, la création de ses usines d'Amérique latine. Il ne commit qu'une erreur, je le répète : comme la plupart de ses confrères du Nord, il ne vit pas venir la crise des filatures de laine et de coton. Alors qu'André Millet, lui, se carapatait au plus vite pour lancer son grand commerce d'électroménager.

La revendication de Delphine fut pourtant l'occasion d'une de ces réunions familiales comme je n'en avais guère connu jusque-là. Après son mariage, expédié en deux temps et trois secondes — passage à la mairie et déjeuner à quatre chez Lasserre, le témoin d'André Millet étant un vieux monsieur qu'il présenta comme son cousin —, une armée de juristes, d'experts-comptables et de managers, comme on commençait à dire, s'était mise au travail : il n'était pas si facile de séparer les branches emmêlées et enchevêtrées de l'empire Surmont-Rousset.

Nous avions décidé de laisser cette troupe défricher le

terrain, en maintenant le secret autant qu'il se pourrait, afin de ne pas effaroucher les clients ni alerter la concurrence. Ces secrets-là ne tiennent pas longtemps, d'ordinaire. Il existe toujours des gens disposés à laisser échapper des bouts de confidences, pour jouer les importants ou les informés. Les rumeurs, peu fondées la plupart du temps, couraient donc la région de Lille mais aussi Paris et même, ainsi que me le rapporta un jour Hans Schmidt, le monde du textile brésilien.

Boidin tentait de les étouffer et me donna alors l'image d'un brave pompier qui, armé d'une malheureuse couverture de laine, court, pour brider l'incendie, d'un brin d'herbe allumé ici à une broussaille rougeoyante là-bas. Il ne montrait plus, en effet, la même maîtrise dans le maniement des gens et des groupes. Aline, qui le voyait et s'en désolait, tentait de le suppléer. Seulement voilà : dans ces années-là, les années cinquante, les femmes peinaient encore à se faire entendre. Les jeunes aussi qui voulaient se tailler leur place et qu'attiraient l'argent et ses promesses de plaisir. Ils ne tarderaient pas, les uns et les autres, à se rattraper. Mais les nôtres, ceux de la famille, ne pouvaient que piaffer tandis que les juristes de tout poil et financiers de tout acabit montaient des plans sur la comète afin de satisfaire chacun sans léser personne.

Vint le jour — il avait fallu piétiner deux ans, pas moins — où ils se jugèrent en état de nous présenter un projet qui maintiendrait entre nous une relative solidarité, par le biais de participations de l'un dans le capital de l'autre, tout en partageant l'empire.

C'était devenu une tradition : les réunions familiales se tenaient chez la tante Isabelle qui vieillissait si bien, droite, parcheminée, auréolée d'argent bleuté qui ne devait rien à l'artifice. Elle présida l'assemblée décisive dans son grand salon chargé, pour chacun de nous, de souvenirs joyeux ou tendres. Blandine avait délégué ses pouvoirs aux Bonpain. André Millet, d'une discrétion que je jugeais exagérée, avait trouvé le moyen d'excuser son absence par un voyage. A l'exception d'Erika, qui filait le parfait amour, disait-on, avec un colonel guatémaltèque exilé à la suite d'un coup d'État dans son pays, et de Guida dont nous ignorions tout, la troisième génération, comme j'avais pris coutume de dire, était donc là tout entière : ma Simone et mon André, les trois garçons d'Aline, y compris Henri, le Jésuite, devenu prêtre-ouvrier docker, au port du Havre, un peu en révolte contre l'Église depuis que le pape Pie XII avait demandé à ces jeunes missionnaires d'un nouveau genre de retourner à la tradition.

C'est surtout avec cette troisième génération que se joua la partie. Ils songeaient, c'est normal, à leur avenir. Mais, le Jésuite mis à part qui repartit bientôt, ils parlaient moins usines, machines, produits, que profit, rentabilité, situation nette. Argent plus qu'entreprise. Tout cela assaisonné de mots anglais ou américains comme *cash-flow* ou *shareholders* que je découvrais sans oser dire que j'y comprenais goutte. J'observais Aline qui me semblait flotter tout autant. Aurélie, dans un coin, discrète, arborait un sourire qu'il me fut difficile d'interpréter : amusée ? ironique ? méprisante ?

En gros, le partage pouvait se résumer ainsi : au prix de lourdes compensations financières accordées aux autres membres de la famille, Clément et Aline garderaient le textile, la vente par correspondance et le prêt-à-porter. L'essentiel, donc. J'aurais le journal. Blandine et Hans les usines brésiliennes, comme l'imposait la logique. Delphine, une partie de l'ancienne Lainor : une fabrique de petites piles électriques rachetée naguère par Boidin à l'un de ses fournisseurs en difficulté ; elle avait beaucoup insisté, à la surprise de tous, en rabattant même, pour l'obtenir, sur sa part (importante) de compensation financière ; je compris un peu plus tard qu'André Millet avait deviné que le temps des transistors n'était qu'un commencement et que ce secteur connaîtrait un développement considérable, pour moi inattendu.

Tout paraissait à peu près clair, les représentants de

l'équipe de juristes se jetaient des coups d'œil presque égrillards, comme de bons notables satisfaits de leurs ébats au sortir d'une maison close, quand s'installa la zizanie. Mon fils André avait, comme un maître de maison, sorti les plus vieux cognacs, mais faisait aussi goûter quelques whiskies que la plupart d'entre nous, encore novices en la matière, parvenions à peine à distinguer les uns des autres. Assez pour susciter des plaisanteries, permettre une conversation enfin libérée, soulagée. J'avais craint quelque drame, redouté surtout quelque nouvelle revendication de Delphine à qui je ne pardonnais pas tout à fait d'avoir ainsi ébranlé un édifice où je me sentais sans problème, confortable.

Je respirais. Nous avions quitté les sièges où nous nous étions tenus raides comme des magistrats en séance de rentrée au Palais de justice. J'allai vers Aurélie dont le silence et le sourire m'avaient intriguée ; j'étais curieuse de savoir comment elle avait vécu cette sorte de conseil de famille où voltigeaient les centaines de millions. Je n'eus pas le temps de l'attirer sur ce terrain : André proposait à Clément un whisky, de moi inconnu, un *straight malt* de Glenlivet, dont le procédé de fabrication, expliquait-il très haut, était semblable à celui du cognac : comme disait l'oncle, dont la mémoire rôdait en ce lieu, pour le produire on coupait à l'alcool « la tête et la queue ». Et soudain, cette question, très haute, comme s'il avait un peu bu :

— Comment vas-tu faire, oncle, pour payer leurs parts aux sœurs de ta femme ? Les banques te suivent ? Ou bien tu t'étais constitué des réserves ?

Le silence, brutal.

Je m'avançai vers lui, pour le faire taire, ou l'emmener, le réprimander, je ne sais plus. Aurélie me prit le bras, me retint. Je sentais le sol trembler sous mes pieds. Les autres : pétrifiés. Tous les yeux sur ce couple : André, bouteille et verre en main, un peu blanc me semblait-il, comme inquiet et surpris lui-même de son audace, et, lui faisant face, Clément qui l'observait, rouge — non : cramoisi —, ébahi. Puis il éructa :

— Ah ! Tu veux savoir ? Tu crois que j'ai puisé dans la caisse ! C'est ce que tu veux dire ? Eh bien, viens. Je vais te montrer les comptes. Je m'y attendais, figure-toi. Je me demandais qui oserait...

Je crois me souvenir qu'il eut à ce moment un regard vers Paul Bonpain. Mais je ne pourrais le jurer. Je m'accrochai à Aurélie. Je sentais son souffle sur ma joue, frais, parfumé.

Clément s'était lancé dans une longue démonstration, sans que personne ne l'interrompe, donnait des explications sur les débats qu'il avait eus après la guerre avec notre père, le salaire qu'il percevait, ses parts de bénéfices, la revente de ses usines de Roanne et ainsi de suite. Une théorie de chiffres, mêlés à de multiples références aux accords qui les avaient liés, à ses placements personnels en bourse, à la part d'héritage d'Aline, à leur contrat de mariage, à sa dot. Tout cela débité sans reprendre haleine, assommant, à se perdre. Il l'a compris soudain, s'est tourné vers un petit notaire un peu ridicule — le genre professeur Nimbus — à demi dissimulé (avait-il reculé depuis le début de l'algarade ?) derrière la grande cheminée de pierre :

— Vous avez les papiers ?

— C'est-à-dire...

— Vous les avez apportés, non ?

— Je... je crois. La plupart.

— La plupart seulement ?

— Enfin... presque tout.

— Alors, sortez-les. On va tout regarder. Chacun pourra vir.

Il dit bien « vir » pour « voir ». Il avait retrouvé son accent de gamin lillois.

Il se tourna vers Isabelle :

— On peut occuper le bureau de l'oncle ?

Elle acquiesça d'un petit signe de tête désolé.

— Bien. Tu viens, André. Et puis, vous...

Il commença presque à faire l'appel — le notaire, les deux avocats, l'expert-comptable, ses fils —, hésita (me sembla-t-il, mais là encore je ne pourrais le jurer) en regardant Paul Bonpain, eut quand même ces mots : « Tu représenteras mon beau-frère », sembla les pousser tous hors du salon d'un grand geste du bras.

Il n'avait pas refermé la porte qu'Aurélie et Aline crièrent ensemble : « Et nous ! »

Il avait tout naturellement exclu les femmes de ce règlement de comptes.

Je sursautai enfin. Je pris le bras de la tante Isabelle. Nous les suivîmes. A temps dans le bureau pour entendre Aurélie s'écrier — à qui, à quoi répondait-elle ? — « C'est quand même l'argent de ma mère, aussi ! » Ma fille Simone, que je n'avais pas vue entrer, me tira par la manche. Nous échangeâmes deux brefs regards. Nous partagions sans doute les mêmes surprises et les mêmes émotions.

L'un des avocats prit d'emblée la direction des opérations : ces gens-là en ont vu d'autres, peut-être de pires, dans les familles. Le petit notaire aux allures de Nimbus avait couru vers sa voiture au coffre empli de documents. Paul Bonpain partit l'aider. Simone aussi, un peu plus tard, histoire d'échapper un instant à cette tension, j'imagine, car je ne la voyais guère les bras chargés de kilos de dossiers. Aurélie, sourire abandonné, se tenait droite, près du large bureau, aux côtés d'Aline qui posa un instant la main sur la sienne, caressante. J'étais certaine qu'elle s'inquiétait comme moi : que pouvait penser d'une telle scène notre nièce si longtemps recherchée ? Ne lui confirmait-on pas la caricature que les journaux ouvriers traçaient volontiers de la bourgeoisie et du patronat ? Je lui en ai parlé des années plus tard ; elle m'a rassurée en me racontant l'histoire de deux oncles de Paul qui s'étaient brouillés pour une armoire de chêne, seul héritage de leur mère. Il n'empêche : ce soir-là, je n'étais pas fière. J'enrageais, silencieuse, observant mon fils — il allait m'entendre, celui-là — et Clément Boidin qui avait arraché sa cravate, dégrafé son col, jeté sa veste et retroussé les manches comme pour un combat.

Ce fut un combat. De chiffres et de mots, qu'il fallait mesurer, interpréter, peser. Les juristes expliquaient, compulsaient des papiers. Boidin rappelait des conversations qu'il avait eues avec notre père, hésitait parfois sur des dates. Alors, André s'introduisait dans la faille qu'il croyait percevoir : « C'était avant la création de la Lainor ? Après la mise de fonds pour le journal ? A la fin des grèves de 36 ? » Clément, d'une question l'autre, s'interrogeait : comment ce garçon s'était-il informé de toutes ces affaires ? Je me le demandais aussi, surprise ; j'appris plus tard que l'oncle Lucien lui avait raconté, par bribes, les soirs de l'Occupation, l'histoire de la famille. Enfin, Clément n'y tint plus, s'énerva. Le ton montait. Les juristes baissaient la tête, prudents, serviles. Mon beau-frère me regarda : il attendait que j'intervienne, puisque j'étais la mère de son contradicteur. Il pensait sans doute adversaire, ou inquisiteur.

J'étais pétrifiée. Il fallait pourtant y aller. Je pris une grande inspiration comme pour me préparer à plonger. Alors, Paul Bonpain me devança, demanda qu'on lui apporte de grandes feuilles de papier blanc. Les autres le regardèrent, interloqués. Simone, qui connaissait bien les lieux, se précipita, revint aussitôt, chargée de liasses.

— Attendez, dit seulement Paul.

Ils étaient peut-être soulagés, comme des combattants trop las qui attendent la relève ou la mi-temps, ou comme ceux qui, conscients d'être allés trop loin, voudraient bien découvrir le moyen de s'en tirer sans trop de honte : ils lui laissèrent la direction du débat.

C'était lui qui posait les questions, désormais, inscrivait sur une longue colonne les dates essentielles de l'histoire des entreprises et en face les mouvements d'argent, se faisait remettre les pièces comptables et les contrats qui les justifiaient, rabrouait le petit notaire qui répétait : « Tout est là, tout est là », en lui faisant remarquer que s'il avait travaillé dès le début dans la clarté, ses comparses aussi, chacun serait déjà au lit, dormant ou partageant des caresses. Ce qui fit surgir, enfin, quelques sourires. Des rires quand Boidin, détendu, ajouta qu'à son âge, il pouvait encore, plusieurs fois... et prit à témoin Aline qui rougit comme une gamine.

Dès lors, le débat fut vite terminé. André s'excusa un peu : « Je ne voulais pas que ça tourne comme ça. Mais il vaut mieux que tout le monde soit au clair. Dans les familles, on laisse parfois des obscurités qui font mal », et s'éclipsa bien vite.

Je courus vers Paul pour le remercier. J'entendis Aurélie qui expliquait à la tante Isabelle, apparemment surprise : « Vous pensez : il en a vu d'autres, il dirige une coopérative ouvrière. Alors... »

Nous nous retrouvâmes au salon, les trois sœurs et Boidin, à mêler café et cognac, évoquer, soulagés, les événements politiques — le général de Gaulle venait de revenir au pouvoir — à nous interroger sur l'avenir d'Henri, que son père eût souhaité supérieur de collège plus que prêtre-ouvrier et dont je regrettais qu'il fût reparti avant ce débat.

Le retour au calme était un bonheur. Fragile, nous en avions tous conscience. Mais doux. Une occasion à saisir avant, peut-être, quelque nouvelle tempête. Il m'arriva de penser que mon devoir était ailleurs, que j'aurais dû m'enquérir aussitôt d'André, déjà disparu, pour le morigéner. Je me demandais encore quelle mouche l'avait piqué, si l'un ou l'autre ne lui avait pas monté le cou, ou s'il avait eu de vraies raisons de soupçonner Boidin. Mais je reculais le moment de cette explication. La conversation roulait à présent sur le tout nouveau pape, Jean XXIII, qui avait été nonce à Paris et dont le fils jésuite d'Aline espérait, disait-elle, une orientation plus moderne de l'Église. Elle rapportait aussi quelques anecdotes qui couraient sur le nouveau pontife et qui nous permirent de rire enfin. Je les ai oubliées. Comme bien des gens qui se lamentent de ne pouvoir garder en mémoire les histoires drôles. Sauf celle-ci, et vous comprendrez bientôt pourquoi. Le pape, qui s'appelait alors Mgr Roncalli, avait remarqué en participant à une réception diplomatique parisienne où se trouvaient quelques dames aux décolletés très généreux : « C'est curieux, il suffit que je me présente et tous ceux qui se penchaient vers ces personnes détournent la tête pour regarder le nonce. »

Aline, fatiguée, finit par se lever, donna ainsi le signal de la dispersion. Je me résolus à aller retrouver André dans sa chambre. Je me sentais soudain décidée : s'il dormait, je le réveillerais, mais je voulais en avoir le cœur net. Je tapai à peine à la porte, entrai aussitôt. Là, j'eus droit à une scène comme on en voit tant au cinéma : un homme et une femme nus, surpris en pleine activité, qui se dressent, ahuris plus que furieux. J'ai oublié le visage de cette jeune femme et je n'ai jamais su qui elle était. Je vis seulement qu'elle avait des seins superbes, fiers, les pointes vermeilles comme des roses épanouies. J'eus une pensée pour le nonce devenu pape. Je sortis aussitôt et éclatai d'un rire que toute la maisonnée entendit peut-être.

Le lendemain, André, qui partait pour Bordeaux où il venait de créer un comptoir de vente, m'avoua seulement qu'il y était peut-être « allé un peu fort avec l'oncle Boidin » mais qu'en fin de compte, il ne regrettait rien : « Tu devrais le savoir ; il y a trop de secrets dans les familles. A bientôt. »

Il m'embrassa, claqua la porte de sa DS Citroën, démarra. Il avait gardé lui aussi un secret : sa compagne d'une nuit.

XV

Cette année-là, Simone m'avait emmenée en vacances dans l'Albret, un joli pays, entre Landes et Gers, qui n'était pas encore envahi par les touristes. Rabelais, sans doute, était trop ignoré qui l'avait comparé au Paradis terrestre. Un monde de vignes et de vins, de canards obèses, d'oies grasses, de poulardes farcies et de rangées de platanes protégeant les étals de fruits du pays, dodus comme des pastèques, que proposaient des vieilles vêtues de noir, aux fortes rides et à l'œil vif. Nous lambinions de bourg en bourg, d'auberge en auberge, paisibles. Je lisais, le soir, une vie d'Henri IV, qui avait gambadé, tout jeune, autour du château de Nérac aux belles colonnes torses, et laissé dans la région, j'imagine, quelques rejetons de royale naissance et de vie paysanne.

C'est à Nérac, justement, que Simone m'annonça un soir, entre omelette aux truffes et filet de bœuf au vin de Buzet, qu'elle voulait changer de vie.

Je crus à un prochain mariage. Il me tardait d'être grand-mère depuis que je n'avais plus d'homme à chérir. Mais André, affairé à créer de Lille à Marseille une chaîne de comptoirs de vins et alcools, absorbé aussi — j'en avais parfois des échos — par ses conquêtes féminines, ne se décidait pas à se fixer. Comme s'il n'avait guère le loisir de se consacrer plus de quelques heures à une personne de l'autre sexe. Simone, elle, s'était contentée, à ma connaissance, de deux aventures assez vite interrompues.

J'imaginais donc, terminant mon filet de bœuf et rêvant déjà à la surprise glacée à l'armagnac annoncée par le menu, qu'elle avait, comme disait jadis l'oncle Lucien, rencontré quelqu'un, fait un choix, que j'étais toute disposée à approuver bien qu'elle ne me le demanderait pas. Je la savais assez raisonnable, parfois trop, et raisonneuse par-dessus le marché.

Il me fallut changer de perspective : elle voulait simplement quitter le journal.

— Tu sais, tante Aline se fait vieille. Soixante ans bien dépassés.

Là, je tressaillis. Soixante ans, j'en approchais et je ne me sentais pas vieille du tout. J'abandonnai mon filet de bœuf et me fis servir un grand verre de Buzet.

Je ne voyais pas le rapport entre l'âge d'Aline et le désir de Simone de quitter le journal. C'était pourtant simple : ma fille avait décidé d'aider sa tante à diriger son affaire de prêt-à-porter, de la supplanter peut-être.

— Tu comprends, elle n'est plus dans le coup. Et mal conseillée en plus. Regarde dans la rue, même ici, tiens, les filles qui occupent les tables du fond — des gamines du pays j'en suis sûre : entends leur accent —, elles s'habillent comme Brigitte Bardot, portent des blousons, des tee-shirts et des pantalons. Et ce n'est qu'un début : dans un an ou deux, tous les jeunes nés après la guerre, les fameux « millions de beaux bébés » que réclamait de Gaulle — tu vois, je me souviens du temps où nous écoutions la radio ensemble —, eh bien, tous ceux-là vont former, ils forment déjà, une clientèle énorme.

Je n'aimais pas cet adjectif : « énorme ». C'est ainsi : les superlatifs m'exaspèrent. Je voulus l'interrompre. En vain. Elle était trop lancée. Je dus me contenter de faire appel à mon verre.

— Et tous ces jeunes ne voudront pas s'habiller comme leurs parents. Je ne sais pas, d'ailleurs, pourquoi je parle au futur : ils ont déjà commencé. Même dans notre journal, ça se voit. Mais on est trop bon chic bon genre, BCBG, pas assez dans le coup.

— Comme Aline ?

— Comme tante Aline ? Pas tout à fait quand même parce que ton service modes n'est pas trop mauvais.

— Merci pour eux.

— Tu devrais pourtant songer à le rajeunir, toi aussi.

— Tu n'as qu'à t'y coller puisque tu as des idées.

— Non. Parce que...

Je crus un instant qu'elle allait ajouter que je ne l'écouterais pas, que je ne l'écoutais pas assez, ce qui était un peu vrai, je peux l'écrire aujourd'hui. Mais sa réponse allait m'époustoufler :

— Parce que j'ai donné ma parole à tante Aline.

— Tu as... ?

— Oui.

— Sans m'en parler !

— Ça s'est fait comme cela, la dernière fois que je suis allée à Lille, à la Pentecôte.

— A la Pentecôte, et c'est maintenant que tu m'en parles ?

Comme André pour le cognac, elle avait décidé seule. J'avais presque crié. Je me repris. La bouteille de vin était vide. Je fis signe à la serveuse. Simone me prit l'autre main, caressante.

— Attends. Ça ne s'est pas décidé en un jour. Tante Aline se plaignait que ses affaires marchaient moins bien. Les représentants, apparemment, étaient incapables de lui en donner les raisons. Peut-être trop vieux, eux aussi...

Encore une claque. Mais je commençais à m'y faire. Et puis, la nouvelle bouteille arrivait.

— Figure-toi que deux ou trois jours plus tôt, j'étais passée devant la boutique de Juliette, la sœur d'Aurélie — enfin : la presque sœur. Je suis entrée, comme ça, presque par hasard. Celle-là, Juliette, on a tous eu tort de la perdre un peu de vue... Parce que sa boutique marche bien, elle s'est même agrandie. Quand Aurélie nous en parle, nous n'y prêtons guère attention. Nous avons tort. Elle a abandonné le chic et cher, Juliette. Elle vend du pas cher, assez chic bien sûr, mais très sport, facile à porter, avec des tissus très colorés, des teintes très violentes, un peu comme les peintres à la mode, tu comprends. Tiens, regarde la fille là-bas, à la table de droite, près de la cuisine, son chemisier rouge et bleu, tu le vois, ça hurle. Un peu trop. Mais c'est presque comme ça, chez Juliette. Et tu sais où elle va ouvrir un nouveau magasin avec sa copine Violette ? A Neuilly.

— A Neuilly ? Ces couleurs ?

— Tu es comme ta sœur, tu ne veux pas le croire. Je te dis que tu as intérêt à embaucher quelques jeunes pour ta rédaction modes. Mais ta sœur, tante Aline, quand je lui ai raconté cela...

— Elle est allée en parler à Boidin ?

— Il n'était pas encore si malade, mais il laissait déjà faire Bernard, dans les usines.

— Je sais bien qu'il s'appuie sur son fils, mais quand même, à la Pentecôte, il était encore en assez bonne forme, et je n'imagine pas qu'Aline...

— Non, elle ne lui en a pas parlé tout de suite. Tout ça évolue. Elle m'a d'abord demandé de l'aider : « Viens travailler avec moi. » Comme ça. Je suis tombée de la lune. On était dans son grand salon, tu sais, avec ces rideaux de velours vert qui doivent dater du Second Empire, ou même du Premier. On buvait son fameux thé de Chine, celui de grand-mère qu'elle achète à des trafiquants. Et puis : « Viens travailler avec moi. » Comme ça. Je n'y ai pas cru. J'ai tourné autour du pot. Dans le genre : écoute, réfléchis, je te promets de réfléchir aussi, on verra ça plus tard. Je ne sais plus très bien. Mais le lendemain — non, pas le lendemain, c'était le lundi de Pentecôte, le lendemain — elle a couru à Paris. Chez Juliette. Elle s'est fait tout expliquer. Elle s'est assise dans un coin du magasin, près de la caisse comme pour faire des comptes — c'est Juliette qui m'a tout raconté —, et elle observait les clientes, celles qui s'arrêtaient devant les vitrines, quels modèles les attiraient, vers quel rayon se dirigeaient celles qui entraient, comment elles palpaient les tissus, ce qu'elles disaient. Tout. Il paraît même qu'elle prenait des notes.

— Tu ne me l'as jamais dit...

— D'abord, je l'ai su plus tard. Parce qu'elle a dû mijoter tout cela dans son coin, ta sœur. J'avais presque oublié son « Viens travailler avec moi ». Si tu te souviens, c'est quand même à ce moment que j'ai commencé à râler dans la rédaction du journal, à dire que je vous trouvais un petit peu décalés, en retard. Rappelle-toi cette discussion parce qu'on osait à peine faire de la publicité pour des soutiens-gorge de dentelle transparente avec des vrais seins derrière, bien photographiés, pas des dessins... Bon, pour revenir à tante Aline, elle aussi aurait pu t'en parler.

Là, elle marquait un point. Je n'étais qu'à demi surprise pourtant : dans notre jeunesse, Aline et Blandine avaient toujours fait bloc, même avant l'histoire avec Hans Schmidt, elles me considéraient comme une gamine incapable de comprendre certaines réalités. Il en était resté quelque chose, en dépit de notre enquête commune pour retrouver Aurélie. Mon divorce, en outre, n'avait rien arrangé. Aline ne l'avait pas digéré facilement. Moins que Père, en un sens. Elle est parfois un peu raide. Sauf pour le commerce. Parce que là...

— Elle a fini par revenir à la charge, tante Aline. En juin, tu te souviens, tu t'en es même étonnée devant moi, elle était toujours à Paris. Sauf quand l'oncle Clément a eu cette attaque et qu'elle l'a cru mourant pendant quelques jours. Mais dès qu'elle a été rassurée, elle a rappliqué. Et tu sais ce qu'elle m'a dit ? Elle m'a expliqué que Bernard prendrait les usines, Jacques la vente par correspondance, sous la surveillance de leur père bien sûr, et que sa proposition tenait plus que jamais puisqu'elle serait davantage isolée. « Viens travailler avec moi. Tu donneras en plus quelques conseils à tes cousins. Car ils ont besoin de se mettre à la coule, eux aussi »...

— Elle a dit « à la coule », Aline ? Elle parle comme cela, maintenant ?

— Oui, « à la coule », je te le dis.

— Et tu lui as donné ton accord, sans me demander mon avis.

— Si je l'avais demandé, tu m'aurais dit non. Pas vrai ? D'abord, ce n'était pas le moment. Tu ne décolérais pas parce que trois filles et un photographe avaient quitté le journal pour aller travailler à ce nouveau magazine... Tiens, encore une preuve de ce que je te disais pour les jeunes...

— *Salut les copains...* ?

— Oui, *Salut les copains*. Tu regardes leurs photos, tu vois comment ils s'habillent ces gamins et ces gamines devenus vedettes en trois mois ? Tu faisais la gueule quand les patrons de cet hebdo ont pêché des journalistes chez nous. Alors, si je t'avais annoncé que j'étais prête à partir, moi aussi...

Elle n'avait pas tort. Je lui remplis son verre de Buzet. J'étais plutôt fière d'elle. J'en voulais surtout à Aline. Elle allait m'entendre, celle-là.

C'est à ce moment que le maître d'hôtel s'approcha. On me demandait au téléphone. Si c'était Aline, elle tombait bien. Ou mal, selon la manière de considérer la question.

Ce n'était pas Aline. Florianne, ma bonne, voulait m'avertir qu'une femme s'était présentée par deux fois à l'appartement, insistant pour être reçue, se prétendant de la famille, bien qu'elle ne soit jamais venue chez moi.

— Elle n'a pas dit son nom ?

— Elle n'a pas voulu. Elle semblait un peu perdue, si Madame comprend ce que je veux dire.

Je songeai à une fille d'Aurélie La seconde était un peu compliquée, mal dans sa peau, capable d'avoir quitté Tours où elle suivait de vagues études de comptabilité.

— Quel âge ?

— Je lui donnerais bien plus de quarante ans. Presque cinquante même.

Pas celle-là, donc. Je passai en revue toute la cousinaille. Il existait plusieurs possibilités. Je citai quelques noms, au hasard. Des Lefebvre, Cattieaux, Demazières.

Sans succès, bien sûr, puisque cette personne ne s'était pas nommée.

— Elle reviendra ?

— Oui, je crois. Parce qu'on aurait cru qu'elle cherchait du secours, si Madame comprend ce que je veux dire.

Elle m'agaçait avec cette formule, répétée à la moindre occasion, et que je jugeais un peu humiliante. Surtout quand je ne comprenais pas tout à fait, ce qui était le cas ce soir-là. Je lui avais seriné souvent de l'éviter. Mais je me demandais si elle ne trouvait pas quelque plaisir à me la resservir.

Je m'agaçai :

— Du secours ? A moi ? Ça ne pouvait pas attendre ? Pourquoi moi ? Elle n'était pas venue mendier, quand même. Quelqu'un de la famille ?

— C'est ce qu'elle a dit.

— Et si vous me dérangez pour cela, ce soir, c'est que vous l'avez crue, c'est que vous avez eu pitié.

— C'est quelqu'un qui avait peur si vous voyez ce...

— Je le vois très bien, Florianne, ce que vous voulez dire. N'insistez pas. N'insistez pas. Je le vois très bien. Alors, si cette personne revient, débrouillez-vous pour savoir au moins son nom, et dites-lui que je reviendrai la semaine prochaine. Si c'est une mendiante, elle se lassera.

— Mais je...

Je raccrochai, mécontente et troublée. Qu'avait-elle de si étrange, cette femme, qui poussait Florianne à m'appeler à cette heure ?

Je trouvai ma Simone en conversation avec le maître d'hôtel. Elle leva les yeux comme pour m'interroger. Je haussai les épaules : rien d'important. Il poursuivit son exposé sur le vin de Buzet, réduit à l'état de souvenir lorsque le phylloxéra massacrait les vignobles, et que deux hommes, dont j'ai oublié les noms, avaient ressuscité quelques années plus tôt. Il me proposa de goûter un rosé qui existait aussi, bien que ce ne fût pas indiqué à la fin du repas. « Seulement pour faire connaissance », disait-il. J'écoutais à peine. J'étais ailleurs. Simone le remarqua, répondit pour moi qu'il était trop tard, que nous serions encore là le lendemain.

Je courus soudain vers le téléphone. Florianne. Pourvu qu'elle ne soit pas couchée. Ou sortie, laissant la maison vide, même après cette étrange visite : quand le chat n'y est pas...

Elle décrocha assez vite.

— Florianne, cette femme, tout à l'heure, est-ce qu'elle n'avait pas l'accent allemand, par hasard ? Vous n'avez pas remarqué ?

— C'est vrai, justement je voulais le dire à Madame mais... Oui, allemand, je ne dirai pas, je ne sais pas trop, mais un accent, ça oui.

— Plutôt allemand, non ?... Plutôt allemand ?

— On pourrait dire cela, peut-être, plutôt allemand.

Guida ! J'étais certaine, soudain, que c'était elle. Réapparue.

Le lendemain, j'étais à Paris.

XVI

— Ils n'auraient pas dû me laisser donner le sein. Même pas une minute. Parce que, tout d'un coup, je me suis attachée à ce bébé, ma petite fille, si mince, mal partie. C'est justement parce qu'elle était mal partie qu'ils l'avaient laissée sur mon ventre après l'accouchement. Alors, je l'ai prise. Et puis, voilà, elle a presque trouvé le sein tout de suite. Je me suis laissé faire. C'était bon. Pourtant, j'étais prête à l'abandonner, une heure avant, encore, quand j'avais les douleurs. C'était la règle, là-bas, au Lebensborn : dès que l'enfant sortait de ton ventre, on te l'arrachait. Pour que tu ne t'attaches pas. Ils les élevaient tous ensemble. Ensuite, les mères ne les voyaient plus. Moi, j'avais accepté, bien sûr... A ce moment-là, je... Ensuite, quand le médecin a vu le bébé, il a décidé que ce ne serait pas un enfant capable d'assurer l'avenir de la race. Trop malingre. Une fille, en plus. Dès qu'ils l'ont vue, ils ont dit qu'elle ne vivrait pas. C'est pourquoi ils l'ont laissée là. Abandonnée, quoi. Déjà qu'il se méfiait, le médecin. J'avais toutes les bonnes caractéristiques de la race, mais il savait que ma mère était française. Un jour, pendant une consultation, parce que ça, ils nous surveillaient bien, dès que l'on était enceinte — consultation par-ci, consultation par-là, tests et tout —, pendant cette consultation, je le vois encore, il m'avait même dit que je n'étais peut-être pas de pure race nordique puisque les Espagnols étaient passés par le Nord en je ne sais plus quel siècle. J'étais furieuse. Il me déplaisait, ce bonhomme. Un Bavarois pourtant. J'avais envie de lui demander si son pays n'avait jamais été envahi, ou traversé par des gitans, des je-ne-sais-quoi. Mais je respectais les chefs à ce moment-là. J'y croyais encore. Alors, quand il a vu la petite, si faible, il était content, j'en suis certaine. Pour lui, c'était une question réglée. Ils sont passés à une autre fille, qui accouchait en même temps que moi, et qui gueulait. C'est là que j'ai pris ma gamine dans mes bras. Je n'aurais pas dû peut-être. Mais elle était tellement, je ne sais pas comment dire, démunie, misérable, abandonnée. Elle s'est jetée sur mon sein, ou bien c'est moi qui lui ai tendu, je ne sais plus. J'avais beaucoup de lait. Là-dessus, une infirmière est arrivée. Elle a poussé les hauts cris et elle me l'a arrachée. Ma petite fille. Ensuite, ils m'ont dit qu'elle était morte. Je les ai crus. J'avais encore confiance en ce temps-là, malgré ce médecin, et malgré ça. Ensuite, bien plus tard, j'ai pensé qu'ils l'avaient peut-être aidée à mourir. Ils en étaient capables. Mais à ce moment, j'étais crédule, sotte, bête, idiote, ridicule.

Là, j'ai interrompu Guida. Elle ne serait peut-être pas allée plus loin, n'aurait sans doute pas trouvé d'autres insultes à s'adresser. Mais je ne voulais pas qu'elle se déchire davantage. J'imaginais qu'elle s'était ainsi flagellée souvent, seule, lors de nuits tourmentées, ou d'heures de solitude. Car je ne savais encore rien d'elle. C'était la première fois qu'elle se racontait depuis sa réapparition. Elle feuilletait, machinale, mon journal, *Rose*, était arrivée à l'un de ces articles habituels sur les avantages et les inconvénients de la nourriture au sein. Tout à coup, c'était parti. Je l'avais laissée faire. Elle se parlait comme pour elle-même, comme si je n'existais pas. J'ai même hésité, un quart de seconde, à l'interrompre quand elle s'insultait. Un quart de seconde seulement. J'ai laissé tomber ma tasse de café qui s'est brisée en tout petits morceaux. Je ne sais pas si c'est un truc, un moyen d'en sortir, qui m'était venu soudain à l'esprit, ou si je l'ai fait exprès pour l'interrompre sans lui couper la parole. Ça a réussi, en tout cas. Nous nous sommes retrouvées à genoux, à rassembler les débris. Florianne, ma bonne, est arrivée. Nous lui avons laissé le champ libre.

Cette fois-là, Guida ne m'a plus parlé de cette naissance, ni de la suite, ni du commencement. De rien.

Quand je l'avais vue sur le pas de ma porte, trois jours plus tôt, je ne lui avais guère posé de questions. Elle m'a seulement dit qu'elle était à Paris, sans rien, parce qu'on lui avait volé papiers et chéquiers. J'ai pensé que c'était peut-être un mensonge. Mais elle se trouvait là, cela seul comptait. Avec elle, j'avais pris l'habitude, depuis l'avant-guerre déjà, de circuler en terrain miné. Elle paraissait épuisée. Il n'était pas indiqué de lui faire raconter quoi que ce soit. D'ailleurs, elle ne m'a interrogée sur personne. Même pas sur ses parents ou sa sœur. Une automate. Un dialogue réduit au minimum vital : Tu veux déjeuner ? Tu aimeras cette chambre ? Et ainsi de suite. Presque incroyable.

Simone m'avait évidemment téléphoné dès le premier soir.

— Et alors ?

— C'est bien Guida. Mais dans un état... Écoute : ne me demande rien, ne te manifeste pas. Rien. Je n'en sais pas plus. Quand je saurai...

Il fallait savoir attendre. Taire les mille questions que je me posais. Les premiers jours, elle ne sortait guère de sa chambre, même pour les repas, pas du tout de l'appartement. J'avais chez moi un oiseau blessé, au bord de l'épuisement. Ma nouvelle bonne, au prénom étrange de Florianne, lui mijotait des plats auxquels elle touchait à peine, bien qu'elle lui eût affirmé aimer la cuisine française, surtout la daube provençale, préparation savante d'un quartier de bœuf avec épices, vin rouge et la suite dont elle avait elle-même donné la recette.

Le dimanche suivant, elle était apparue soudain, vers midi, pour partager mon déjeuner. Elle avait même accepté un apéritif. Nous n'avons parlé que d'histoires sans importance. Je me fatiguais à tenter de relancer la conversation, évoquant les événements de la vie parisienne, les autoroutes que l'on commençait à développer autour de la capitale, le satellite Telstar qui permettait de téléphoner aisément aux États-Unis, la mode des pantalons féminins, que sais-je encore.

Elle semblait écouter, hochait la tête, répondait à peine. Lassant.

J'avais tendu quelques perches, à propos du vin de Bordeaux que nous buvions, par exemple, pour évoquer la mort récente de la tante Isabelle. Elle n'avait eu que ce mot : « Triste ». Un seul mot. J'allais finir par la croire autiste. Après le dessert, j'avais pensé qu'elle fuirait dans sa chambre. Mais elle avait accepté un café, commencé à feuilleter un numéro de *Rose* qui traînait sur la table basse. Et tout à coup, ce flot de paroles sur la petite fille morte.

C'était son tourment. Deux jours plus tard, elle est réapparue alors que je m'apprêtais à dîner seule. Plus détendue, semblait-il. Presque souriante. Elle m'a interrogée sur le journal. Alors que j'évoquais une certaine Ida, une jeune dessinatrice de bandes dessinées qui avait le chic pour croquer les tics et snobismes des femmes de ces années-là, elle a sursauté, déclaré que — c'était drôle — qu'elle avait donné ce prénom-là, justement, à sa petite fille, une nuit sans sommeil, après sa mort. « Avant, je n'y pensais même pas. Ça ne me regardait pas, ce serait l'affaire des chefs, elle porterait d'abord un numéro. On ne m'avait pas dit ce qui se passerait après la naissance, tu comprends... »

Donc, il y aurait eu Ida. Peut-être. Car un peu plus tard, elle m'a parlé d'autres prénoms auxquels elle avait songé. Je me souviens d'une Hélène, de Lydie. La liste était assez longue. Je me demandais quand, où, dans quelles circonstances, elle avait rêvé de ces prénoms. J'imaginais toujours des nuits sans sommeil. J'attendais qu'elle poursuive la confidence. Mais non. Ce ne serait pas pour ce soir-là.

La rédactrice, assez âgée, qui tenait au journal la rubrique du courrier des lectrices et se piquait de psychologie, était assez proche et discrète. Interrogée, elle m'avait conseillé la patience. « Laissez venir. Elle viendra. »

Elle ne venait pas. Les jours passaient. Huit, dix, douze. Elle restait dans sa chambre, se montrait à peine, sauf pour quelques repas.

Je téléphonai à Aurélie, la mis au secret.

Je n'osais pas prévenir Aline, de crainte qu'elle n'intervienne aussitôt. Aurélie me semblait davantage capable de comprendre, d'autant que ses filles lui en faisaient voir : l'une, très intéressée par l'argent, lui reprochait de ne pas vivre sur un plus grand pied, un train de Surmont-Rousset, l'autre, l'étudiante en comptabilité dont j'ai dit qu'elle était mal dans sa peau, tentait de se rassurer en tombant dans les bras de tous les garçons.

Aurélie bondit, effarée, joyeuse pour Blandine. Je craignis qu'elle ne décide d'accourir. Mais elle comprit bien vite quelle partie se jouait. Elle aussi me conseilla d'attendre. Un jour, tout sortirait. Comme était sortie l'histoire de la petite fille qui eût pu s'appeler Ida, ou Lydie, ou Hélène, la petite morte anonyme.

Je lui opposais le poids, chaque jour plus lourd, de mes remords : je ne pouvais pas cacher plus longtemps à Blandine, si éprouvée déjà, que sa fille était vivante. En triste état, mais vivante.

Aurélie pouvait le comprendre mieux que personne. Mais elle devinait aussi, pour les mêmes raisons, la fragilité du fil qui venait de se renouer et donc l'extrême prudence indispensable.

Le lendemain, justement, je ne trouvai pas Guida en rentrant du bureau. Elle était sortie, me dit Florianne, sans donner ni raison ni indication. J'attendis. J'avais appris à attendre.

Elle réapparut vers le milieu de la nuit. Ivre. Elle avait été capable pourtant de revenir jusque-là, je ne sais comment. En pleurs, les cheveux en bataille, une tache de sang sur la main. Elle s'affala sur un canapé, s'endormit presque aussitôt. J'aurais voulu l'entraîner, de force, sous la douche, même tout habillée. Mais elle dormait déjà, assommée, abrutie.

Elle s'excusa, au réveil, m'expliqua qu'elle était soumise — c'est le mot qu'elle employa, qui m'impressionna — à de brutales envies d'alcool. Depuis la vodka.

La vodka ?

Alors, elle me fit don — j'ai pensé don — comme une récompense, un échange de procédés convenables, du récit de l'arrivée des Russes à Berlin, en 1945. Les Ivan, comme les appelaient les Allemands, qui se jetaient sur les femmes — *Frau komm !* —, les plus âgées comme les gamines, les mères sous les yeux de leurs enfants, les femmes sous ceux de leurs mères. Quand l'une ou l'autre tentait de résister, le soldat parfois se détournait, le plus souvent lui enfonçait une baïonnette dans le ventre. L'un d'eux, un officier, le troisième à passer sur Guida ce jour-là, l'avait trouvée assez à son goût pour la prendre sous sa protection, l'installer dans un appartement qu'il s'était approprié. Il faisait venir des amis à qui il l'offrait. Mais il la nourrissait. Et puis, si j'ai bien compris, elle avait déjà connu de telles soirées avec les jeunes reproducteurs sélectionnés du Lebensborn. Les Russes, conformes à leur réputation, se gorgeaient de vodka. Elle avait suivi le mouvement. Pour survivre, me dit-elle.

Les *Frau komm* s'étaient prolongés quelques semaines. Jusqu'au jour où Staline, selon l'officier russe, avait lui-même décidé qu'il fallait exécuter sur-le-champ tout soldat qui s'en prenait de force à une femme allemande. Un peu plus tard, il avait fait envoyer à Berlin les femmes des officiers. Elle avait perdu le sien. « Staline faisait ça pour la propagande, me dit-elle. Il voulait que le pays devienne communiste et pensait que les Allemandes ne pardonneraient pas si ça continuait. C'est ce qu'expliquaient les officiers anglais, au mess où j'étais serveuse. »

Elle ne m'en dit pas plus ce jour-là, repartit dans sa chambre. Elle tenait juste debout, se plaignit de nausées.

Je la laissai aller. Triste. Satisfaite aussi d'avoir progressé : elle avait donc assisté en 1945 à l'apocalypse de Berlin. J'ignorais toujours presque tout de l'avant et de l'après. Mais elle parlait. Elle parlerait encore. Je pourrais, un jour, proche peut-être, évoquer ses parents, la famille.

Un accident fit tout déraper. Il se nommait André, mon fils, qui débarqua un soir à l'improviste. C'était son ordinaire : il carillonnait, embrassait Florianne, rapide, la bousculant presque pour courir du salon à mon bureau ou la salle à manger, m'entraînait si j'étais libre — « prépare-toi vite, ne t'inquiète pas pour ta coiffure, tu es toujours aussi jeune » —, m'amenait dans le dernier restaurant en vogue, m'étourdissait de discours sur des vins trop méconnus qu'il découvrait dans le Vaucluse, où il s'était lié depuis plus d'un an avec la jeune maîtresse d'un petit domaine, une Rodolphine dont j'ignorais tout. En revanche, il étalait volontiers ses connaissances sur le Grenache noir, cépage de base des vins rouges de la vallée du Rhône qui dégageait, à l'entendre, des arômes de kirsch, de cassis et de réglisse. Des énumérations qui me faisaient sourire. J'étais bien la seule : dans les dîners qu'il m'arrivait de fréquenter, passer le nez sur le vin pour en décliner, sentencieux, tous les fumets et les bouquets, était devenu du dernier chic. André, lui, ne manquait jamais de souligner qu'il avait eu du nez, justement, en étendant les activités du cognac Lafeuille à tous les alcools, les bières de qualité et le vin : l'ère du bien manger et du bien boire était venue avec la croissance, l'apparition d'une classe de cadres — un mot qu'ignorait la génération de mon père — qui rêvaient de se montrer « à la coule », comme disait même Aline, avec voitures rutilantes et jolies femmes arborées comme des bijoux dans les lieux réputés. Ceux-là même que fréquentait André lors de ses passages à Paris, où on lui trouvait toujours une table, même lorsque la maison affichait complet.

Il m'arrivait parfois de me demander comment se comporterait cet ouragan fait homme si, survenant ainsi, il me trouvait en compagnie tendre. Il s'en tirerait bien sûr — le jeune boy-scout en armes du siège de Royan avait beaucoup changé — mais comment ? Cela m'eût amusée. Mais j'étais seule désormais.

Pas ce soir-là où il me trouva dans la cuisine, dînant avec Guida : depuis son arrivée, je rentrais plus tôt, et si elle acceptait de se montrer, nous passions plus vite à table, sans cérémonie, parfois même avec Florianne.

Je m'efforçai de dissimuler ma peur panique, balbutiai que cette Françoise — il fallait bien lui donner un prénom —, rapatriée d'Algérie où la guerre s'était terminée depuis de longs mois, avait quelque peu erré avant d'arriver à Paris où elle retaperait pour le journal les articles trop mal ficelés. Fille d'une amie d'amis, elle était en quête d'un logement ; en attendant, je l'hébergeais. Voilà. Ma petite histoire tenait à peine debout. Comme il arrive dans ces cas-là, je répétai presque chaque phrase dans l'espoir, vain, de lui donner plus de consistance. Guida jouait les impassibles. Florianne avait l'œil des Toinette et autres bonnes de Molière qui se payent la tête de leurs maîtres. André ne prêta à mon récit qu'une attention relative. Je compris vite qu'il s'en fichait ou ne me croyait guère. Ce qui m'incitait à en rajouter.

Il finit par décider de rester à table avec nous. Je craignis qu'il ne fasse du charme à Guida. Peut-être lui parut-elle trop cassée, flétrie : il la regardait à peine, lui parla peu. Il avait commencé par l'interroger sur l'Algérie — c'était un passage obligé —, mais n'insista guère lorsqu'elle lui eut répondu, habile, que ses souvenirs étaient trop douloureux, qu'elle préférait les taire.

La conversation languissait. Je songeai à ces comédies de boulevard où personne ne sait qui est vraiment qui, suscitant des quiproquos qui font rugir de joie les spectateurs. Là, au contraire, personne ne s'amusait vraiment. Même plus Florianne.

Je me jetai à l'eau, demandai s'il voyait toujours cette

Rodolphine du Vaucluse dont il m'avait, une fois ou l'autre, dit deux mots. Il fut surpris, regarda Guida, comme s'il se demandait comment je pouvais être aussi indiscrète devant une inconnue, finit par me dire qu'il aurait bientôt « des choses à me dire ».

— Sur ce sujet ?

Il ne répondit pas, commença d'expliquer à Guida que cette Rodolphine avait compris, mieux que les autres, tout l'intérêt des quartzites, ces galets arrachés au flanc des Alpes qui emmagasinent le soleil le jour pour en restituer, la nuit, la chaleur aux vignes. Elle eut un sourire — presque le premier depuis son arrivée —, avoua qu'elle connaissait un peu. Enfin : pas tellement les châteauneuf-du-pape, où cette dame exerçait sans doute, que les côtes du Ventoux dont elle appréciait surtout les rosés. Elle ajouta qu'elle avait beaucoup aimé cette région pour ses champs de lavande, la longue ligne bleue, silencieuse, qui va rejoindre les Alpes après Orange, le plateau d'Albion. André ne cillait pas, bien sûr, qui n'avait aucune raison de s'interroger. Je découvrais un nouveau pan de la vie de Guida et me promis de lui arracher bientôt les autres.

Ce ne serait pas facile. J'en eus la confirmation, radicale, presque aussitôt : elle se leva avant que Florianne ait apporté le fromage, prétextant un coup de fatigue.

Soulagée, je ne la retins pas. Je restai aux aguets, ensuite, attentive à tous les bruits de la maison : je craignais qu'elle ne sorte. Ce qu'elle fit. Mais je ne l'entendis pas : André venait de m'annoncer que sa Rodolphine était, depuis trois mois, enceinte de ses œuvres et qu'ils allaient se marier au plus vite. Je lui demandai si c'était par obligation, comme cela se faisait encore très souvent. Il haussa les bras, très haut, faillit du coup renverser le plat de crème anglaise que Florianne avait sorti du réfrigérateur : il niait. Très fort : ce qu'il éprouvait pour cette jeune femme-là, aucune autre ne le lui avait jamais donné. Je le crus. J'allais donc, quelques mois plus tard, accéder au statut de grand-mère. J'étais heureuse. Nous avions presque oublié Guida. A l'instant où il sortait, pourtant, je lui recommandai d'être moins bruyant dans le couloir, proche de la chambre où elle dormait.

Du moins, je le croyais.

XVII

Il fallut, les jours suivants, se rendre à l'évidence : elle avait disparu. Sans rien emporter, ou presque, de la petite garde-robe qu'en deux ou trois semaines je venais de lui constituer.

J'avais cru, au lendemain du passage d'André, qu'elle réapparaîtrait, ivre ou à demi droguée. Je l'attendis très tard dans la nuit. Florianne me tenait compagnie, me racontait des histoires, trop nombreuses, peut-être imaginaires, d'enfants prodigues qui avaient un jour retrouvé le chemin de la maison familiale : comme si, dans son Béarn d'origine, tous les jeunes étaient des fugueurs !

J'étais surtout inquiète de ce que Guida n'ait apparemment pas emporté d'argent, à l'exception des quelques billets dont je lui avais un jour bourré le sac à main. Insuffisants pour survivre longtemps. De quoi vivrait-elle ? En se prostituant ? Je m'étais presque persuadée qu'elle avait dû s'y résigner, à Berlin, quand cet officier russe l'avait abandonnée. Alors, pourquoi pas à Paris ?

Je connaissais l'un des pontes de la Préfecture de police. Je finis par aller le voir, pour lui demander d'effectuer des recherches. Ce gros petit homme tirait d'une courte pipe des bouffées de fumée qu'il lâchait avec un rythme de locomotive. Il me donna un véritable cours sur l'évolution de la prostitution parisienne, à laquelle l'Élysée, pressant, recommandait alors que l'on fît la chasse car c'était une obsession de Mme de Gaulle. Si bien que l'on savait à peu près exactement où, quand et qui. Si une nouvelle venue, assez âgée — à ce moment le rythme de la locomotive s'accéléra, je ne sais pourquoi, et je n'avais pas envie d'en rire —, était apparue depuis quelques jours, il devait être facile de la repérer.

Quelques jours plus tard, il me fit part du résultat, négatif, de ses recherches. Je m'y attendais : j'avais reçu entre-temps une carte de Guida, postée à Avignon. Peut-être un clin d'œil en référence à la soirée passée avec André. Ou le signe d'un réel attachement à cette région ? La carte ne permettait guère d'espérer : « C'est mieux comme ça », avait écrit Guida. Puis, un peu plus bas : « Merci pour tout. Bons baisers. » Et une signature minuscule, à peine visible.

J'y voyais le signe, inconscient, d'un désir de se cacher.

« Non, me dit Aurélie presque aussitôt consultée, c'est pis encore. Elle est diminuée à ses propres yeux. Elle se considère comme une moins que rien. La rencontre de ton fils, tout feu, tout flamme, tout fier, l'a renforcée dans cette opinion détestable. »

Elle avait, hélas, probablement raison.

Je m'étais aussi rendue à Lille pour tout raconter, enfin, à Aline. Je m'attendais à une forte semonce : telle que je croyais la connaître, elle penserait, d'emblée, qu'elle aurait su mieux faire, être capable d'éviter cette fugue. Et voilà le pire : elle serait peut-être dans le vrai.

J'avais préparé une batterie d'arguments, que je jugeais plus mauvais les uns que les autres, mais qui avaient l'avantage d'exister.

Je pus les garder pour moi. D'abord stupéfaite et vexée d'avoir été tenue dans l'ignorance, Aline se montra vite sereine, confiante : « Si elle est revenue, elle reviendra. » Je la jugeai d'un optimisme presque inquiétant. Ou bien était-elle trop accaparée par d'autres soucis ? La santé de Clément Boidin, atteint de démence sénile, qui mourrait à Lille le jour même du mariage d'André avec sa Rodolphine en Avignon ? Les difficultés aussi de la Vandor, l'ancienne Lainor, qui avait pris du retard sur ses principaux concurrents, la Redoute et les Trois Suisses ? Pour faire face au développement de la clientèle ceux-ci avaient, dès le milieu des années cinquante, remplacé l'antique système des fiches de clients par la mécanographie, puis l'ordinateur ; dès cette époque aussi, les patrons de la Redoute, « les messieurs Pollet » comme ils se faisaient appeler, avaient décidé d'abandonner totalement le textile. Un signe auquel Clément Boidin, qui s'écartait, et ses fils, qui commençaient à peine d'arriver, n'avaient pas pris assez garde.

J'attribuai donc l'attitude d'Aline à la multiplication de ses soucis. Nous tînmes quand même conseil, à Paris, avec Aurélie et Delphine qui rayonnait, elle : André Millet avait vu clair ; ses magasins d'électroménager étaient installés dans une dizaine de villes. Je fis venir aussi Simone puisqu'elle avait été la première informée de la venue de sa cousine.

Fallait-il annoncer à Blandine la réapparition de sa fille ? Aline penchait de ce côté, au nom du droit — les parents devaient être informés du sort de leurs enfants — et parce qu'elle était persuadée du prochain retour de Guida. Aurélie, pas très fière me sembla-t-il à l'évocation de son propre passé, fit valoir que ce retour n'avait rien de certain : n'avait-elle pas, elle-même, hésité alors qu'elle se savait recherchée, désirée ?

Je ne disais rien : je me demandais toujours quelle faute j'avais commise qui avait provoqué le départ de Guida. C'est vers moi qu'elle était venue, c'est à moi qu'elle avait tendu la main, une main que je n'avais pas su garder dans la mienne, trop froide peut-être.

Delphine et Simone emportèrent l'adhésion avec un argument simple. Blandine et Hans avaient, je l'ai dit, fait leur deuil de Guida. Erika, mariée à un commandant de bord brésilien (c'était tout à fait son style : femme de pilote), leur avait donné deux petits-enfants, qu'elle leur confiait la plupart du temps et qu'ils chérissaient. Ils semblaient heureux, enfin. Paisibles en tout cas. Devait-on les faire entrer dans une nouvelle période d'attentes et de questions ? D'inquiétude et de souffrance, donc. A quoi bon ?

En attendant, il fallait essayer de retrouver la trace de Guida. Peut-être. Nous étions plus résignées qu'enthousiastes. C'était comme si tout recommençait. Un film médiocre, un peu poisseux, déjà vu. Je disposais de deux pistes. Elle avait fait allusion à un emploi dans un mess d'officiers anglais à Berlin, à moins qu'elle n'ait été seulement une familière du lieu, maîtresse de l'un d'eux. L'autre piste était plus proche mais plus vague : son goût pour la daube, plat provençal par excellence, mais aussi les propos qu'elle avait tenus à mon fils sur les côtes du Ventoux, étaient les signes d'un séjour dans cette région. Puisque la visite d'André semblait avoir provoqué son départ, je le chargerais de quêter des informations — où ? quand ? comment ? — en compagnie de sa Rodolphine. Je pensai le quart d'un instant à engager un détective privé pour effectuer des recherches du côté du mess anglais. Je me retins aussitôt d'en parler devant Aline : en matière de détectives, elle devait nourrir encore de trop brûlants souvenirs.

Nous en avons évoqué quelques-uns, le soir, avec Aurélie. Je l'avais emmenée dîner avec Simone chez Allard, un de ces restaurants aux tables de marbre et au carrelage rouge presque recouvert de sciure où, le soir, les Américaines faisaient traîner leurs manteaux de vison. C'était le jour du gigot et du coq au vin. Un choix délicat. Je me sentais plutôt gigot ce soir-là, mais je suivis les deux filles — si je puis dire : Aurélie marchait vers les cinquante ans, déjà ! — qui en tenaient pour le coq au vin.

Le plus délicat était, bien sûr, ailleurs : je m'aperçus qu'Aurélie n'avait jamais vraiment mesuré avec quelle ténacité, au prix de quelles souffrances, en acceptant quelles compromissions, Aline l'avait recherchée. Ni quelle peine Blandine avait endurée.

Les guerres, toutes les crises qui mêlent les peuples, multiplient les rencontres, obligent à des choix clairs, déchirent les familles, contraignent aux silences, aux non-dits, dont le prix se paye ensuite de génération en génération. J'avais cru deviner, dans l'après-midi, à des hésitations, des bouts de phrase, qu'Aurélie n'avait pas passé tout à fait l'éponge sur ce qu'elle appelait dans sa jeunesse son abandon. Elle semblait heureuse de nous retrouver lors de chaque réunion — et Dieu sait si, dans le Nord, on multiplie à l'envi les occasions de se rassembler — mais elle se sentait encore — à près de cinquante ans, je le répète ! — la petite fille dont on n'avait pas voulu. Toujours blessée.

J'ai pensé, trop tard, qu'elle eût agi mieux que moi avec Guida, trouvé les gestes et les mots. J'en souffrais aussi. Jalouse. Je parvins à me convaincre qu'après tout, leurs deux situations n'étaient pas tellement comparables.

En attendant le coq au vin, je me lançai dans d'interminables récits sur les complicités d'Aline et Blandine quand celle-ci était enceinte, ou les longues recherches d'Aline après la disparition de Dautriche.

Simone tentait de m'interrompre en assurant qu'Aurélie n'en ignorait rien, que je commençais trop souvent à me répéter.

Aurélie secouait la tête. Non. Elle voulait en savoir plus. Ou faisait comme si. Par gentillesse ? Je crus même, au dessert, lui voir les yeux humides.

Simone finit par l'emporter, nous entraîner sur un autre terrain. C'était le temps où le jeune Yves Saint Laurent créait, en hommage à Mondrian, des mini-robes en lainage blanc, coupées de larges lignes noires qui entouraient des carrés jaunes et rouge, où un presque inconnu nommé André Courrèges lançait la mini-jupe géométrique, accompagnée de bottes de cuir blanc. Une nouvelle profession apparaissait : styliste.

Simone se targuait d'en être. Elle était parvenue à convaincre Aline de réaliser dans ses ateliers des modèles délurés, faciles à porter, pour les jeunes qui refusaient les modèles sophistiqués de la haute couture et de tout ce qui prétendait y ressembler. Les femmes changeaient, les formes et les couleurs qu'elles donnaient à la rue et aux bureaux qu'elles envahissaient, aussi.

J'imaginai la tête de mes parents s'ils avaient vu Aline à la tête d'ateliers où se fabriquaient robes et jupes qui permettaient de voir le genou, et bien au-dessus. Mon père aurait aimé, peut-être : j'avais reçu quelques confidences d'amis, après sa mort. Mais, elle, Célestine, si prude ?

Simone ne me laissa pas rêver plus longtemps. Elle voulait me donner d'autres nouvelles. Elle avait convaincu Aline de s'associer à un groupe italien : Rome devenait une capitale européenne de la mode, Milan tentait de faire mieux encore ; c'était là, autant qu'à Paris, davantage peut-être, que naissaient les idées nouvelles. C'était donc là qu'il fallait être. Elle s'y installerait, quelque temps au moins. « Jamais contre ceux qui avancent, dit Simone tandis que je réglais l'addition, toujours avec eux, pour tirer profit de leur dynamisme et de leurs rêves. » Je me demandais où elle était allée chercher cette maxime.

Aurélie avait accepté de coucher chez moi cette nuit-là. Nous avons encore parlé longtemps, après le départ de ma fille. Parlé d'elle, précisément.

— J'ai peur pour toute ces jeunes femmes, disait Aurélie. J'en connais quelques-unes, comme Simone, même dans mon petit coin des Deux-Sèvres. Mes filles aussi sont un peu comme cela — enfin, je veux dire l'aînée, l'autre est plus compliquée. Bon, passons. J'ai peur qu'elles se cassent la figure à courir ainsi de l'avant. Elles n'ont pas tort de secouer le cocotier, mais je me demande parfois si elles ne vont pas trop vite, trop loin. On se sent si fragile, parfois. Moi aussi, j'ai couru de l'avant, à ma manière. Et parfois, j'avais envie de m'arrêter, pas de tout laisser tomber, mais de souffler un peu. Pendant la grève, par exemple, je veux dire, celle de 1936...

Elle s'interrompit, me guetta, curieuse ou anxieuse de ma réaction. Je fis mine d'arranger ma jupe qui tire-bouchonnait, ne laissai rien paraître ; c'était la première fois qu'elle évoquait avec moi ses batailles.

— Si je n'avais pas eu Paul, reprit-elle, j'en aurais moins fait. Mais là nous étions à la fois ensemble et concurrents, tu comprends ? C'était un appui et un rival. Puisque je l'aimais, je croyais que je pouvais compter sur lui, et j'avais raison de le croire. Mais en même temps je voulais lui montrer que j'étais capable d'en faire autant que lui. Et même plus quand j'ai exigé que l'on réembauche ma sœur. Au fond de moi, je n'en menais pas large, devant Dussart... même devant Aline. Mais c'était ce qui me soutenait : l'idée de Paul. Pour moi, c'était à la fois « tu vas voir que je n'ai pas de leçon à recevoir » et « heureusement que tu es là ». Même si je ne lui disais pas. Tandis que, pour des filles comme Simone, il n'y a pas de « heureusement que tu es là ». Donc...

Je n'en étais pas aussi certaine. Je me demandais s'il n'existait pas, à Milan ou à Rome, un Italien qui... Je n'en dis rien. Je ne disposais pas du moindre indice. Une idée, simplement. Comme ça.

— Guida, poursuivait Aurélie, a peut-être souffert de cela. Bien sûr, je l'ai à peine connue. Mais si je comprends bien, l'homme à qui elle pouvait dire, dans sa tête, jusqu'à la fin de la guerre, « tu vois ce que je suis capable de faire », et « heureusement que tu es là », c'était Hitler. Un peu, comme les religieuses avec Jésus... Je ne te choque pas, j'espère ?

Je me contentai de sourire et de hausser les épaules.

— Tant mieux. Ça m'aurait étonnée. Pour revenir à Guida, elle avait peut-être un autre type, mais je n'y crois pas. Pas la même chose en tout cas. Pas à la même hauteur. Je n'ai pas fait d'études, moi, je ne sais pas comment dire...

Là, j'intervins. Ce « je n'ai pas fait d'études », je l'avais déjà entendu. Elle le pensait peut-être. Mais c'était aussi une sorte de jeu qu'elle aimait jouer.

— Continue, tu sais très bien...

Elle ne me laissa pas achever, sourit. Cela faisait aussi partie du jeu, cette complicité qui se nouait et s'affichait.

— Bon, d'accord. Hitler, elle l'aimait d'amour. Mais pas d'un véritable amour, je crois. Puisqu'il n'y avait pas d'échange, de... Je ne trouve pas les mots, c'est vrai, tu vas encore croire que...

— Je ne crois rien. Tu veux dire qu'il n'y avait pas de réciprocité dans l'amour.

Je pensai soudain que je commençais à jouer, près d'elle, le rôle que l'oncle Lucien avait tenu pour nous, ses nièces. J'en éprouvai fierté et nostalgie : je prenais donc un coup de vieux.

— Voilà. Tu comprends : au lieu de la rendre heureuse, comme une fleur qui s'ouvre au soleil — tiens, c'est joli cela...

J'adorais qu'elle joue ainsi, aussi jeune à près de cinquante ans.

— Au lieu de la rendre heureuse, ça l'a desséchée, cette passion pour Hitler. Comme une momie. Alors, quand les bandelettes tombent, patatras. Il n'y a plus rien que de la poussière, non ? Donc, quand on la retrouvera, il faudra tout reconstruire. Sans bandelettes.

— Sauf que l'on ne sait rien de ce qui lui est arrivé ensuite, de ce qu'elle a fait.

— Tu as raison. C'était peut-être pire encore.

XVIII

J'étais un peu lasse, cet autre soir, bien plus tard, d'avoir trop traînassé dans les rues voisines du Luxembourg, champ de bataille quelque peu dérisoire qui sentait encore le roussi, où s'entassaient pavés et grilles, des restes de barricades, où parents et grands-parents — c'était un samedi — amenaient leurs gosses pour leur montrer les carcasses de voitures brûlées, les arbres arrachés et les débris de grenades, afin qu'ils se souviennent, qu'ils puissent se targuer, adultes, d'avoir assisté à cette ébauche de révolution qui deviendrait peut-être, allez savoir, une vraie révolution.

Je pensais plutôt que les étudiants de ce mois de mai 1968 et ceux qui les suivaient mimaient les gestes des anciens révolutionnaires, faisaient comme si. Mais qu'ils ne pourraient aller jusqu'au bout. Je n'étais même pas certaine qu'ils le souhaitaient.

J'avais, il est vrai, d'autres soucis. Du Nord me parvenaient d'inquiétants échos. Bernard, le fils d'Aline, se débattait pour sauver les usines textiles. Passant par Paris au début du mois, il m'avait confirmé ce que l'on pressentait depuis des années : la disparition des colonies avait privé de débouchés bien des entreprises. La concurrence des pays à bas salaires se faisait de plus en plus rude. En janvier, à Fougères, en plein cœur de la Bretagne où son père avait acheté jadis une petite affaire, des manifestants avaient inauguré, par dérision, une

« place du chômage ». Un mot que l'on avait presque oublié depuis la guerre.

Ce qui m'intéressait davantage, pourtant, c'était le bouleversement des mœurs. Dès le début des événements, les plus jeunes femmes de la rédaction avaient organisé des réunions. La première concernait une querelle qui agitait les cités universitaires bâties à la hâte autour de Paris pour abriter les étudiants, toujours plus nombreux, qui se pressaient dans les facultés. De gris blocs de béton où garçons et filles étaient strictement séparés. C'était là le hic. Les filles avaient le droit d'entrer chez les garçons. L'inverse, non. Les incidents s'étaient multipliés. Le gouvernement tâtonnait. Il était question de nécessaires autorisations des parents pour les moins de vingt et un ans, d'embauche de concierges pour le gardiennage, et ainsi de suite. On en rirait aujourd'hui. En 1968, je m'en étais amusée d'abord. Mais ce fut l'une des causes de l'agitation étudiante, et je finis par comprendre que, la pilule aidant, c'était la libération sexuelle qui commençait, faisait débat. La vraie révolution était peut-être là.

J'avais eu droit à un autre signe, un véritable choc. Pénétrant un matin dans la salle de rédaction, je l'avais vue traversée par un fil où pendaient, comme du linge mis à sécher, des soutiens-gorge de dentelle ou de satin, de coton ou de soie, aux bonnets ronds ou triangulaires, roses ou blancs. Toutes m'observaient du coin de l'œil, faisaient mine d'être absorbées par des choix de photos, des consultations de dossiers, les tâches habituelles. Je m'aperçus vite que, sous les chemises, les polos ou les robes, évoluaient librement de jolis globes bien ronds, des petits seins durs et pointus de statues, quelques mamelles d'estimable volume, deux ou quatre petits sacs aussi dont les propriétaires montraient bien du courage.

Elles m'avaient expliqué qu'une bonne partie de leurs sous-vêtements constituaient un harnachement, une armure, une cotte de mailles et je ne sais quoi encore, bref, autant de cachots où elles étouffaient, le moyen — masculin bien sûr — de les enfermer dans le rôle d'objet.

J'avais tenté de rétorquer que ces jolies petites choses pouvaient aussi cacher quelques misères ou même attiser le désir des hommes. Une bataille perdue d'avance. Je l'avais compris assez tôt pour éviter de m'y engager trop. Je plaignais seulement les malheureuses qui, s'étant crues tenues de suivre le mouvement, avaient exposé leurs disgrâces et les effets de l'âge.

Cette mode, qui n'allait pas tellement durer, sauf sur les plages, s'était déjà répandue dans Paris. Ce samedi où je jouais les voyeuses dans le Quartier latin, j'avais croisé un groupe d'étudiants marchant vers je ne sais quel meeting, mené par quelques filles largement décolletées. J'eus même la vision fugace de deux ou trois pointes roses ou ambrées. Je me pris à penser que leurs compagnons, n'ayant qu'à tendre la main et ne s'en privant certainement pas, étaient plus favorisés que leurs pères. L'instant d'après, j'étais persuadée du contraire : priver les hommes du plaisir de la conquête, ou de ce qu'ils croient tel, est un vrai, grand risque.

J'avais quitté ces rues enfiévrées pour regagner mon quartier, hantée par les images, soudain resurgies, d'autres lieux aux visages de guerre civile, ceux de Madrid en 1936, quand j'aperçus une sorte de chasse à la femme, justement.

Je ne la voyais que de dos, cheveux en désordre, robe légère un peu démodée, très années cinquante, un grand sac de voyage au bout du bras. Elle se hâtait. Un homme, plutôt bien vêtu, semblait-il, la suivait, tentait de l'aborder, lui parlait presque dans le cou, essayait de lui saisir le bras, faisait mine de l'aider à porter son sac. Elle se dégageait, brusque, se hâtait davantage, courbée pourtant, tête penchée, fatiguée peut-être. Lasse.

J'hésitais sur la conduite à tenir. Fatiguée, je l'étais aussi d'avoir trop traîné dans la ville. Par chance, nous approchions — ce couple et moi — de mon immeuble. Fallait-il intervenir, tenter de faire cesser le manège du type avant d'y pénétrer, ou laisser aller ? Après tout, cette femme n'avait pas l'air d'une gamine, elle saurait se tirer seule d'affaire.

Je n'eus pas à tergiverser longtemps. Elle s'était arrêtée devant ma porte, sonnait, se retournait pour faire face à son poursuivant.

Je sursautai.

C'était Guida.

Elle m'aperçut aussitôt. Ne sourit même pas. Mais parut soulagée.

L'homme, l'allure d'un comptable bien rangé, avait déjà compris que nous nous connaissions, reculait.

— J'ai besoin de toi, souffla-t-elle.

Je montrai l'homme, qui ne se résignait pas à disparaître.

Elle haussa les épaules. Méprisante.

— Non. Plus grave.

— Entre.

Je claquai la porte.

Tout juste arrivée dans l'appartement, elle me demanda si elle pouvait dormir. Elle semblait, en effet, épuisée. Elle me remercia quand même, mal rassurée de constater que je n'avais pas changé de bonne. Je la conduisis dans la chambre qu'elle avait déjà occupée. Elle esquissa une sorte de sourire, puis :

— Je sens le Russe, je crois.

Je haussai les sourcils, comme pour l'interroger.

Mais elle s'était déjà jetée sur le lit, tout habillée.

— Excuse-moi. Je suis très fatiguée. Je t'expliquerai. Mais je ne suis pas là, d'accord ? Tu ne sais rien. Je t'expliquerai.

Je me sentis congédiée. Heureuse pourtant de la retrouver. Avide d'en savoir davantage.

J'allumai la radio. Les bagarres recommençaient, semble-t-il, sur la rive gauche. Le téléphone sonna. C'était mon fils. Rodolphine venait d'accoucher d'un garçon, prénommé Laurent en souvenir de mon père. Je ne l'aurais pas cru : André avait l'esprit de famille. Je l'en félicitai, émue comme une gamine.

Ce soir-là, je n'écoutai pas la radio, j'oubliai les barricades, les bagarres et les grèves. J'allai chercher dans une armoire les albums des photos de la famille : Laurent, Célestine, Aline lors de son premier mariage puis le second à l'Hôtel d'Orsay, Blandine et cette tristesse toujours marquée sur son visage même lorsqu'elle s'efforçait de sourire, mon Ramon, mon John. Toutes les rencontres, les joies et les amours d'une vie. Je m'aperçus soudain que je pleurais doucement. Je me trouvai bête, courus me servir un grand whisky.

J'étais seule, toute seule, pour célébrer cette naissance. Non. Il y avait Guida. Mais elle dormait.

Son visage défait, je n'oserais pas écrire délabré, m'avait troublée, je n'oserais pas écrire bouleversée. Je la revis, souriante, pimpante, lorsqu'elle était venue me voir, en uniforme gris, sous l'Occupation. Plus jeune aussi au moment de l'exposition. Je repris les albums de photos pour la chercher. Elle n'y était pas. Jamais. Même sur celles des réunions familiales auxquelles, j'en étais certaine, elle avait participé. Comme si elle se tenait toujours à l'écart. Je me précipitai pour ranger les photos dans leur armoire.

Le lendemain, elle n'apparut pas à l'heure du petit déjeuner. Elle connaissait pourtant les habitudes de la maison. J'attendis longtemps. Puis, inquiète, j'osai ouvrir doucement la porte de sa chambre. Elle dormait. Elle s'était déshabillée dans la nuit, mais elle dormait, ne m'entendit même pas quand je me permis de toussoter. Elle était à coup sûr épuisée. Je la laissai.

Elle surgit dans le salon à l'heure du thé. Ébouriffée. Pas lavée, paupières presque collées. J'avais décidé, auparavant, de ne pas lui laisser mener le jeu, cette fois. Il faudrait bien qu'elle s'explique. Je faillis, quand je la vis, lui rappeler d'abord qu'elle savait où trouver la salle de bains. Mais elle faisait pitié. Je me retins. Elle crevait de faim, se jeta sur les croissants du matin qui lui étaient destinés et qui avaient durci. Elle n'en avait cure. Florianne dut encore lui apporter du pain, des biscottes, puis du jambon et... Bon, je renonce, j'interromps l'énumération.

Ce fut long. J'attendais qu'elle eût fini de mastiquer pour l'interroger, partir à l'assaut. Je m'étais dit que tant pis, au point où nous en étions, prudence et précautions n'étaient plus de mise.

Ce fut elle qui commença :

— J'ai la police au cul. Il n'y avait plus que toi.

Une histoire folle, bien sûr. Revenue à Paris depuis deux mois — revenue d'où ? —, elle logeait dans un petit hôtel pas cher du Quartier latin. Bien placée pour assister, puis participer, à la première nuit des barricades. Elle me raconta les affrontements entre étudiants et CRS dans l'entrelacs des rues qui jouxtent la Sorbonne, le fracas des grenades policières, la pluie de boulons et de pavés qui leur répondait, les folles rumeurs qui couraient parmi les jeunes annonçant que les CRS avaient tué, que vingt mille ouvriers s'étaient rassemblés à la porte Saint-Denis, prêts à venir soutenir l'émeute.

Elle racontait bien. Je pensais qu'elle eût fait une bonne journaliste de radio. Je m'étonnais à peine d'entendre cette ancienne adoratrice d'Adolf Hitler raconter ces nuits de folie en compagnie d'anarchistes, de communistes prochinois et autres gauchistes. Mais quoi ? le monde auquel elle avait cru, gamine puis jeune femme, s'était sans doute écroulé dans l'apocalypse de Berlin en 1945. Elle était disponible pour toutes les aventures.

Ce qu'elle me confirma presque aussitôt. Son récit, comme il arrive, obliqua, prit un détour.

— Tu sais, ces gamins se prenaient au sérieux avec leurs mouchoirs sur le visage comme des cow-boys et leurs manches de pioche en guise de pétoires. S'ils avaient connu la guerre...

Nous y étions revenues. J'eus droit, cette fois, à plus de précisions. A la fin d'avril 1945, alors que s'écroulait le régime nazi, elle avait vu entrer, dans Berlin encerclé par les Russes, le dernier bataillon des SS français, moitié truands, moitié idéalistes fourvoyés, chantant à pleine voix dans les camions qui les emmenaient à la mort, acclamés par une population que l'approche des Russes affolait. Des Français qui y croyaient encore, eux, qui tenaient le coup dans cette déroute !

Ses opinions, peut-être, avaient commencé de vaciller. Elle ne me le dit pas.

Elle les avait rejoints, ces SS, dans leur cantonnement, une brasserie, s'était peut-être donnée à l'un ou l'autre de ces guerriers exténués. Avait combattu, le lendemain, avec une mitraillette prise à un mort, bondissant dans les rues, de porte en porte, parmi les gravats, les pavés et les rails de tramway arrachés, les flaques de sang. Et le lendemain encore. Jusqu'au moment où elle avait appris le suicide du Führer. Une lâcheté à ses yeux. Elle eût rêvé de le voir luttant à leurs côtés, une arme à la main.

Elle racontait bien, je l'ai dit. Mais là, sa voix se cassa. Comme si elle n'avait pas encore tout à fait accepté la ruine désastreuse du monde auquel elle avait donné sa foi et sa jeunesse. Ensuite, les viols des Russes. « Ils sentaient si mauvais, sales, graisseux. Comme moi hier : j'ai toujours leur odeur dans le nez. Je ne l'oublierai jamais, je crois. »

Ensuite, les Berlinois qui devenaient collaborateurs, les femmes qui se donnaient pour un morceau de chocolat, un paquet de cigarettes, une boîte de ration militaire, les dénonciations d'anciens nazis, ou de braves gens qui ne l'étaient pas. Elle qui avait cru à la race supérieure, admiré les liturgies gigantesques de ces hommes et de ces femmes qui semblaient d'acier, avalé tous leurs slogans...

Parlant ainsi, elle se détruisait encore. Je me souvins des paroles d'Aurélie : « Quand on la retrouvera, il faudra tout reconstruire. »

Je décidai d'abréger :

— Mais, la police, hier ? Qu'est-ce qui se passe ? Ils t'ont prise sur les barricades ?

Même pas. Une médiocre aventure. Se promenant en curieuse, comme moi, dans les rues proches de l'Odéon, elle avait vu la vitrine défoncée d'un magasin, était entrée.

Des disques brisés, éclats noirs, jonchaient le sol. D'autres traînaient encore dans les rayonnages. Elle en avait saisi un — des chansons de Brassens — quand étaient survenus deux policiers en civil qui rôdaient alentour. Contrôle d'identité, passage au commissariat de quartier qui se barricadait comme une forteresse. Ils l'ont laissée aller, bien sûr. Mais elle a pris peur. La panique, presque. Elle a bien vite quitté l'hôtel dont elle avait donné l'adresse aux policiers.

Je tentai de la rassurer. Je ne suis pas certaine d'y être parvenue ce jour-là.

Débâcle. C'est le mot que j'eus en tête, soudain : cette femme avait combattu les Russes, mitraillette en mains, dans les ruines puantes de Berlin aux côtés des SS, crié sans doute, ces jours-ci, « CRS-SS », parmi les jeunes des barricades, et s'effrayait d'un petit contrôle de police. Comme si ces messieurs n'avaient pas de plus graves soucis.

La fatigue, peut-être, expliquait ce désarroi. Je voulus savoir de quoi elle vivait à Paris. De peu de choses : elle avait trouvé à donner des leçons d'allemand dans une école libre. Trois ou quatre heures par semaine, je ne sais plus. Et puis ? Et puis rien. J'imaginai un instant qu'elle se faisait de petits suppléments en couchant avec l'un ou l'autre. Mais les étudiants de son hôtel pouvaient avoir des filles aisément, sans débourser le moindre sou. Je repoussai vite cette idée. Cela ne lui ressemblait pas, quel que fût son état, et cela ne me convenait pas.

Je la renvoyai au lit. Elle ne se fit pas prier.

Le lendemain était un lundi. Les imprimeries étaient en grève, la distribution de la presse aussi. J'allai quand même au journal. Les soutiens-gorge ne décoraient plus la salle de rédaction mais, à première vue, ils ne semblaient pas avoir retrouvé leur place sur les seins de mes jeunes collaboratrices. Elles tenaient une réunion, agitée, sur le thème « rien ne sera plus jamais comme avant, le vieux monde est mort ». Les plus décidées se nommaient Alix de Chalençon et Marie-France Briochin, une héritière qui avait participé, deux ans plus tôt, au bal des débutantes. Je me demandais si elles tenaient les mêmes discours dans leurs familles. Les voyaient-elles ? Rien, il est vrai, ne pouvait plus surprendre : l'une d'elles annonça devant moi que le roi Hussein de Jordanie, oui le petit roi de Jordanie, en visite privée à Paris, avait fait signer par son secrétaire un texte de solidarité avec les grévistes du palace Plaza Athénée.

Chez les Surmont-Rousset et descendants, en revanche, l'agitation restait limitée. Aline m'avait appris que son fils Henri, le jésuite, participait activement, mais pour les modérer disait-il, à des réunions sur la réforme de l'Église. Jacques et Bernard faisaient mine de diriger encore des entreprises en grève. Jacques moins inquiet que Bernard car, si ce conflit social devait se terminer, comme d'ordinaire, par une augmentation des salaires, la consommation ferait un bond, une bonne affaire pour la Lainor devenue Vandor. Côté textile, c'était une autre histoire : les fermetures d'usines ou les cessions risquaient de se multiplier.

Aurélie m'égaya. Les ouvriers de sa coopérative avaient souhaité continuer à travailler en douce, portes fermées, et proposé à Paul d'inscrire sur celles-ci : « Établissement en grève occupé par son personnel ». Il n'y avait plus d'essence, guère de clients, mais on profiterait de la circonstance pour effectuer des travaux de réorganisation prévus depuis quelque temps et toujours ajournés. Paul avait sorti un long discours sur la solidarité ouvrière qui avait fait ouvrir les yeux ronds à quelques-uns de ces jeunes passés récemment de la campagne à la ville et n'ayant aucune idée des traditions syndicales.

Aurélie, pourtant, s'inquiétait aussi : elle n'avait aucune nouvelle de ses filles.

Les miens se tenaient à l'écart. André, jeune père, n'avait d'yeux que pour son rejeton et Rodolphine encore en clinique. Simone, de Milan, m'avait fait parvenir un message amusant. Les Italiens s'interrogeaient : devaient-ils suivre l'exemple parisien ? Quelques-uns étaient passés à l'acte. Pas très suivis (la crise sociale, là-bas, devait éclater l'année suivante). Elle travaillait dur, avait créé un deuxième bureau de style. Elle aurait, plus tard, d'autres choses à me dire. J'imaginais qu'il existait un monsieur. Je m'étais prise à rêver à un bel Italien à la voix de ténor qui serait charmant, empressé, délicat avec sa belle-mère. On reste toujours un peu gamine.

Delphine et son André Millet étaient partis pour l'Italie, justement, à la veille des grèves : dans l'électroménager, les industries de ce pays battaient des records et vendaient à très bas prix.

Dressant ainsi le tableau des attitudes familiales, je m'étais évadée de la réunion de mes journalistes. Quelques « hou ! hou ! » m'y ramenèrent. L'une d'elles, la quarantaine épanouie, affectée à la rubrique des jeux, venait de refuser de participer à je ne sais quelle manifestation et de se déclarer gaulliste.

Je me crus obligée d'intervenir pour ramener le calme, leur parlai de démocratie, de respect des opinions, enfilai à la suite quelques grands principes et bons sentiments, et leur rappelai qu'en dépit de mon âge certain — sur lequel j'avais toujours laissé planer un certain mystère : je savais qu'entre elles, depuis des années, les supputations allaient bon train — je pensais à l'avenir. A l'avenir immédiat d'abord.

Les grèves cesseraient un jour où l'autre, peut-être plus vite qu'on ne l'imaginait. La rédaction devait donc préparer, vite fait, un numéro spécial qui tirerait la leçon des événements. Surtout du point de vue des femmes. Car c'était le sort des femmes, la place des femmes dans la société, que l'esprit de 1968 allait transformer, on ne pouvait en douter. Il suffisait de les voir, elles, et d'écouter les discours, de savoir ce qui se passait dans tous les lieux occupés, à la Sorbonne et ailleurs, pour s'en persuader. Je leur citai même une inscription que j'avais lue parmi tant d'autres à la Sorbonne : « Plus je fais la révolution plus j'ai envie de faire l'amour. »

La pilule et 1968 allaient tout changer pour les

femmes. Mon petit discours était à la fois vrai et un peu démagogique, mais je n'avais pas le choix.

Ayant dit, je convoquai mes assistantes pour préparer ce numéro, dare-dare. Puis je m'échappai. J'avais hâte de retrouver Guida. Je craignais qu'elle n'ait, une fois encore, disparu.

XIX

Cette fois, elle s'était levée pour déjeuner. Lavée, maquillée, le visage refait. A son avantage.

Il faut des secrets pour sauvegarder la beauté du corps. J'en utilisais depuis pas mal de temps, déjà. J'ignorais les siens, qui étaient rares. Nous les échangeâmes. J'ai beaucoup parlé abdominaux, parfums, pommades, gels, pattes-d'oie. Je lui racontai — c'était un vieux truc qui devait dater des débuts du magazine — qu'après la crème nourrissante et le bain, j'appliquais une première couche de poudre, très abondante, qui devait rester un moment en contact avec le visage, que je brossais ensuite pour passer, en douceur, une nouvelle couche, plus modeste, définitive. Elle rit un peu, presque moqueuse : ces filles-là raffinaient moins. Toujours pressées.

C'était son premier rire. J'en fus réchauffée.

Elle avait, au passage, évoqué des marques de produits de beauté français, très connus dans les années cinquante : Dop, Roja, L.T. Piver, Chéramy, d'autres encore. Trois secondes d'hésitation. Je décidai de me lancer : elle avait donc vécu en France ?

A son tour d'hésiter. Puis :

— Pas tout le temps. Un peu quand même. Enfin, c'est compliqué.

Il y avait eu d'abord, après les Soviétiques, l'épisode du mess des officiers anglais, installé dans un ancien local des sections d'assaut nazies, un imposant immeuble, toujours surmonté d'un aigle de pierre aux ailes déployées retenant entre ses serres une croix gammée. Et, à la porte, une marmaille mendiant chocolat, bonbons, cigarettes, n'importe quoi. On l'avait engagée comme serveuse sans trop se préoccuper de son passé hitlérien.

— Je leur ai raconté que j'étais une Française, travailleuse de force, que j'avais perdu tous mes papiers lors de la prise de Berlin, mais que je voulais rester là, pour chercher mon fiancé disparu. Je jouais la névrosée, plutôt l'obsédée par cette recherche. Ils m'ont crue. Ils étaient assez faciles à berner. Si tu avais vu défiler dans les bureaux ces gens qui prétendaient, tous, s'être montrés hostiles à Hitler, partisans de la démocratie et admirateurs de Churchill ! Les hommes, parfois, assuraient même qu'ils avaient eu, avant l'arrivée des nazis au pouvoir, une fiancée juive et qu'ils l'avaient aidée à fuir.

Là-dessus, un petit sourire ou une moue. Dérision ou désolation, je n'aurais pas su le dire.

— Les Anglais écoutaient sans broncher ?

— Ils n'étaient pas dupes, je crois. Mais ils faisaient comme si. Même pour moi. Au début, je me suis crue obligée de parler de mes recherches, de leur demander par quel service passer pour obtenir des informations. J'ai vite compris que cela ne les intéressait pas. Alors, je ne me suis plus fatiguée.

Puisqu'elle parlait aussi l'anglais — dans le seul but, j'imagine, d'ennuyer ses parents, elle l'avait choisi à l'école comme principale langue étrangère plutôt que le français —, ils avaient fini par lui confier un emploi de bureau. D'abord comme adjointe du gérant du mess, puis dans un service de dénazification créé par les alliés.

Elle, la dénazification ! Là, j'ai senti qu'elle me guettait, attendait ma réaction. J'ai baissé les yeux. Je ne savais que dire ni que penser. Nous allions à la rencontre l'une de l'autre comme des funambules.

J'esquivai la difficulté, repartis sur les produits de beauté qu'elle avait cités. Sans trop d'espoir.

J'avais tort. Elle accrocha. Ce fut l'épisode, long, du lieutenant français.

Lieutenant au début. Rencontré à l'Opéra de Berlin, lequel avait résisté à tout et abritait ce soir-là un spectacle de ballets. Les officiers soviétiques et leurs épouses occupaient les premiers rangs, les Américains les suivants avec leurs petites amies — « on les reconnaissait même dans les rues à la finesse de leurs bas nylon » —, puis les Anglais, dont son chevalier servant de l'époque, un timide, disait-elle, qui lui faisait sans succès une cour discrète et reposante. Une poignée de Français enfin, dispersés. Elle s'était heurtée à ce lieutenant de l'armée de l'air à l'entracte. Quelques mots échangés, le temps pour lui de s'étonner de son français impeccable. A la fin du spectacle, il s'était arrangé pour se retrouver sur son chemin, se faire présenter l'Anglais qui l'accompagnait, apprendre ainsi où elle travaillait.

Trois jours plus tard, il l'invitait au cinéma que les Français s'étaient installé, où l'on jouait des films d'avant la guerre. Ils avaient regardé ensemble *Hélène* dont les vedettes étaient Madeleine Renaud et Jean-Louis Barrault. Une histoire d'amour pas très réussie. La leur commençait. J'ai failli dire que ce film avait aussi créé le couple Renaud-Barrault — nous avions raconté cela dans *La Vie en rose* à l'époque — mais je n'ai pas voulu l'interrompre. Elle était lancée.

— Je n'avais jamais aimé un homme, aimé vraiment. Mais là... Après le film, il m'a emmenée danser dans une petite boîte. Il n'y avait que des Français, ou presque. Quelques Américains peut-être... Mais une ambiance française, même le petit orchestre de soldats. C'était curieux...

Là, elle s'est interrompue un instant. Une fois encore, j'ai eu le sentiment qu'elle m'observait. J'ai baissé les yeux à nouveau, pas très fière de moi.

— A la deuxième danse, il a collé sa joue contre la mienne. Il n'était pas très bien rasé. Ça picotait. Mais c'était bon. Il chantonnait doucement. Nos pas s'accordaient tout à fait. Nos corps aussi. Je me sentais bien, dans les bras de cet inconnu. Je savais tout juste son nom. Est-ce que tu as connu cela, se trouver soudain heureuse, en sécurité, au chaud, dans les bras d'un homme que l'on connaît à peine, et rêver que ça dure ? Est-ce que tu l'as connu, cela ?

Elle attendait. J'ai pensé que c'était une question un peu enfantine, qu'il y avait aussi, là, un peu de défi, qu'elle pensait peut-être avoir vécu un amour unique, comme dans la chansonnette. « Un amour comme le nôtre, il n'en existe pas deux. Ce n'est pas celui des autres, c'est quelque chose de mieux. »

Alors, je lui ai parlé de Ramon et de John, de ma première danse avec Olivier aussi. Avec précaution. Il ne fallait pas briser son rêve.

Elle m'a vite interrompue. Trop heureuse de conter son histoire à présent qu'elle y était décidée.

— Après, nous nous sommes assis dans un coin et il a commencé à me parler de lui. Il aurait pu trouver un meilleur endroit pour me faire des confidences mais peut-être le bruit l'aidait-il, lui permettait de dire des choses qu'il avait peine à confier. Parce qu'il s'était disputé avec sa famille. Est-ce que je peux le dire ? Figure-toi que ces gens-là étaient pour les Allemands, tandis que lui, tout seul, penchait pour les Anglais et de Gaulle. Des débats sans fin. Durs. Des injures. Je crois même qu'il y eut aussi des coups, mais il ne me l'a jamais dit vraiment, jamais. Finalement, juste avant ce que vous appelez la Libération, il n'en pouvait plus, il est parti pour l'Algérie en passant par les Pyrénées, l'Espagne, afin de s'engager dans l'aviation. Quand il a eu son certificat de pilote, la guerre était finie.

— Plus jeune que toi ?

— Pas tellement. Quelques années. A ces âges-là, ça ne se voit pas.

Elle parlait plus librement à présent que l'essentiel avait été dit. Je ne sais pas si elle s'était rendu compte, un jour, si elle avait pris conscience, de la symétrie de leurs destins : deux jeunes en rupture avec leur famille, pour des raisons idéologiques ou patriotiques strictement opposées. Une histoire qui eût fait le bonheur des psychologues.

Bref, le grand amour. Pas question de mariage : l'armée française menait des enquêtes sur les promises des officiers. Mais elle l'avait suivi.

— Quelques mois plus tard, il a été affecté à Friedrichshafen, sur les bords du lac de Constance ; il y avait là une sorte de base aérienne où des Français travaillaient sur un moteur d'un type nouveau, une vraie révolution disaient-ils, mais je ne m'y intéressais pas. Je trouvais moche qu'ils aient pris cela aux Allemands. Remarque : ils n'étaient pas les seuls, tout le monde se servait, les Russes, les Américains, les Anglais. Les Français n'étaient même pas les plus débrouillards.

Je me souvenais de mon père, en 1914, quand les Allemands avaient commencé de démonter ses usines. Mais, bon, elle poursuivait, précipitée, presque lyrique :

— Moi, ce qui me plaisait, outre la compagnie de Guy, c'était d'être à deux pas de ma Bavière, du pays où je suis née. Ma Bavière. Tu te rends compte, avec des femmes et des hommes en costume traditionnel, des maisons d'opérette, des églises baroques, les lacs et les forêts de pins ou de hêtres. Ma Bavière, un bonheur. Juste à côté de Friedrichshafen, dans la ville la plus proche, Lindau, tu es en Bavière. C'est une île, Lindau. Avec un tout petit port d'où tu vois Bregenz, en Autriche, et aussi les Alpes suisses. Le port est presque fermé par deux petites jetées : au bout de l'une, il y a un phare, bien sûr, et au bout de l'autre, un lion bavarois appuyé sur ses pattes de devant comme s'il montait la garde et qui regarde passer les yachts et les blancs bateaux à vapeur. Un décor d'opérette, je te dis. Et là, rien à voir avec Berlin, comme si la guerre n'avait pas existé. Pas comme Friedrichshafen non plus, qui avait été très bombardée à cause de l'aviation. Finie la guerre, au bord du lac. Surtout quand ils ont changé la monnaie et que le pays a commencé à se redresser. Un vrai miracle. J'ai été heureuse, là. On se baignait, on allait ramasser des champignons dans les forêts de la zone américaine, on faisait l'amour.

Elle avait donc eu sa part de bonheur, malgré tout. J'avais envie de lui faire remarquer que l'Allemagne, si vite redressée, pouvait donc se montrer un grand pays même sans les nazis, et encore mieux sans les nazis, mais je m'incitai à la prudence. Cette fille — non : cette femme aujourd'hui — était un nœud de contradictions qui pourraient peut-être se dénouer, si elle continuait enfin à parler.

Elle m'expliqua qu'elle était pourtant obligée de se tenir dans l'ombre.

— Notre liaison était un secret de polichinelle mais le patron de la base avait des principes. Des principes ! Ils étaient beaux, pendant la guerre, les principes ! Donc, les réceptions officielles, le mess des officiers, les fêtes, ce n'était pas pour moi. Pour Guy non plus. Il n'y allait pas, la plupart du temps. Ou bien il se sauvait en vitesse, ce qui amusait ses amis. Il avait hâte de me retrouver, de me rouler sur le lit, sur le sol parfois.

Elle évoquait leurs rapports avec des mots crus, ce qui ne me surprenait pas, entrecoupait leur description, qui me gêna parfois — j'en avais pourtant entendu d'autres —, d'explications sur sa situation :

— Je m'étais trouvé une place de prof de français dans un pensionnat de religieuses. Quand tu n'as pas de diplômes en bonne et due forme, même si tu es la meilleure de tout Friedrichshafen en français, ce sont seulement les écoles religieuses qui t'acceptent, en ne te payant pas très cher bien sûr. Du moins, c'était comme cela à ce moment-là. Moi, ça me plaisait assez, l'enseignement. Et puis l'important, c'était lui.

Seulement voilà. La catastrophe. Il avait dû quitter l'Allemagne pour l'Indochine où la France était engagée dans une nouvelle guerre.

— Je l'aurais bien suivi là-bas aussi. Il m'a dit d'attendre un peu, qu'il verrait, qu'il s'organiserait. Je l'ai seulement accompagné jusqu'à Constance, puis je l'ai laissé partir. Après son départ, j'ai constaté que j'étais enceinte. Un enfant de lui, un bonheur, mais qui compliquait tout. Plus question de traverser le monde. Les voyages, à l'époque, c'était autre chose qu'aujourd'hui, mieux que de ton temps mais quand même. J'avais peur. J'avais raison. Ça s'est mal passé. Dès le cinquième mois, le docteur m'a dit de rester couchée presque toute la journée. Au sixième, j'ai fait une fausse couche : transport d'urgence à la clinique, du sang partout, ils m'ont dit que je ne pourrais plus avoir d'enfant.

Là, je me suis levée, d'instinct, comme ça, sans réfléchir, pour la prendre dans mes bras. Elle a reculé, vive, pour se rencogner dans son fauteuil. Je me suis sentie bête, avec ma tendresse inutile. Où était-ce seulement ce geste qu'elle n'acceptait pas, ne comprenait pas ?

Nous avions terminé notre déjeuner depuis longtemps, étions passées au salon tout en parlant. J'ai cru qu'elle allait se lever, regagner sa chambre. Je lui ai proposé d'aller nous dégourdir les jambes dans un quartier calme, pas trop éloigné puisqu'il n'y avait plus ni métro, ni autobus, ni essence. Elle a haussé les épaules. C'était non.

Une fois encore, j'ai cherché la bonne solution. Je crevais d'envie, par instants, de lui dire ses quatre vérités : elle apparaissait chez moi, disparaissait longtemps, posait des conditions, une sorte de chantage implicite, permanent. Je décidai de sortir seule, peut-être parce que je me sentais bête, debout, bras ballants devant elle qui se tenait presque dans la position du fœtus.

J'étais près de la porte quand :

— Pourquoi tu me lâches ? Reste. Je t'emmerde avec mes histoires ? Je n'ai pas fini.

Elle n'avait pas fini. Cela, j'en étais d'accord. Plus qu'elle peut-être. Mille questions se pressaient dans ma tête. L'important était qu'elle veuille poursuivre. Je retrouvai mon fauteuil, regrettai un instant d'avoir cessé de fumer l'année précédente : une cigarette m'eût donné une contenance. Mais on m'avait parlé des recherches anglaises sur le lien entre cigarette et cancer du poumon.

Les silences les plus brefs paraissent parfois éternels. Elle avait fermé les yeux. J'ai pensé qu'elle allait dormir. J'attendais. Je regardais les peintures de mon salon, j'aperçus une craquelure près d'une bibliothèque, une tache d'humidité aussi qui semblait provenir du plafond, je commençai à m'inquiéter : mes voisins de l'étage supérieur, des nantis peureux, avaient quitté Paris, voiture surchargée, après la première nuit des barricades, comme pour recommencer l'exode de 1940. Ou la fuite à Varennes, pensai-je pour m'en amuser. Mais il faudrait les retrouver, par la concierge peut-être, les prévenir. Avertir aussi les compagnies d'assurances. Les ennuis domestiques prennent parfois de telles proportions...

— En Indochine, reprit soudain Guida, ils n'avaient que des avions allemands de la guerre, des Junkers. L'armée française n'était pas riche. Tant mieux peut-être : ils étaient solides, ces « vieux Ju » comme disait Guy, ils en avaient vu d'autres. Il est revenu, après trois ans, presque. Je l'avais attendu, sage. Je ne lui avais pas écrit, pour l'enfant. Et à son retour, je n'ai pas eu le courage de lui dire.

Je me demandais si elle lui avait parlé, un jour, de son passé, les Jeunesses hitlériennes, le Lebensborn, tout cela. La dernière question à poser.

— Mais il n'est pas revenu à Friedrichshafen. Là, c'était fini. Il s'est retrouvé en France, à Salon-de-Provence pour former les jeunes pilotes. Enfin, je pouvais me montrer. On savait que le capitaine Guy de Romieux...

— de Romieux ?

— Oui. Je ne te l'avais pas dit ?

— Non. Mais c'est un joli nom.

— Oui, Mme Guy de Romieux, ça aurait fait bien, hein ? Mais il ne fallait pas rêver. L'armée aurait vite su d'où je venais, par où j'étais passée.

— Lui, il ne voulait pas t'épouser ?

— Nous n'en avons jamais parlé. Ça n'a jamais été un

problème entre nous. A cause de sa famille, peut-être, qu'il détestait, qui lui avait fait détester le mariage, je ne sais pas...

Je pensai : deux enfants perdus. Je lui demandai si elle possédait une photo de cet officier. Oui, mais dans la chambre. Elle me la montrerait plus tard. Continuer d'abord.

— Donc, à Salon, c'était mieux, je t'ai dit. On savait qu'il avait une liaison, que nous vivions ensemble, on nous invitait ensemble. Et puis, il en imposait. Il avait ramassé la Légion d'honneur en Indochine, d'autres décorations, je ne sais plus. Cette guerre, si loin, ça ne m'intéressait pas. Ensuite, on lui a confié une mission. Secret militaire, comme il disait. L'armée s'intéressait beaucoup à cette région, entre Orange et les Alpes...

— Le plateau d'Albion ?

— Oui.

— C'est là que tu as appris à aimer les côtes du Ventoux ?

— Oui.

Ce oui-là, à peine murmuré, tellement faible. Puis un nouveau silence.

J'ai attendu : patience, patience, je trouverais là une clé, bientôt. J'en étais certaine, je ne sais pourquoi. Il suffisait de laisser couler le temps.

Il vint enfin. Une toute petite voix.

— Nous avons été plus heureux que jamais, là. Nous tournions à travers toute cette région. Des petits villages merveilleux, le soleil, les vins si tu y tiens, et nous deux. Si beau. Une poussière infinie de souvenirs lumineux, comme on l'écrirait dans ton journal. Un matin, en sortant de l'auberge où nous avions couché, il a pris sa voiture pour porter à la gendarmerie une lettre urgente, disait-il, avec quelques plans de je ne sais quoi. Je ne sais pas non plus pourquoi cela devait passer par la gendarmerie. Secret militaire, peut-être, toujours. Il n'est pas revenu. Un accident, bête. Sa voiture écrabouillée, comme si on l'avait poussée contre un petit muret de pierres qui se trouvait là. C'était bizarre, d'après moi. Il était mort sur le coup, c'est tout ce que l'on a bien voulu me dire. Pour le reste, on m'a bien fait comprendre que je n'avais aucun titre à poser des questions. Voilà.

Je comprenais qu'elle n'avait pu supporter, jadis, d'entendre André vanter les charmes et les plaisirs d'une région devenue pour elle synonyme de malheur. Ce qui expliquait, comme Aurélie l'avait supposé, qu'elle ait quitté la table. Mais non qu'elle ait ensuite disparu près de trois ans.

Elle pleurait à nouveau. Je la pris dans mes bras. Elle se laissa dorloter comme un bébé.

XX

Le printemps chantait. Nous traversions des bourgs paisibles, des villages presque vides, des villes où quelques banderoles, par-ci par-là, rappelaient qu'une usine était en grève ou l'avait terminée.

L'essence réapparue comme par miracle, j'avais décidé d'échapper à Paris, à ses agitations qui s'éternisaient, ses manifestations chaque jour plus maigres, parfois violentes encore. Je pouvais avancer une bonne, une très bonne raison : je souhaitais voir au plus tôt mon petit-fils, nommé de Lontrade comme son père il est vrai, mais prénommé Laurent.

A ma grande surprise, Guida avait accepté de m'accompagner. La semaine qu'elle venait de passer à la maison l'avait rafraîchie, ouverte. Elle était sortie, mais revenue, racontait aux instants les plus imprévus quelques épisodes de sa vie.

Elle avait même surgi un matin dans ma salle de bains pour m'expliquer, presque larmoyante, qu'elle avait très mal dormi, trop consciente d'avoir mal agi trois ans plus tôt en me quittant, presque sans explications, alors que je l'avais accueillie, moi, sans lui en demander.

— Ne crois pas que j'étais jalouse de ton fils et de sa Rodolphine. Peut-être un peu, on ne sait jamais... Mais je comparais. Moi, j'avais gâché ma vie, si tu exceptes les années avec Guy. Alors, je n'ai pas pu me supporter, ni vous supporter du même coup. Vous étiez gentils, vous seriez gentils avec moi, et alors ? Le mal, il était en moi — il l'est peut-être encore —, je suis incapable de vivre normalement. Ce soir-là, j'ai failli me jeter à l'eau. Ensuite, j'ai été lâche : j'ai regardé le ciel, les arbres, des reflets de lumière sur l'eau, et j'ai trouvé ça beau. Ça peut sembler ridicule, hein ? des reflets, des arbres, des nuages. Je cherchais peut-être seulement une raison, un prétexte, alors que j'avais seulement peur de la mort : je ne sais pas. J'ai quitté le quai. Mais c'était une raison de plus de ne pas rentrer chez toi : ma lâcheté. Je suis repartie.

— Toi, lâche ? Ce n'est pas toi qui progressais dans les rues de Berlin, face aux Russes, avec ta mitraillette ?

— Tu ne comprends rien, parfois... Pardon, je n'aurais pas dû te dire ça. Mais ce n'est pas du tout la même chose. Quand tu te bats, comme ça, tu ne penses pas vraiment à la mort. Bien sûr, tu te protèges des balles, des éclats, des mines, de tout ce que tu pourrais ramasser dans la peau. Mais tu ne penses pas d'abord à la conséquence pour ta vie si tu recevais une balle : c'est seulement comme si l'autre, en face, avait marqué un but contre toi. Du moins, c'est ce que tu as dans la tête, avant, pendant que tu cours et que tu tires. Après, je ne sais pas, parce que ces salauds ne m'ont pas eue. Pas un bout de ferraille dans le corps.

Elle s'est redressée, fiérote, un peu gamine encore. Elle avait oublié ses larmes. J'essayais de l'imaginer courant dans ces ruines en pétaradant aux côtés de jeunes guerriers aux sales gueules — dans ma vision, ils ne pouvaient avoir que de sales gueules, hirsutes, crasseuses, rayées de rigoles de sueur. Portait-elle au moins un casque, un de ces casques que nous avions haïs ? Je n'osai pas poser la question. Je lui demandai seulement ce qu'elle avait fait après nous avoir quittés, au lendemain du dîner avec André.

La Bavière bien sûr. Elle était retournée en Bavière. De même après la mort de son bel officier. Mais à Munich cette fois, la région de son enfance. Elle me fit promettre de l'accompagner, un jour. Je l'ai fait, j'ai admiré ces palais imposants et ces églises baroques aux volutes chargées, aux brillantes colonnes de marbre et aux magnifiques voûtes en trompe-l'œil que la guerre, quand même, avait parfois mises à mal. J'ai visité les musées, longé, bonne touriste, le fleuve, admiré la richesse des boutiques, soupiré devant l'épaisseur des moelleuses pâtisseries présentées par les *konditorei.* Elle semblait heureuse, Guida, de me faire admirer ces opulences, ces richesses. Mais ce fut plus tard, des années plus tard.

De retour à Munich, donc, après la mort de Guy, elle n'a pas semblé craindre qu'on lui reprochât son passé nazi. Qui la reconnaîtrait ? Enfant, elle n'habitait pas dans la ville, mais alentour. Elle y revenait, vingt-cinq ans plus tard, physiquement épanouie mais marquée. Elle avait cherché à retrouver quelques-unes de ses condisciples, sans trop de crainte semble-t-il : on avait cessé depuis longtemps de pourchasser les anciens nazis, ou ceux qui les avaient laissés faire ; il fallait bien prendre ce pays comme il était ; d'ailleurs, il semblait s'être coulé aisément dans les pratiques de la démocratie et aurait pu, sur ce point, en remontrer à bien d'autres. Elle avait, en fin de compte, reconstitué un petit réseau de relations : « Tu sais, quand on voyait réapparaître quelqu'un après tant d'années, on ne lui posait pas de questions, sauf si c'était un homme qui avait été retenu longtemps prisonnier des Russes, alors c'est lui qui en parlait le premier et qui était fêté comme un rescapé. Autrement, on n'avait pas envie de remuer le passé. A quoi bon ? »

Elle avait trouvé un travail dans un établissement scolaire : professeur de français, évidemment, comme d'ordinaire. Seule nouveauté : cette école-là formait des cadres commerciaux.

Ce jour-là — je veux dire le jour où elle avait surgi dans ma salle de bains en pleine séance de maquillage (la longueur de celle-ci croît avec les années, mais ça n'est pas désagréable), elle ne m'en dit guère davantage.

J'appris à ne pas poser de questions, sinon sur des détails. Les confidences venaient par bribes. Les événements parfois les provoquaient. Ainsi, l'annonce de la découverte, au terme d'une nouvelle nuit de désordres, non loin de la Seine, du corps d'un homme victime d'un coup de couteau, l'amena à me donner les raisons de son retour en France, trois ans plus tôt. La fin d'une aventure avec un policier munichois, plus âgé, proche de la retraite, qui lui servait de père peut-être, je ne sais pas, et que l'on avait retrouvé un matin tué d'une balle en pleine tête, près du fleuve. Une histoire de truands, sans doute. Mais cette ville lui avait fait peur, soudain, elle s'était enfuie. L'étonnant, quand j'y repense, est que cette Guida tellement fragile alors, toujours tentée d'errer, y fût restée si longtemps.

Un autre jour, après le déjeuner, gamine et mutine, elle a demandé à voir les photos de la famille. Je pensais aux fameux albums où elle ne figurait pas, lui expliquai qu'il en existait d'autres à la campagne, plus complets. Elle insistait. Je cédai d'autant plus volontiers que cette insistance me touchait, me donnait à espérer.

Je les sortis de leur armoire.

Ce fut un moment délicieux. Elle posait des questions sur chacune, sur chacun, sur les fêtes ou les deuils qui les avaient réunis. Quoi de plus agréable pour qui aime expliquer, raconter. Je me donnai bien du plaisir.

Elle s'intéressait beaucoup à Aurélie, dont sa mère, sans doute, lui avait beaucoup parlé. A mon père Laurent, aussi. Elle s'attarda sur une photo où il avait une allure de statue, regard tendu vers un invisible lointain, penché en avant comme s'il s'apprêtait à sauter pour franchir un obstacle. « Lui, dit-elle, ça devait être un homme. Un vrai chef. »

Ce qui était vrai, bien sûr. Mais je me demandais si, par comparaison, elle ne méprisait pas Hans, son père. Qu'elle avait pourtant peu connu. Et je n'aimais pas ce mot chef, son ancien langage.

Nous remontions le temps. Nous arrivâmes aux images

nombreuses et jaunies du mariage d'Aline. Elle rit un peu. Elle riait davantage depuis plusieurs jours, semblait même avoir oublié sa crainte de la police. Les toilettes de cette époque, souvent prétentieuses, ridicules, s'y prêtaient, les coiffures surtout. Même la mienne, bien que je ne fus alors qu'une gamine. Je m'esclaffai avec elle : j'étais disposée à faire beaucoup pour que nous restions à l'unisson. Elle s'interrompit tout à coup, montra du doigt une image :

— Et celui-là ?

— Celui-là, mais tu l'as déjà vu tout à l'heure, dans les photos à la sortie de l'église. C'est le marié. Oscar Vanhoutte, le premier mari d'Aline. Tu connais bien cette histoire, non ? Trois jours plus tard, il partait pour la guerre et il a été tué dans les premiers combats. Enfin... il a disparu. Tu le savais, bien sûr.

— Écoute : sur cette photo, il ressemble un peu au père de Martha, une fille qui était ma meilleure amie en Allemagne avant la guerre. Un peu beaucoup même. Sauf que le père de Martha, qui s'appelait Oscar lui aussi, tu te rends compte d'une coïncidence, et qui était d'origine française, avait le visage esquinté par une blessure à la tête. Vous appelez ça les gueules cassées, en France, je crois. Enfin, ceux qui se souviennent encore de cette guerre-là.

Je tentai de maîtriser le mouvement de mes mains, d'assurer ma voix pour lui demander, d'un ton détaché, si elle l'avait bien connu, ce Français, et ce qu'il faisait dans la région de Munich.

Je ne suis pas très bonne comédienne, mais elle ne sembla pas remarquer mon émotion, j'écrirais plutôt mon inquiétude. Non. Elle l'avait peu connu, croisé quelques fois. On le disait un peu amnésique. Il avait épousé une fermière allemande après la guerre. Un brave homme, aux yeux de tous.

— Et sa fille ?

— Martha, c'était ma chef... Tu sais bien que j'étais là-dedans, dans les Jeunesses hitlériennes. Je ne cherche pas d'excuses, mais j'étais jeune. Bon. C'était ma chef. Il fallait qu'on marche droit, avec elle. Moi je ne détestais pas la discipline. Ils organisaient de belles cérémonies, tout cela. Ici, on ne sait pas en faire autant. Il y a toujours un peu le bordel...

— Comme sur les barricades.

Elle eut le bon goût de sourire.

— Ce n'était pas la même chose. Mais figure-toi que cette Martha, je l'ai retrouvée à Munich quand j'y suis retournée, il y a trois ans. Elle est directrice d'école maintenant, très bourgeoise, très honorée. Elle devrait prendre sa retraite un de ces jours, je pense — elle était un peu plus âgée que moi —, et elle sera fêtée comme il faut. Eh bien, tu ne vas pas me croire, mais tant pis. Tu sais ce qu'elle a fait pendant la guerre ? Elle était chef SS à Ravensbrück. Oui, au camp de Ravensbrück, là où on exterminait les femmes. Chef SS, Martha. Et maintenant directrice d'école : Madame Martha Trabandt par-ci, Madame Martha Trabandt par-là. Remarque : tous les Allemands ne sont pas comme ça, loin de là. Mais ce sont aussi des choses comme ça qui m'ont fait quitter Munich. Et il paraît qu'à l'Est, en RDA comme ils disent, c'est bien pis. Quand même, elle aurait pu se faire plus discrète, Martha, tu ne penses pas ?

Je hochai la tête, machinale. Mon esprit était ailleurs, bien entendu. Avec mon John, au combat dans les Ardennes, et son prisonnier allemand, un Oscar, qui lui racontait sa vie avant de mourir. Avec Aline, retour de Suède après sa déportation, qui expliquait qu'une certaine fille SS, une amie de ses nièces allemandes, lui avait sans doute épargné la mort. Je détenais désormais une troisième pièce de ce puzzle. Tout s'assemblait. Aline s'était remariée sans être veuve et sans avoir divorcé. Je tentai d'imaginer ce que prévoyaient la Loi et l'Église dans un tel cas, renonçai bientôt.

Guida, qui n'avait pas perçu mon trouble, s'amusait encore des photos.

Comme, à propos d'une autre image d'Oscar, elle revenait sur les variations idéologiques de Martha, lui reprochait de l'avoir entraînée, gamine, sur des chemins qui avaient fait de sa vie une longue erreur, je fus tentée de lui dire que cette fille n'était pas tout à fait mauvaise, puisqu'à Ravensbrück... Mais non, j'acquiesçai. Si un jour Aline parlait à Guida de ce que cette fille avait fait pour elle, ni l'une ni l'autre n'établiraient un lien avec le père, Oscar. Sur ce point, il faudrait garder le silence, toujours. Au moins jusqu'à la mort d'Aline. Pour qu'elle reste en paix.

Je me permis seulement une tirade sur le caractère fou de l'enseignement des Jeunesses hitlériennes à propos de la supériorité des Aryens, de l'extermination des races inférieures. Guida approuva. J'en étais ravie. Certaines de ses reparties, parfois, m'avaient fait penser qu'elle ne s'était pas libérée de toutes les traces de cet enseignement.

Pour l'heure, elle tenait surtout à jouer à « qui est qui ? » avec les photos des albums. Je mis à profit l'une d'elles où Blandine et Hans tournaient presque le dos à l'objectif, pas si faciles à identifier, pour attaquer carrément : après tout, je ne pouvais pas toujours rester murée dans le silence !

— Ce sont tes parents, quand ils sont revenus en France pour mon mariage avec John. Ils avaient été si longtemps éloignés. Ils étaient heureux, tu peux l'imaginer. Mais pas tout à fait puisqu'ils ne savaient rien de toi. Tu te rends compte : Blandine, ma sœur, a perdu une fille pendant la Première Guerre, elle la retrouve, et ensuite elle en perd une autre.

Fin du jeu. Guida me regarda, silencieuse, l'œil sec. Esquissa le geste de quitter le canapé où nous étions blotties l'une contre l'autre, parmi les albums, se ravisa. Resta. Murmura une phrase à laquelle je ne compris rien. Un bout de phrase seulement : « Sa faute ». Et encore, je ne pourrais le certifier.

J'avais le sentiment qu'un précipice venait de s'ouvrir devant nous.

Je tournai machinalement quelques feuillets.

Elle ne bougeait plus.

Je lui jetai un coup d'œil discret. Je crus apercevoir une petite larme.

J'eus la bêtise de penser que je pouvais tirer parti de ce chagrin supposé :

— Écoute, Guida, tu sais que je t'aime beaucoup. Comme ma fille, je dirai. Alors... je voudrais que l'on en parle. Ta mère serait tellement heureuse de te savoir vivante...

Mes mots n'étaient pas très habiles, j'en conviens. J'utilisais, dans mon trouble, ceux que je trouvais, qui se présentaient.

Cette fois, elle se leva, faisant chuter quelques albums :

— Et moi, je n'étais pas malheureuse, toute seule, rejetée par ma famille ?

Le précipice, toujours, l'incompréhension totale.

— Si je me suis laissé entraîner par les autres c'est aussi parce que...

Elle courut vers la porte. Je craignis une nouvelle fuite. Elle se retourna avant de disparaître :

— Quand tu voudras dîner, tu me le feras savoir par Florianne.

Je respirai.

Je l'imaginais pleurant sur son lit. Elle devait avoir gardé cela du dressage nazi : cacher ses sentiments, ne jamais se montrer faible, ne jamais le laisser croire. La pire des idées eût été de chercher à la consoler.

Je m'interrogeais aussi sur l'attitude de Blandine, jadis, avec ses deux filles. Je l'avais trouvée trop possessive avec Erika, trop inquiète, une inquiétude provoquée par la souffrance, lorsqu'elle l'avait surprise faisant des mamours avec André. Ayant perdu Aurélie, comment s'était-elle comportée quand Guida lui échappait chaque jour davantage, attirée par cette Martha et quelques autres. Et son mari ?

Le téléphone sonna. C'était mon garagiste. L'essence était enfin revenue. Il venait d'être livré, m'annonça qu'il avait pris l'initiative d'emplir le réservoir de ma voiture. Ça repartait.

Je décidai aussitôt de partir, moi aussi. J'avais hâte de faire la connaissance de mon petit-fils, le nouveau Laurent.

Le soir, Guida se présenta d'elle-même pour le dîner. Un peu tendue, semblait-il. Je lui annonçai tout de go qu'avec l'essence était revenue la liberté et que j'escomptais bien en profiter. Voudrait-elle m'accompagner ? Nous musarderions. Ce serait si bon après ces épuisantes journées de mai.

— Et ton journal ?

Je sursautai.

— Quoi, mon journal ?

— Si les grèves cessent, il faudra bien reparaître. C'est ton travail.

Elle ne me prenait pas au dépourvu. Je venais de téléphoner longuement à mes adjointes. Tout, désormais, était paré, prêt à tourner.

— Alors, tu m'accompagnes ?

J'avais conscience de me heurter à deux tabous, celui de la région où elle avait connu l'amour et croisé la mort avec son Guy, et celui des retrouvailles familiales. Je m'attendais à un refus et avais envisagé plusieurs propositions à lui présenter dans ce cas. Ce fut un « oui » plutôt souriant.

C'est ainsi que nous nous sommes retrouvées, le lendemain, après les embouteillages monstres des abords de Paris — le retour de l'essence, une fête ! — à travers une France en fleurs, verte, ensoleillée. Je lui racontai la Bourgogne.

Nous fîmes halte à Semur-en-Auxois, petite ville fortifiée qui tente en vain — grosses tours et courtines — de se donner des allures guerrières. Il y avait là un restaurant niché dans le lierre où je lui fis goûter un pouilly qui aurait rendu ivres tous les saints du Paradis. Ce n'était pas une grande gastronome. Elle apprécia modérément. Mais me dit soudain :

— Pour mes parents, tu sais, il faut attendre.

J'avais appris la patience.

XXI

Nous n'avions pas le cœur à rire mais j'étais heureuse de les retrouver. Les miens. De nouveau réunis, mis à part, comme souvent, notre branche américaine comme disait désormais Aline qui nous avait accueillis dans sa grande maison.

D'abord, Aurélie et son Paul qui se faisaient quelque souci pour l'aînée de leurs filles, celle qui aimait tant l'argent : au lendemain des barricades, elle était partie avec un groupe de hippies élever des chèvres en Corrèze (elle en est revenue, depuis, pour se lancer dans l'électronique).

Puis Delphine et André Millet désormais à la tête d'une très grosse affaire d'électroménager, radio et télévision. Avec un seul problème, mais de taille : ils n'avaient pas d'héritier. Bien sûr, ils avaient mis leur affaire en Bourse, mais contrôlaient encore une bonne part du capital. J'avais cru comprendre, lors de nos précédentes vacances en commun, que mon fils André s'y intéressait, ce qui se vérifia.

Il en avait les moyens, André, venu avec Rodolphine. Ils avaient même emmené — en novembre, ce que je n'avais pas jugé très prudent — leurs deux garçons, le petit Laurent, un peu plus de deux ans, et Jean-Raymond, un tout-petit — quelques semaines — dont je me plaisais à imaginer qu'il réunissait John et Ramon en son prénom. Mon fils, décidément, me surprenait par ses attentions. A moins que ce ne fût Rodolphine...

Simone aussi était là. Sans son ingénieur italien de chez Fiat. Mais il était habitué à ses absences. Non contente d'avoir créé à Rome, Milan et Paris, des bureaux de stylistes, elle avait repris à son compte l'affaire de prêt-à-porter d'Aline, s'était associée à Juliette, la presque sœur d'Aurélie, pour l'aider à étendre sa petite chaîne de boutiques, avait fondé enfin une Association de femmes chefs d'entreprise. Une association dont l'existence ne semblait surprendre personne : qui savait encore que les femmes de la génération de sa grand-mère n'avaient pas l'entière capacité juridique ?

Guida, enfin. Depuis deux ans, elle vivait à mes côtés. D'avoir peu à peu raconté, craché parfois, comme des caillots de sang ou des restes de bile, les joies, les peines et les malheurs de sa tragique histoire, l'avait libérée. Je n'en étais pas peu fière, bien que je ne m'en sois jamais targuée.

J'ai même joué la modeste un jour où Aline m'en félicitait. « Bravo, m'a-t-elle dit. C'est formidable, cette véritable maïeutique que tu as réussie. » Pour dire le vrai, j'ignorais le sens du mot maïeutique ; alors... Quand je l'eus quittée, je me suis précipitée sur un dictionnaire, découvert l'origine grecque de ce terme : *maïeutikê*, art de faire accoucher. Il y avait de cela, en effet. Le dictionnaire ajoutait qu'il s'agit d'une sorte de dialogue visant à faire surgir la vérité chez un interlocuteur.

Dialogue ? J'avais surtout écouté. Quant à la vérité, c'était celle de l'horreur radicale d'un système dans lequel Guida s'était laissé embrigader, gamine. Mais elle l'avait perçue avant de me rencontrer, comme si le ciel, sous ses yeux, éclatait en mille morceaux ; ce qui l'avait détruite. Et l'amour de son lieutenant Guy n'avait pas réussi à la remettre d'aplomb. Je regrette de ne l'avoir pas connu, celui-là. Je me demande s'il était l'homme qu'il lui fallait.

Demeuraient ainsi des zones d'ombre. Ainsi, les rapports que Blandine et Hans ont entretenus avec leurs filles. Je ne portais pas de jugement, je m'interrogeais seulement sur les raisons de cette rancune tenace et noire :

un an après son retour, Guida refusait encore qu'on l'annonce à ses parents !

Une situation folle. Dix siècles d'attente. Cent mille précautions et mises au secret. Car elle avait accepté de revoir ses cousins, et aussi Aline, Delphine, Aurélie sa sœur. A chacun, à chacune, il fallait faire jurer le silence. La plupart s'étaient révoltés. Aline la première : « Tu ne te rends pas compte. Blandine est sa mère, quand même. Elle a le droit de savoir. Elle serait si heureuse. » Et ainsi de suite. Je ne retranscris ici que la centième partie de ses arguments et du discours qu'elle me tint, un soir, dans sa grande maison de Lille, bien vide désormais.

Bien sûr, je me rendais compte. Mais que faire ? Guida disposait de la meilleure dissuasion, je n'ose pas écrire de la meilleure possibilité de chantage : qui veut me voir doit promettre. Il m'est arrivé, quand je l'ai sentie bien accrochée, de la houspiller : je n'en pouvais plus à la fin, Blandine était ma sœur, les secrets avaient assez disloqué, risqué d'abattre cette famille, il fallait en finir. Alors, elle se mettait à pleurer, je ne savais plus que faire, je la prenais dans mes bras, comme une enfant. Je me sentais bête. Elle aussi peut-être. Un soir, elle m'a dit : « Je suis idiote, dis que je suis idiote. » J'ai essayé de pousser mon avantage. Mais elle s'est refermée bien vite.

C'est Aurélie qui a enlevé la première manche. Guida avait accepté d'aller passer quelques jours d'été avec sa sœur en vacances dans les Landes. Je faisais des prières pour qu'ils ne se mettent pas à parler de politique : les Bonpain sont toujours restés fidèles à leurs convictions ; Guida, je ne savais pas. Mais Aurélie a sans doute fait la leçon à son Paul. Lequel a éprouvé, semble-t-il, un petit béguin pour cette belle-sœur tombée soudain du ciel. J'aurais aimé en savoir un peu plus sur cette histoire. Je me demande même si elle n'est pas allée, une fois ou l'autre, jusqu'à l'acte. Mais là aussi, zone d'ombre. De toute manière, Aurélie est de taille à faire face aux situations délicates : la vieille Julia Bondues — j'écris vieille, alors que je suis plus âgée aujourd'hui qu'elle ne le fut jamais — avait su élever ses enfants. Si j'avais connu ses recettes...

Aurélie a convaincu Guida que cette situation était intenable, injustifiable, que l'on ne pouvait pas faire cela à une mère, à un père, et en rendre complice toute une famille. Ce que je lui avais déjà répété, sans me faire entendre. Elles ont, il est vrai, en commun d'avoir perdu leurs parents. Mais l'une, Guida, l'avait voulu, ou avait cru le vouloir, s'était laissé embarquer. Tandis qu'Aurélie s'était crue abandonnée à jamais. Longtemps orphelines quand même toutes les deux...

Ou bien Guida a-t-elle perçu l'inquiétude de sa sœur dont la fille, hippie, courant au cul des chèvres corréziennes, ne donnait plus de nouvelles, et s'est-elle, du coup, interrogée ?...

Toujours est-il qu'elles ont un soir, ensemble, écrit à Blandine et Hans. J'étais éberluée quand Aurélie me l'a annoncé. Un peu jalouse aussi : après tout, j'avais contribué à cette première victoire. D'autant que j'avais aussi remis Guida au travail : durant l'été 1968, j'avais pris prétexte des absences dues aux vacances pour l'amener au journal. Ce qui avait semblé l'intéresser dans les premières semaines. Je me demandais même si elle ne pourrait pas, un jour, prendre ma suite : j'ai toujours, comme mon père, considéré les affaires comme un royaume qui devait rester dans la famille. Une conception très XIXe siècle.

Mais non, la presse n'intéressait guère Guida, l'actualité encore moins. Si elle avait aidé à bricoler quelques barricades de 68 c'est parce qu'elle se trouvait là, désœuvrée, la tête vide. Dès l'automne, elle s'était mise à chercher du travail : elle en avait l'habitude. L'habitude aussi d'atterrir dans des lieux semblables. Je m'attendais donc à ce qu'elle m'annonce son entrée comme professeur d'allemand dans un établissement scolaire. Surprise : elle était devenue vendeuse chez un bottier !

La botte, jusque-là presque méprisée, sauf pour les tenues de chasse, triomphait soudain, devenait — noire, blanche, fauve, haute, basse, « médium » — un accessoire féminin indispensable. Courrèges, Cardin, Lapidus, quelques autres, portent en cette affaire quelque responsabilité. Mais les autres couturiers aussi, les stylistes, les clientes qui font la mode, ou plutôt qui l'avaient détruite puisque l'on croisait dans les rues des jupes et des robes de toutes tailles, maxi, certes, atteignant presque la cheville, normales aussi, jusqu'aux genoux, mais souvent midi ou mini. Il fallait donc vêtir les jambes que l'on montrait. Une bonne affaire pour les industriels du cuir vrai ou faux. Le cuir et le plastique, d'ailleurs, se glissaient partout. Dans les vêtements, mais aussi dans les tapis et les moquettes. Les textiles traditionnels en souffraient davantage.

Ce qui me ramène, par une transition que je n'ai pas organisée ni prévue, à l'objet de notre réunion chez Aline.

Elle nous avait appelés au secours. Parce que les affaires de son fils Bernard, celui qui avait repris les usines textiles, étaient au plus mal.

Un véritable conseil de famille dans le grand salon lillois aux odeurs d'encaustique, dominé par les deux portraits de Laurent Surmont-Rousset et Clément Boidin qui, voisinant sur un mur, de part et d'autre de la haute cheminée de marbre, étaient bien obligés de cohabiter en paix. Je fus parfois tentée, pendant notre réunion, de retourner leurs portraits, comme pour les empêcher d'entendre ce qui se disait. Mais Aline les avait voulus trop grands et trop lourds.

Il faisait peine à voir, Bernard, une légère sueur embuait même son large front, quand il résuma son histoire, que quelques-uns seulement connaissaient. En arrière-plan, les difficultés qui s'accumulaient depuis si longtemps, qu'André Millet avait vues venir dès les années trente quand il suggérait à Boidin d'installer des usines au Brésil pour tirer parti des bas salaires. Désormais, bien des pays tropicaux traitaient eux-mêmes la matière première, laine ou coton, fabriquaient eux-mêmes les fils : les filatures françaises en souffraient, ou en mouraient. C'était pareil pour les tissages : les teinturiers achetaient directement leurs toiles écrues à l'étranger.

Je pourrais continuer longtemps l'énumération : tout ce qui pouvait se faire ailleurs à meilleur marché se faisait ailleurs. Il eût fallu moderniser, acheter, très cher, des machines nouvelles pour traiter les fibres courtes, les fils artificiels. Encore fallait-il le pouvoir. Or, les banques ne pouvaient pas prêter toujours, sauf à des taux prohibitifs. J'ai souvent répété la comparaison du banquier avec un personnage qui vous prête un parapluie lorsque le soleil brille et le reprend dès qu'il pleut. Par sagesse parfois.

Alors, on avait vu fermer des filatures et des tissages. Faillites, cessations d'activité, fusions, absorptions devenaient les mots à la mode. Certaines rues de Roubaix, naguère animées le matin d'une foule bruyante qui se hâtait, à pied, en vélo, vers les lourdes portes des usines, devenaient aussi silencieuses que des allées de cimetière. La presse relatait, ironique, la progression des quatre frères Willot — une famille roubaisienne spécialisée dans les tissus d'hygiène et de santé — qui rachetaient à bon prix les usines en difficulté, les fermaient souvent, et se remboursaient en revendant ce qui pouvait l'être : stocks, terrains, bâtiments parfois.

Chez Surmont-Rousset, comme on disait toujours, Bernard s'était longtemps débattu, trop seul. D'abord, dans le partage provoqué par Delphine il n'avait pas hérité de la meilleure part. Et il ne pouvait plus, à la différence de son père, appuyer le textile sur des activités plus rentables.

Bernard brûlait pourtant — secrètement, car il se livrait peu — d'égaler père et grand-père. Il voulait élargir l'empire, avait commis la bêtise d'acheter, en s'endettant, quelques affaires boiteuses dans la banlieue de Lille et du côté d'Armentières. Avec le désir de les redresser, alors qu'il n'en avait pas les moyens, ni l'autorité. L'empire grandissait mais il s'affaissait, les déficits se creusaient.

André Millet était intervenu, une première fois, pour

conseiller de mettre en Bourse une partie des actions. Il s'était fait rabrouer : les familles industrielles de la région ont souvent considéré qu'aller en Bourse, c'était frayer avec le diable. Nous n'en avons alors rien su. Sauf Aline peut-être mais je ne suis pas certaine que Bernard l'ait tenue très informée de l'état de ses affaires. Il jouait le sûr-de-lui, pensait qu'après une mauvaise passe — le textile en avait vu d'autres — il se rétablirait, en recueillerait seul le profit et la gloire.

Mai 1968 : augmentations des salaires, donc de la consommation et des ventes. Une bonne affaire, en définitive, pour Jacques, l'autre fils d'Aline, qui avait auparavant peiné, la Vandor (ex-Lainor) se développant, à résoudre des problèmes immenses de fichiers de clients, de gestion des stocks de marchandises. Mais qui s'était trouvé prêt à faire face, au bon moment, à l'appétit des Français, leur fringale de consommer.

Bernard, en revanche, n'en tirait qu'un faible bénéfice : son frère lui-même préférait acheter moins cher linge de maison, tapis et moquettes à l'étranger, ne lui en commandait qu'une petite part, comme une aumône. D'où une brouille. Aline avait dû intervenir, raccommoder les morceaux.

Tout cela, nous l'avons appris ce jour-là seulement, sous les regards, que j'imaginais courroucés, de Laurent Surmont-Rousset et de Clément. J'observais mes voisins. Paul et Aurélie, paisibles, qui s'étaient pris la main — encore amoureux ou de nouveau amoureux ? —, qui découvraient peut-être une nouvelle face d'un monde dont ils s'étaient tenus éloignés en dépit de leur participation aux réunions familiales et dont leur garage de douze ouvriers, apprentis compris, ne leur donnait sans doute qu'une faible idée.

Je guettais aussi le visage de Guida. Cette femme avait été formée par les nazis pour qui la réalité était d'une extravagante simplicité : il y a les bons, eux, et les mauvais, les autres. Comme les ordinateurs où l'on n'a le choix qu'entre un et zéro. Elle découvrait des réalités beaucoup plus complexes, des rapports familiaux embrouillés. Cela l'aiderait-elle ? Elle avait, en tout cas, accepté de venir, de participer. Elle était des nôtres.

Je regardais Delphine aussi. Toujours impeccable, tirée à quatre épingles. Elle eût pu jouer, à son âge encore, les mannequins dans des défilés. J'imaginais des régimes alimentaires sophistiqués, de longues séances de massages, un travail harassant pour garder forme et beauté. Persuadée qu'à ce prix elle faisait vingt ans de moins que moi, je me sentais jalouse. Ce qui m'aida peut-être à deviner, sur son visage, les traces d'un malaise, d'une inquiétude. Je conclus qu'elle possédait des informations que j'ignorais, qu'elle pressentait la suite.

Je ne me trompais pas.

Bernard poursuivit son exposé. L'augmentation des salaires, donc. Un léger mieux du côté des ventes, mais, pour certains produits, plus on vendait, plus on perdait. Pas beaucoup, mais on perdait. Une inflation galopante, en plus. Les banques prêtaient donc à des taux de plus en plus élevés. Le gouffre devant les yeux.

— Alors, André, tu es revenu me voir.

— Dis plutôt que c'est toi qui m'as fait appel.

— Rappelle-toi : le soir où tu m'as téléphoné...

— C'était seulement pour m'informer. J'avais entendu des rumeurs sur l'état de tes affaires. Elles m'inquiétaient. Tu es le neveu de Delphine quand même.

— Mais tu m'as proposé...

— Je ne t'ai pas proposé. Pas ce soir-là...

Cette première passe d'armes, brève parce que Aline y mit aussitôt un terme, me confirma que je ne m'étais pas trompée en observant Delphine : il y avait de la bisbille dans l'air.

Pour résumer : l'oncle par alliance, le grand maître français de la distribution d'appareils électriques en tous genres, avait, à la suite de cet échange téléphonique, rencontré son neveu. En terrain neutre : Paris. Dans les tristes locaux faussement solennels de l'Automobile Club dont Millet était membre. Bernard était à quia. Il n'avait pas apporté ses bilans, mais son oncle les possédait, informé sans doute par un banquier peu soucieux de discrétion.

— Je ne lui avais pas demandé, se défendit Millet devant nous. C'est lui, Morlieux — une banque comme la sienne a des antennes partout —, qui est venu me voir en me disant : « En principe, je n'en ai pas le droit, mais j'agis pour le bien de votre neveu. Il court à la catastrophe. Vous devez le sauver. » Voilà ce qu'il m'a dit. Je suis prêt à le jurer sur la tête de... (là, mon beau-frère hésita, réfléchit, renonça, comme s'il craignait de faire tomber une tête, celle de Delphine, la sienne peut-être ; je vis sourire Aurélie, Guida aussi).

— Et tu avais déjà un plan en tête.

— Je voulais t'aider. C'est la famille, non ?

Son regard fit le tour de l'assemblée, en quête d'appuis. Il était convaincant. Nous n'avions pas de raison sérieuse de douter. Personne ne pipa mot. Sauf mon André à moi, qui opina. Rodolphine, à ce moment, se leva : c'était l'heure de la tétée ; elle avait décidé de nourrir elle-même le petit Jean-Raymond ; j'avais fait observer que cela pouvait fatiguer les seins ; mais la mode du retour à la nature, au naturel, venait de revenir en force. La mode de ne pas écouter belle-maman, elle, a toujours existé.

Bernard poursuivait son exposé :

— Il était trop tard pour aller en Bourse. Là-dessus, nous sommes vite tombés d'accord. Dans une telle situation, il aurait fallu brader les actions pour avoir une chance de les placer. André me proposa donc l'intervention d'une banque, qui prendrait un quart du capital, prêterait aussi à un taux avantageux de quoi renflouer la trésorerie. J'ai accepté.

Là, j'intervins :

— La même banque qui avait informé André ?

— Non, dit celui-ci.

— Pas tout à fait, concéda Bernard. En réalité, elles avaient quand même des liens.

— Deux ou trois administrateurs communs, mais qui n'intervenaient pas dans la vie quotidienne de ces affaires.

La passe d'armes reprenait. Cette fois encore, Aline y mit un terme. Elle me semblait lointaine, fatiguée (elle mourrait deux ans plus tard) mais restait souveraine, devait pourtant regretter l'absence de son aîné, le jésuite, l'ex-prêtre-ouvrier devenu missionnaire au Tchad.

La négociation, si l'on peut ainsi parler, ne s'était pas limitée à l'entrée de la banque dans le capital. André avait aussi proposé l'engagement, rapide, d'un directeur général, un certain Jacquet, ancien de Polytechnique comme lui, une petite merveille à ses yeux. Bernard hésitait. André Millet insistait pour qu'au moins il fasse sa connaissance. Bernard avait fini par céder. André avait téléphoné. Vingt minutes plus tard, l'autre débarquait, comme s'il n'attendait que cela.

Je compris Bernard : cela sentait le complot. André Millet devina qu'il fallait s'expliquer, parla de coïncidence, de coup de chance : l'autre, retour du Maroc où il avait créé et ensuite vendu à bon prix des tissages, habitait de l'autre côté de la Seine. Rien d'extraordinaire, donc.

Il avait plu à Bernard aussitôt. Il ne manquait ni d'assurance ni de compétence. Une bonne tête, en plus, comme j'allais le découvrir plus tard. Mais il exigeait de prendre une part du capital. Entre 15 et 20 % : à négocier. Ce fut 20 %. Ils se tapèrent dans la main, comme je l'avais vu faire jadis, sur les champs de foire, aux paysans auvergnats. Aline n'avait pas été consultée : Bernard se comportait comme un dauphin qui n'ose avouer à la reine mère la perte d'une partie de l'empire. Persuadé au contraire d'avoir sauvé l'essentiel. D'autant que le troisième partenaire, la banque, lui consentait de nouvelles avances à des taux séduisants.

Trois semaines après, ce Jean Jacquet était sur le pont et à la manœuvre, si je puis employer le vocabulaire maritime. Menant les usines comme il l'avait fait sans doute au Maroc, fermant des ateliers, mettant au chômage des hommes et des femmes qui, l'année précédente, avaient été médaillés du travail, fêtés et ovationnés suivant une tradition instaurée par Boidin. Quelques mois plus tard éclatait une grève dont Bernard, me semble-t-il, ne fut pas mécontent : l'autre, qu'il avait appris à détester tant il lui marchait sur les pieds, comprendrait enfin que ce n'était pas si simple. Quand même ! Bernard Boidin — B.B. comme l'appelaient les Roubaisiens bien qu'il ne fût pas une beauté — accueillant une grève sans déplaisir, c'était le monde à l'envers ! Il ne l'avoua pas, mais souriait presque, à ce moment de son récit. Une revanche. C'était sa revanche. Comme s'il tirait la langue à l'autre. Puéril. Moi, je regardais les portraits de son père et de son grand-père. Je tentais de les imaginer pleurant de rage et de dépit.

Je me préparais au pire : si nous étions réunis, c'était que l'autre avait gagné. Forcément.

J'étais lasse. Ramon me manquait, John me manquait, et même Olivier. Un homme sur lequel j'eusse pu m'appuyer. Je me demandais, j'ose à peine l'écrire, si dans le combat que j'avais mené avec mes sœurs, avec les filles du journal aussi, pour la liberté et le pouvoir des femmes, nous n'avions pas, parfois, présumé de nos forces. Mais l'on peut bien se permettre un instant de répit. Je me réfugiais dans mes souvenirs. Je n'écoutais plus.

J'étais avec Ramon, toujours si gai, dans cette chambre de Madrid où il m'avait, la première fois, mise nue. Je faisais mine de lui résister. J'avais choisi une robe à petits boutons, rêvant qu'il me l'arrache, brutal, exaspéré. Mais non. Il en défaisait l'un, s'arrêtait pour une caresse qui se prolongeait, douce, me faisait vibrer. Si bien que cette robe de percale, si légère, presque transparente, c'est moi qui l'ai bientôt arrachée.

J'étais avec John, l'autre première fois, quand nous nous sommes retrouvés dans la chambre d'hôtel, au retour de Royan. Rien n'avait été prémédité. Je n'étais pas très gaie, je l'ai dit. Nous nous sommes embrassés, puis déshabillés chacun de notre côté, comme un couple déjà formé. Nous sommes passés, lui après moi, dans la salle de bains comme si nous l'avions fait chaque soir depuis des mois. J'étais restée debout près du lit en l'attendant. Il est passé de l'autre côté. Nous nous sommes regardés, souriants, émus comme des enfants. Je tremblais un peu. Je craignais, je ne sais pas, qu'il ne me trouve pas égale aux rêves qui l'avaient peut-être attiré lorsqu'il me voyait habillée. Je me reprochais mes seins peut-être un peu affaissés, mes cuisses trop grosses, ma bêtise enfin puisqu'il eût été si simple de me glisser sous les draps.

Soudain, il avait sauté sur le lit, d'un bond, toujours debout, poussant un cri d'Indien de film américain, et j'en avais fait autant, libérée, oubliant peines et nostalgies, au risque de me casser le cou, pourtant j'avais réussi, et en oscillant sur ce matelas trop mou je lui avais crié « Toi Tarzan, moi Jane », ce qui n'était pas très futé, mais je n'avais pas trouvé mieux, il m'avait aussitôt renversée et rendue flamme ardente, si bien qu'au petit matin encore, en m'éveillant, épuisée mais si heureuse, je me demandais où ce timide à la tête de fils de pasteur avait pu apprendre à affoler ainsi les femmes. J'avais fini par conclure, parce que ça m'arrangeait, parce que je souhaitais avoir été la première, que cela lui était naturel, inné.

Je fus même, ensuite, tandis que se poursuivait la réunion familiale, avec Olivier qui, lui, avait beaucoup appris auparavant, utilisait des techniques dont il se montrait très fier — « là, tu vas voir » — et que, gamine encore, innocente, j'admirais.

Guida qui me devinait partie dans les songes me prit la main. Je sursautai, un peu honteuse. Les autres n'avaient rien remarqué, semblait-il. Bernard en était à la partie cruciale de son récit. Cruciale est bien le mot. Car ce qu'il allait annoncer serait pour Aline, pour moi aussi mais peut-être moins, presque aussi pesant, coupant, qu'une croix. J'exagère, bien sûr. Mais.

Voilà : la grève avait un peu plus endommagé l'entreprise. La banque avait, d'un coup brusque, relevé ses taux d'intérêt. L'étranglement. Bernard avait découvert, alors, qu'elle n'avait participé au capital que pour un temps. Elle avait fait du « portage » d'actions, selon les termes des financiers. Pour le compte de ce Jean Jacquet, bien sûr, qui, disposant de 40 % du capital occupait désormais une position-clé, et proposait le rachat du reste à des prix de braderie.

Nous y étions. Tous, alors, se sont tournés vers André Millet contre qui Delphine s'était serrée.

— J'aurais dû vous en parler le premier, a-t-il dit : je ne le savais pas. J'ignorais que Jacquet était en cheville avec cette banque. Je l'ignorais tout à fait. J'avais interrogé mes services financiers : pour eux, Morlieux, qui se trouvait à l'origine de cette affaire, était honorablement connu dans le monde de la finance, on ne lui connaissait aucune histoire louche, il ne courait sur lui aucun ragot. Quant à Jacquet, c'était un nouveau venu sur la place de Paris et il avait d'autres banquiers : le Crédit Lyonnais, la Générale et Rivaud. Ces trois-là seulement. Je ne savais rien de plus. Je n'ai pas trempé dans cette histoire. Je le jure sur la tête de...

Il a regardé Delphine, qui avait rougi sous le fard ; légèrement, mais entre sœurs, on a des yeux perçants.

— Je le jure sur ma tête.

Il prenait peut-être des risques. Ou bien il s'en fichait. Personne n'avait le choix : il fallait le croire.

Restait l'objet du débat : Bernard devait-il accepter ? Aline avait souhaité que ce fût une décision commune. Car c'était la fin de l'empire que nous allions sceller.

J'avais en tête tous les prénoms, bizarres, des ancêtres dont mon père nous récitait parfois la litanie, et de leurs femmes, aux prénoms non moins bizarres, qui les avaient poussés de l'avant, qui assuraient l'intendance, définissaient aussi la stratégie parfois.

J'imaginais des arrière-grand-mères, le soir, avec leurs maris dans leurs lits si étroits et si élevés, les yeux au plafond, ces femmes fatiguées d'avoir mené six ou sept gosses depuis le matin prenant la main de l'homme pour lui chuchoter que le vieux filateur Bernaert, isolé dans un village des Flandres, n'allait pas très bien à ce que l'on racontait, mourrait sans héritier, ou laissant un fils parti courir la gueuse à Paris, qu'il faudrait peut-être s'intéresser à cette usine, et l'homme, alors, posant une main, à peine caressante, sur le sein de sa femme, répondant bien sûr, menteur, qu'il y avait déjà pensé, que c'était une bonne idée, en profitant peut-être pour s'allonger sur elle.

Je ne détachais pas mon regard des portraits de Laurent et de Clément. Je leur demandais de ne pas nous en vouloir. C'était l'époque. Eux-mêmes avaient su changer, non ? Celui-ci avec la Lainor, celui-là avec le journal. Nous allions tourner la page. Une belle et lourde page. Non. Bien plus qu'une page.

Jacques a parlé le premier. Il était partisan de la vente. Avec des arguments simples : trop tard, pas le choix, éviter le pire, la casse, retirer quand même un paquet de fric non négligeable. Je pensais qu'il eût pu aider davantage son frère. Mais je me souvins des difficultés rencontrées pour réorganiser la Vandor en plein développement, créer des filiales pour des clientèles plus aisées, qui l'avaient amené à s'endetter, lui aussi ; il s'en tirait, certes, mais restait fragile. Deux années plus tard, peut-être...

Aurélie et Paul se sont montrés les plus combatifs. Ils songeaient sans doute à tous les gens que ce Jacquet, dès qu'il aurait le champ libre, allait jeter à la rue. Mais ils n'avaient pas d'autre solution à proposer. Moi non plus. Ni André, ni Simone, bien que Rodolphine, revenue de la tétée, ait proposé de se lancer dans une nouvelle tournée des banques. A quoi Bernard avait répondu, comme je le pensais, qu'il l'avait déjà faite, en vain. Tirer les sonnettes, cogner aux portes, écrire de longues lettres, constituer des dossiers, chercher des alliés dans la profession : il avait tout tenté, avec l'aide d'Aline. Les uns ne répondaient pas, les autres alléguaient leurs propres difficultés, réelles la plupart du temps, quelques-uns qui prenaient des mines éplorées, n'étaient pas mécontents de voir l'empire s'affaisser.

Hans et Blandine avaient délégué leurs pouvoirs, si l'on peut dire, à Guida. Depuis qu'elle leur avait écrit en compagnie d'Aurélie, ils correspondaient un peu. Blandine la submergeait de lettres ; elle répondait une fois sur dix, ou sur vingt. Mais cette marque de confiance l'avait touchée.

Elle parla la dernière. N'eut que deux phrases : « Il n'est jamais trop tard. Moi, à ta place, Bernard, je me battrais. » Je pensai à la jeune femme qui affrontait les Russes, mitraillette à la main, dans les ruines de Berlin. Je lui caressai les cheveux. Bernard ne répondit pas, baissa seulement la tête. Il était vaincu déjà. Nous n'avions été invités que pour ratifier la capitulation. Mais quand Aline entendit Guida, elle quitta son fauteuil pour l'embrasser.

Le dîner, le soir, risquait d'être morne, funèbre. Alors Rodolphine lança Simone sur l'avenir de la mode. Par chance, intuition ou bonne information, elle avait visé juste. Ce que Simone annonçait, c'était l'explosion prochaine de la lingerie à frou-frou, d'un style cocotte, sans les longues culottes quand même ! Les soutiens-gorge, qui n'avaient jamais vraiment perdu droit de cité, allaient s'orner de broderies, de fleurs artificielles et de jours aguichants. Les guêpières, les porte-jarretelles et les bas ornés de dentelle réapparaîtraient. Les femmes montreraient leurs seins sur les plages mais se précipiteraient sur les dessous raffinés. La combinaison trouverait un nouvel avenir. Des stylistes rêvaient à des collections de lingerie légères et transparentes, invisibles sous le vêtement, donnant l'illusion de la nudité. On parlait même du retour possible du corset, comme parure et non comme carcan.

Cet exposé suscita mille questions, sourires, plaisanteries. Fit diversion. Comme l'annonce d'une naissance lors d'un repas d'enterrement. Je n'emploie pas cette comparaison par hasard. Car André Millet, qui voulait se racheter peut-être, suggéra à Bernard de créer une affaire de lingerie féminine ou d'en reprendre une avec le capital dont il allait disposer. Chacun promit de l'aider, qui en vendant ses produits, qui en lui fournissant des idées nouvelles, qui en mettant au pot, qui en lui trouvant des collaborateurs ou des collaboratrices de talent. On sait ce que valent de telles promesses. Mais la soirée était sauvée. J'allai, réconfortée, contempler longtemps le bébé de Rodolphine qui dormait, rose, repu, heureux.

Le lendemain matin, j'étais restée avec Aline, à sa demande, pour ranger les papiers de la famille. Elle me confia, à un détour de nos bavardages, qu'André Millet s'était servi un peu au passage — elle en détenait la preuve mais s'était tue pour ne pas ouvrir un conflit — dans cette malheureuse histoire Jacquet. Il importait de préserver l'unité familiale. J'allais riposter en lui parlant de vérité nécessaire quand la radio annonça la mort subite, la veille au soir, du général de Gaulle.

Nous avons laissé nos dossiers.

— Tu te souviens, murmura-t-elle ; c'est lui, de Gaulle, qui commandait la compagnie de mon premier mari, Oscar, quand il a été tué à Denain, en 1914.

Tué ? J'ai tressailli.

Je me suis tue.

Je n'ai pas prêté attention, d'abord, aux papiers que portait Guida, ce soir-là, à mon retour de Lille.

J'avais la tête ailleurs : je projetais de rassembler la famille dans une fête qui effacerait la réunion que nous venions de vivre. Blandine et Hans retrouveraient enfin Guida (il faudrait bien qu'elle finisse par céder). Aline qui me cachait — j'en étais certaine — un mal inquiétant s'en remettrait. Je nous imaginais, tous réunis chez mon fils, en train de goûter, paisibles, des cognacs hors d'âge. Un rêve que le cancer d'Aline a rapidement interdit. En fin de compte, ceux de nos descendants qui liront ces lignes s'en souviendront peut-être, nous n'avons pu nous revoir qu'en 1980. Ceux qui restaient, Blandine et Hans notamment, toujours en forme. Et ceux qui s'étaient ajoutés. Vingt-six petits-enfants : huit chez Aurélie dont le mari, repris sur le tard par la passion politique, s'était fait élire au Parlement européen, six chez Bernard qui avait fini par oublier, en vendant des dessous féminins importés, ses déboires dans la filature, deux garçons, tardivement venus, chez ma Simone, trois (de trois mariages différents) chez Erika, quatre chez André et Rodolphine, deux chez Jacques et enfin Célestine, une petite Camerounaise adoptée par Guida qui était revenue vivre avec moi.

Mais en ce soir de 1970, dix ans plus tôt, donc, quand Guida est rentrée, j'étais bien incapable de dresser un tel bilan. Je rêvais, je l'ai dit. Elle me sortit vite de mon petit nuage. Je ne saurais dire pourquoi. Si. Je fus frappée, soudain, par son allure juvénile. N'exagérons rien : son visage restait marqué. Mais elle était redressée, voilà. Droite.

— J'ai des choses à te dire, Céline.

Je la crus amoureuse et aimée.

Erreur. Elle avait décidé de déménager, s'était déniché un appartement, un trois-pièces proche du parc Montsouris. J'eus le cœur pincé. J'avais fini par goûter sa compagnie, en dépit des difficultés qu'elle provoquait parfois. Nous avions pris des habitudes. Je n'étais plus à un âge où l'on apprécie d'en changer. Je vis s'annoncer de longues solitudes.

Mais elle avait sorti le plan de son futur appartement, exposait ses projets d'aménagement. « Tu m'accompagneras, dis, pour choisir les rideaux, les meubles, tout ça ? » Elle était heureuse. Libérée. Autonome. Je me traitai intérieurement de béquille. Guida pouvait se passer de béquille, maintenant. Tandis qu'elle m'inondait de détails sur le voisinage de cet immeuble, j'inventai pour moi seule, dans ma tête, un conte pour enfants, l'histoire d'une béquille, si bien accoutumée à servir d'appui à une petite handicapée qu'elle avait bien de la peine à accepter la guérison de celle-ci. Je me jurai de faire mieux.

— Ça s'arrose !

J'allai chercher whisky, glaçons et gâteaux. Nous allions fêter cela.

Elle continuait de parler tandis que je lui tournais le dos pour ouvrir le bar. La petite serrure résistait. Je ne comprenais pas exactement ses paroles. Je déteste ce genre de situations qui donnent le sentiment d'être déjà sourde. Mais j'étais disposée à beaucoup d'indulgence tant je la sentais épanouie. Je crus entendre le mot « famille ». J'en tirai de fausses conclusions. Je suis assez douée pour ce genre d'erreurs.

— Tu as dû penser que nous donnions un triste spectacle, l'autre jour, chez Aline.

Elle était venue m'aider à chercher les gâteaux.

— Ce n'est pas ce que tu crois. Parce que j'ai compris une chose : tu vois, les oncles, les tantes et les cousins ne disaient pas tout ce qu'ils avaient sur le cœur, ça se devinait, il y avait des silences un peu curieux, on sentait qu'il y avait eu des tensions, mais ils voulaient rester ensemble, acceptaient de faire des concessions, d'éviter les heurts, et le soir, quand on a parlé fanfreluches et dentelles, j'ai senti qu'ils étaient contents d'être encore ensemble, malgré tout, d'avoir tenu le coup. Une vraie famille, quoi. Malgré les accrocs.

Je l'aurais embrassée. Mais j'étais encombrée de ma bouteille et des verres.

Nous sommes revenues vers la table basse.

Elle a murmuré :

— J'ai été un fameux accroc, moi.

Puis :

— Tu sais, j'ai un autre projet : avant mon déménagement, pendant les travaux, nous pourrions aller ensemble au Brésil, à São Paulo. Tu viendrais avec moi ?

J'ai pleuré. De joie. La boucle était bouclée, qui remontait au début du siècle.

Elle avait apporté des brochures de compagnies aériennes. Nous avons laissé whisky, glaçons et gâteaux.

Nous avions hâte de consulter les horaires.

Cet ouvrage a été composé
par Nord Compo — 59650 Villeneuve-d'Ascq
et imprimé sur presse Cameron
par **Bussière Camedan Imprimeries**
à Saint-Amand-Montrond (Cher)
pour le compte de la Librairie Plon
Achevé d'imprimer en mars 2001.

Imprimé en France

Dépôt légal : mars 2001.
N° d'édition : 13349. — N° d'impression : 011830/1.